三浦悦子の世界〈28〉
「制作途中（名称未定）」
22時になると私が嫌としているストリーキングタイムになります。
母のライブ開催です。
はい、行ってらっしゃいと手を振りつつ母を見送ります。
母の社会性攻撃的な時間帯なのです。
母亡き今は、寂しい思いをさせてしまっていたと思います。
表現の仕方が少し人と違うだけ。

JN006411

ネイキッド、それは裸。
覆い隠すもののない、剥き出しの姿。
デヴィッド・バーンのトーキング・ヘッズの最後のアルバムが
「Naked」だった。
そのジャケットに描かれたのは、猿。
もの言いたげな表情でこちらを向いて、知性を感じさせる猿。

人は猿から進化したとされるが、
人として纏っているもの、纏わされているものを脱ぎ去ると
結局は猿の姿になるということが
このジャケットに示されているのか。

纏うことで失われてしまうこともある。
心を閉じ込めてしまうことがある。

トーキング・ヘッズはある意味、纏うものを脱ぎ去って
都会の中からプリミティブへと回帰し、
心にかけられた鍵を解き放とうとしたところがある、ように思う。
(ただしあくまでも都会的センスは失わずに)

デヴィッド・バーンには「Buck Naked」という曲もあって
裸で州道を走れ、というフレーズから始まって、
最後には、神からすれば心も何もかも裸同然、というニュアンスが歌われる。

だったらどうして、纏うことにこだわる必要があろう？

裸。
だけど、他人の目線が意識された「ヌード」ではなく、
ありのままの姿としての「ネイキッド」。

さあ、心の枷を解き放とう。身も心も裸になろう——
そう訴えかけてくるさまざまなものたちを渉猟していこう。（沙月樹京）

★写真／七菜乃

七菜乃
NANANANO

幻想化された裸体《ネイキッド》

七菜乃は「ヌードは着衣のひとつ」とずっと言い続けている。それは、どの裸でもそれぞれ個性があって美しく、決して恥ずかしいと隠すようなものではない、ということだ。だから被写体も選別することなく広く一般から募り、裸体を撮影している。

とりわけ大人数で撮影するシリーズは、七菜乃ならではの表現だ。昨今はスタジオから屋外に飛び出し、より日常的な風景の中に裸体美を解き放とうとしている。

ところで「ヌード」が、他人の目を意識した理想美を指すのだとするなら、七菜乃の言う「ヌード」は、理想美というものを想定しないがゆえ、「ネイキッド」にニュアンスが近いかもしれない。しかし、その写真は、単に生まれたままの素の状態《ネイキッド》をリアルに捉えたものではなく、うっすらベールのようなもので包み込むことで幻想化したものだ。その幻想という「着衣」をまとわせ、裸体を神聖化してきらめかせようとしているのが、七菜乃の写真なのかもしれない。（沙）

★七菜乃 写真展
2023年7月14日（金）～30日（日） 月・火休
13：00～19：00 入場無料
場所／東京・神保町 神保町画廊
Tel.03-3295-1160
http://www.jinbochogarou.com/

★七菜乃写真集 2023年7月中旬発売予定！
発行・アトリエサード、発売・書苑新社

★七菜乃出展情報
「BEYOND THE AGES/PORTRAIT」展
PART 1：2023年4月8日（土）～29日（土）
PART 2：2023年5月20日（土）～6月9日（金）
※国内外の写真家のポートレイト作品を展示
場所／東京・日本橋 Sansiao Gallery
12:00～19:00 日・月・祝休 入場無料
Tel.03-3275-1008 http://sansiao-gallery.com/

真珠子
SHINJUKO

自由奔放さを育む

★掲載写真はいずれも、2006年に熊本市現代美術館で開催された
真珠子個展「Ready fo lady」の展示風景（写真：増田賢一）

かつて小誌No.40「巫女系」にて、真珠子と、あや野との対談を掲載したことがある。タイトルは「幼少期の感覚が霊感を呼び醒ます！」。そこでは、真珠子が体験した奇跡的な偶然の数々が話題になり、また真珠子は、「こういう線が描きたい、とか、こういう〝うねり〟が描きたいっていう衝動で描き始めることが多いかも」とも語っている。霊感を持ち、その感性が作品制作の原動力になっていることをうかがわせた。

しかし一方で、作品集『真珠子メモリアル』掲載のエッセイでは、「真珠子とは、私と夫が産み育てた、わがままで、きまぐれな、尊い我が娘だ」と綴っている。つまり、「真珠子」特有の霊感的な自由奔放さは、ただ無意識に発露しているのでなく、そうした感性を自覚したうえで、大事に守り育てている、ということなのだ。このように客観視もできているところが、真珠子の特質だろう。そうした中から、あの絵が生まれてくるのだ。

その真珠子が、熊本市現代美術館のコレクション展「未来のための記憶庫」に参加する。同美術館でのまとまった形での展示は、2006年の個展、2008年のグループ展以来、15年ぶり。2008年は破壊と再生の惑星・冥王星が山羊座に入った年で、今年はそこから離れようとする年だというから、この一致も真珠子の霊感力を証明するものなのか。その霊感を活かし、会期中に開催するワークショップでは、タロットカードぬり絵によるカウンセリングをおこなう。コレクション展とはいえ、多彩で果敢な現代美術が多数出展されるので、ぜひ足を運びたい。（沙）

★チラシに使われているのは、マリーナ・アブラモヴィッチの映像インスタレーション作品

★CAMKコレクション展 Vol.7
「未来のための記憶庫」
2023年4月29日（土・祝）～6月25日（日） 火曜休
10：00～20：00（入場は～19：30まで）
観覧料／一般600円、シニア（65歳以上）500円、
学生（高校生以上）400円、中学生以下無料
※電車・バス共通1日乗車券での割引などあり。
詳細は美術館のHPなどを参照。
場所／熊本市現代美術館
Tel.096-278-7500 https://www.camk.jp/
※関連イベントあり（詳細・申込みは美術館HPへ）
真珠子のワークショップ「私たちは、いにしえからの最高傑作」は
5月20日（土）14：00～16：00 ART LAB MARKETにて（参加無料）

★真珠子 作品集「真珠子メモリアル～〝娘〟を育んだ20年」
B5判・カバー装・128頁・定価税別3200円／好評発売中
発行・アトリエサード、発売・書苑新社

原始のエロスを奏でる

村田兼一
MURATA Ken'ichi

村田兼一の写真を見るとき、タブーに囚われすぎるとその真価を見誤るだろう。死への恐怖に打ち勝つためにエロスに救いを求め、その結果行き着いた表現。自らの切実な思いによるものだから、タブーだからといって譲ることはできない。そしてその切実さがあるゆえ、その写真が人を惹きつけ、そして救ってきたと言えるだろう。

昨今は、心臓への懸念もあって心臓をテーマにした作品に取り組んでいる。心臓は言うまでもなく、生命を維持するのに欠かせない中枢器官だ。村田の表現が、タナトスから観音を経て、より身体的・具体的ものに移り変わってきたと言えるかもしれないが、しかし、心臓が性器に代わって胎内／体内

への入口になったともとらえられなくもない。
そして村田は、そこに「心臓の女神」という架空の信仰をまぶしてみせた。そうした、人の本能に基づいた原始宗教的な嗜好も村田ならではで、探求するエロスの根源もそこにある。いわく、「天から降りて来た心臓を姫君が弓で奏でた」――個展では、そのエロス奏でる御伽の世界を堪能したい。（沙）

★村田兼一 写真展
「心臓を奏でる姫君」
2023年6月9日(金)～25日(日) 月・火休
13:00～19:00 入場無料
場所／東京・神保町 神保町画廊
Tel.03-3295-1160
http://www.jinbochogarou.com/

生来の残酷さを呼び覚ます

暗黒メルヘン絵本シリーズ

物語作家・最合のぼると幻想系少女画家とのコラボによって生み出された《暗黒メルヘン絵本シリーズ》全5巻が完結した。絵はすべて描き下ろしだが、単なる挿画のように文章本位で描かれたものではなく、最合と画家が互いにイメージを擦り合わせつつ、画家の持ち味も活かす形で世界が組み上げられていったシリーズだ。

しかしこの5巻で終わりではない。5人の画家すべてが描き下ろすという贅沢な新作物語に加え、制作秘話も収めた『暗黒メルヘン絵本シリーズZERO 王女様とメルヘン泥棒』が発売され、その原画などを展示する出版記念展が開催される。

さて、この《暗黒メルヘン絵本シリーズ》は、国内外の名作童話に着想を得た、少々ダークで残酷な物語集だ。メルヘンは子供向きと捉えられることが多いが、そもそも本来は残酷さを秘めたものであることは、よく知られている。そして子供が生来持つ残酷さを重ね合わせれば、メルヘンの持つ残酷さは、人間の本質――社会的・文化的に教育される前のネイキッドな感情に依拠しているのではないかと言えそうだ。本シリーズは、そうした残酷さにさらにぐっと迫ったものだと言えるだろう。しかも、コラボした画家は、いずれもイノセントな魅力を持つ者たちであり、それと残酷さのギャップが見どころであると同時に、イノセントであるからこそ、人間の本質としての残酷さがよく似合う。

だからこれらは、あなたの心の奥に眠る生来の感情を呼び覚ます物語たちなのだ。(沙)

★「暗黒メルヘン絵本シリーズZERO
王女様とメルヘン泥棒」
出版記念原画展
2023年6月16日(金)～25日(日) 会期中無休
12:00～19:00(土・日・祝は～17:00)
入場料／オンラインチケット800円
当日券1000円
(空きがある場合のみ販売)
※A室の川上勉展も観覧可能
場所／東京・銀座 ヴァニラ画廊 B室
Tel.03-5568-1233
http://www.vanilla-gallery.com/

★黒木こずゑ、たま、鳥居椿、須川まきこ、深瀬優子
×最合のぼる
「暗黒メルヘン絵本シリーズZERO
王女様とメルヘン泥棒」
B5判・並製・64頁・定価税別2000円
2023年6月中旬発売!(上記原画展で先行発売)
発行・アトリエサード、発売・書苑新社

★上図は「王女様とメルヘン泥棒」の挿画より（絵の部分）。左から順に黒木こずゑ、たま、鳥居椿、須川まきこ、深瀬優子

★最合のぼる（文・写真・構成）による暗黒メルヘン絵本シリーズ
（左から） 1 黒木こずゑ（絵）「一本足の道化師」 2. たま（絵）「夜間夢飛行」 3 鳥居椿（絵）「青いドレスの女」 4 須川まきこ（絵）「甘い部屋」 5 深瀬優子（絵）「柔らかなビー玉」

※右記の出版記念原画展では、
これら5冊＋新刊「王女様とメルヘン泥棒」をセットで収められる特製の「箱」を発売予定。

「特典付きの箱＋全巻セット」も数量限定で発売予定。詳細はヴァニラ画廊HPへ！

★《独り芝居一結城忠雄の像》2010年

★《さざめき》2023年

結城唯善 YUKI Tadayoshi

うつろってしまう 一瞬のきらめきみたいなものを 追いかける

記事p.114

ストロベリーソングオーケストラ

虚飾を脱いで嘘をまとえ

「虚構都市・鏡町にて演劇と影像、そして怨歌を融合させた《見世物パンク》」——座長の宮悪戦車は、ストロベリーソングオーケストラをそう称する。結成25年の、バンドと劇団が融合したパフォーマンス集団だ。

その結成は、ロックバンドを追いかけていた宮悪が中学生の頃、友人の兄のすすめで三上寛を聞き、三上が出演していた寺山修司の「田園に死す」を見たことがきっかけだったという。テラヤマ熱を沸騰させた宮悪は、さらに元・天井桟敷の昭和精吾の公演にノックアウトされ、「テラヤマとハードコアパンク、ノイズミュージックの融合」を目指してストロベリーソングオーケストラを立ち上げたのである。

そのストロベリーソングオーケストラが、結成25年、寺山修司没後40年のこの節目に、寺山にオマージュした公演を開催する。

宮悪は言う。「ネットが主流となった現代。140文字で呟く言葉の錬金術。寫眞を撮影しての投稿、実験映

像の投稿。いやいやどうして、皆が寺山のやってきた事をやっているじゃないか?／寺山は言葉を吐き散らし、寫眞を撮っては引き裂き赤糸で紡ぎ、映像を撮っては記憶を塗り替え、数々の贋作を作ってきた／そんな嘘吐き、炎上お騒がせ男が、地獄から僅かの時間だけ帰ってくる事が出来たら?と、寺山ファンなら誰もが思う事であろう。果たして『書を捨てよ町へ出よう』なんて言うのだろうか? こんなSNS中心の時代に?

だが、この節目の年だからこそ、「そうだ、書を捨て町へ出て、鉛筆のドラキュラを捜す旅に出よう!」

「世界はSNSの中でだけ音を立てているに過ぎない／今こそ、劇場で『音』、そしていい年した大人達による『公開嘘吐き大会』を目劇していただきたいのだ」。

虚構と現実の壁を大胆に瓦解させてみせた「田園に死す」は、われわれがいかにハリボテで着飾った無様な存在なのかを突きつけた。だったらそれでも上等。無様な裸体に嘘をまとって嘘で固めてみようじゃないか。

ストロベリーソングオーケストラの狂騒的なアジテーションをぜひ全身で浴びたい。(沙)

★ストロベリーソングオーケストラ
寺山修司没後四十年演劇公演
「鉛筆のドラキュラ～テラヤマ迷宮譚」

2023年 5月3日(水・祝) 19:30～
5月4日(木・祝) 14:00～／18:30～
※開場は上記開演時間の30分前

料金／前売4,800円、当日5,300円(ドリンク別途)
場所／大阪・中津 中津Vi-code
詳細は、ストロベリーソングオーケストラ公式サイトへ
https://dokudenpasha.com/

SMの美学にはさまざまな観点があろうが、いたぶられることにより押し殺されていた欲望が開花していくさまに、醍醐味のひとつがあると言ってよかろう。身体的自由が奪われることで、逆に、心の自由が解き放たれるというか。

そうした情景を繊細に描き出したひとりに、1980年代から多くのSM誌の口絵などを飾り、人気を集めた絵師、加藤かほるがいる。加藤は、憂いもにじませた妖艶な女性像を、奥行きのある世界観の中に細やかに描き出した。その表情が上品で理知的であるがゆえに、その品性を一枚一枚脱ぎ捨て、素の情動に身を任せていくさまが、より劇的に感じられるのだろう。

しかし加藤は、7～8年前に急逝したのだという。遺族も不明だったため原画の扱いに困った編集者は、それらを画家の星恵美子に託した。今回、京都のギャラリーソラトで開催されるのは、その原画展だ。この展覧会を通して、遺族が見つかることを願っているという。

また同ギャラリーではこの展示に続いて、6月6日(火)～18日(日)に、星恵美子の個展も開催される。(沙)

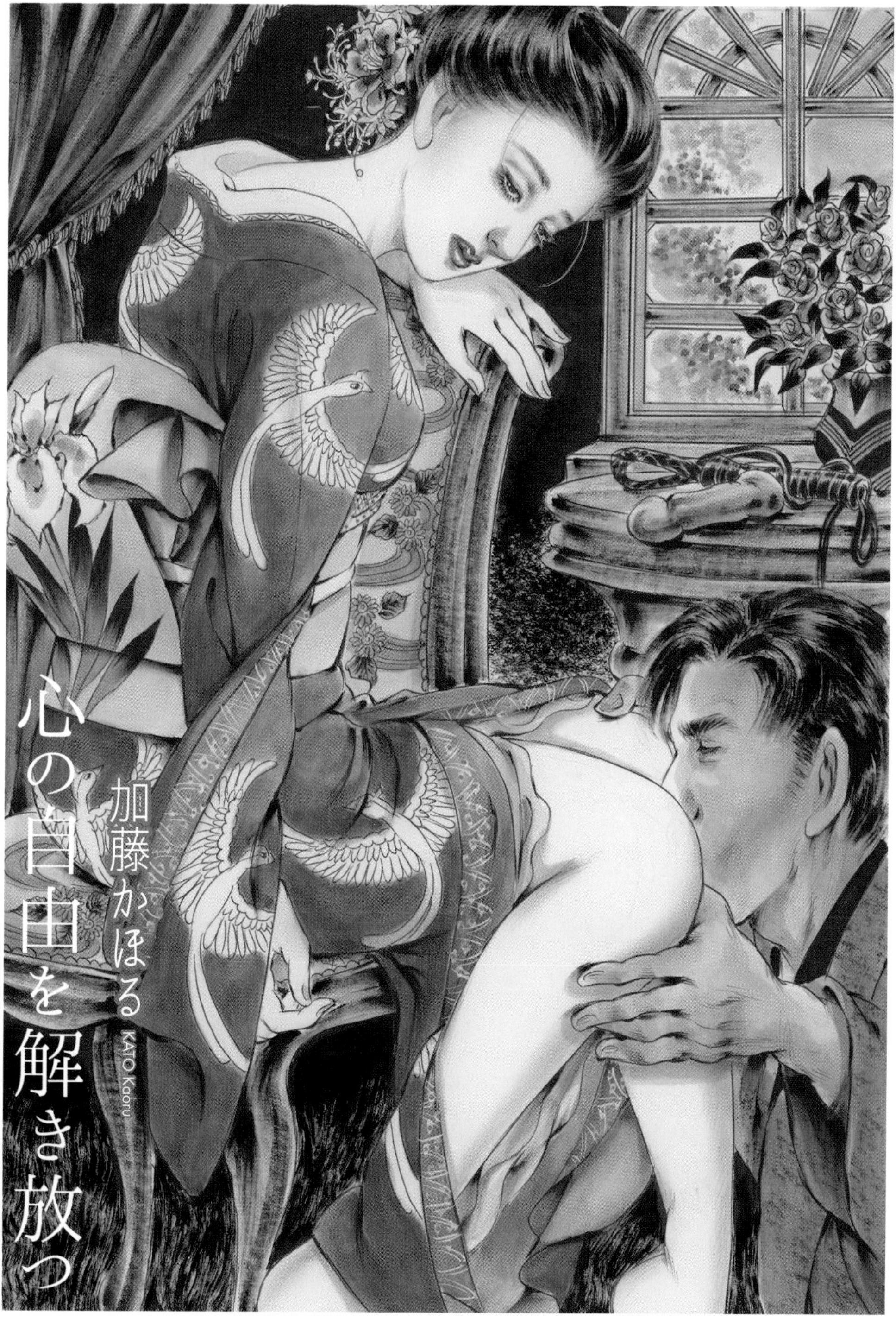

★「加藤かほる遺作展」
2023年5月23日(火)～6月4日(日) 月曜休 11:00～17:00(火曜は13:00～、日曜は～16:00) 入場料200円
場所／京都・四条 ギャラリーソラト Tel.090-9698-9460 https://blog.goo.ne.jp/sawsinplusb

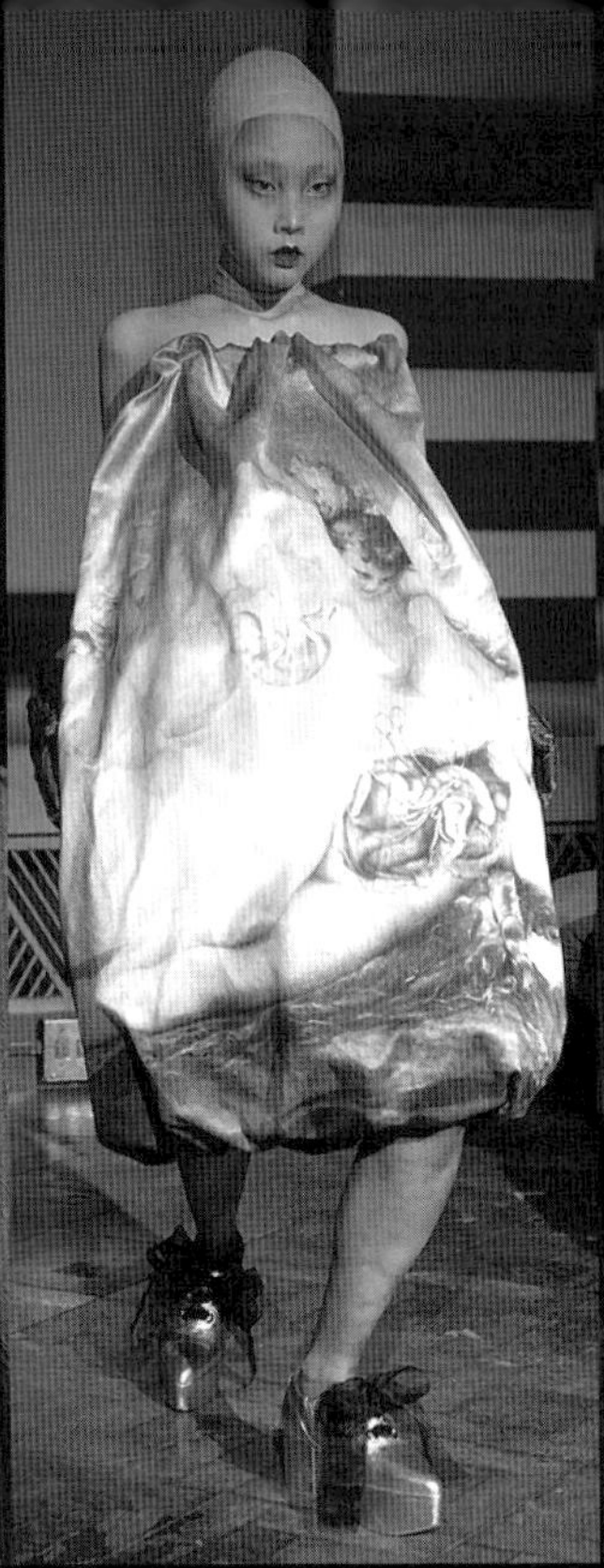

朝藤りむがデザイナーを務める「ペイデフェ（pays des fées）」の2023-24年秋冬コレクション「Tabulae AnART omicae」が2023年3月14日、神奈川県横浜市にある大倉山記念館にて発表された。

今回のコレクションは、ヨーロッパの教会や地下墓地を訪ね、そこに安置されているミイラから多くのインスパイアを得てきたという朝藤りむが、コロナを契機に国内に目を向け、明治時代までその風習があったという「即身仏」に関心を向けたことに起因する。即身仏とは生きたまま仏になるという仏教の修行のひとつで、僧侶たち自ら永遠の肉体を得ることを選んだものである。

りむがとりわけ惹かれたのは、即身仏の無機物化した艶やかな皮膚や、朽ちずに残った血管、筋肉の造形であったという。つまり、人としての身体を削ぎ落とし、無機物化し、ミイラへのロマンティシズムというものをアヴァンギャルドでガーリーなファッションで表現しようとしたのだ。皮膚のようなエンボス加工を施したベロア生地や、画家スズキエイミが描いた解剖図をテキスタイルに、即身仏として信仰対象となってきた美しい遺体たちを包み込むような聖なる衣装として、今回のコレクションを構成した。

タイトルにある「Tabulae AnART omicae」とは、18世紀に出版された『Tabulae anatomicae（解剖学図譜）』に基づき、「絵画解体新書」を意味するものとしてスズキエイミが造語したものという。また、発表の会場となった大倉山記念館は、東洋大学の学長も勤めた実業家・大倉邦彦が主宰した大倉精神文化研究所があった場所で、1981年に横浜市へ売却されたものだが、その本館は1932年に竣工された当時の建築様式を残し、日本の古き精神文化との連続性を刺激される独特な空間となっていた。

筆者としては、ファッションモデルとして全身タトゥーの大黒堂ネロが起用されるという知らせに心躍らせて現場に立ち会った。ファッションという表現から「死」と「身体（遺体）」というテーマに挑む、素晴らしいコレクションであった。

★朝藤りむ

ペイデフェ2023-2024秋冬コレクション

身体を削ぎ落とした「美しい遺体」へ

◉文・写真＝ケロッピー前田

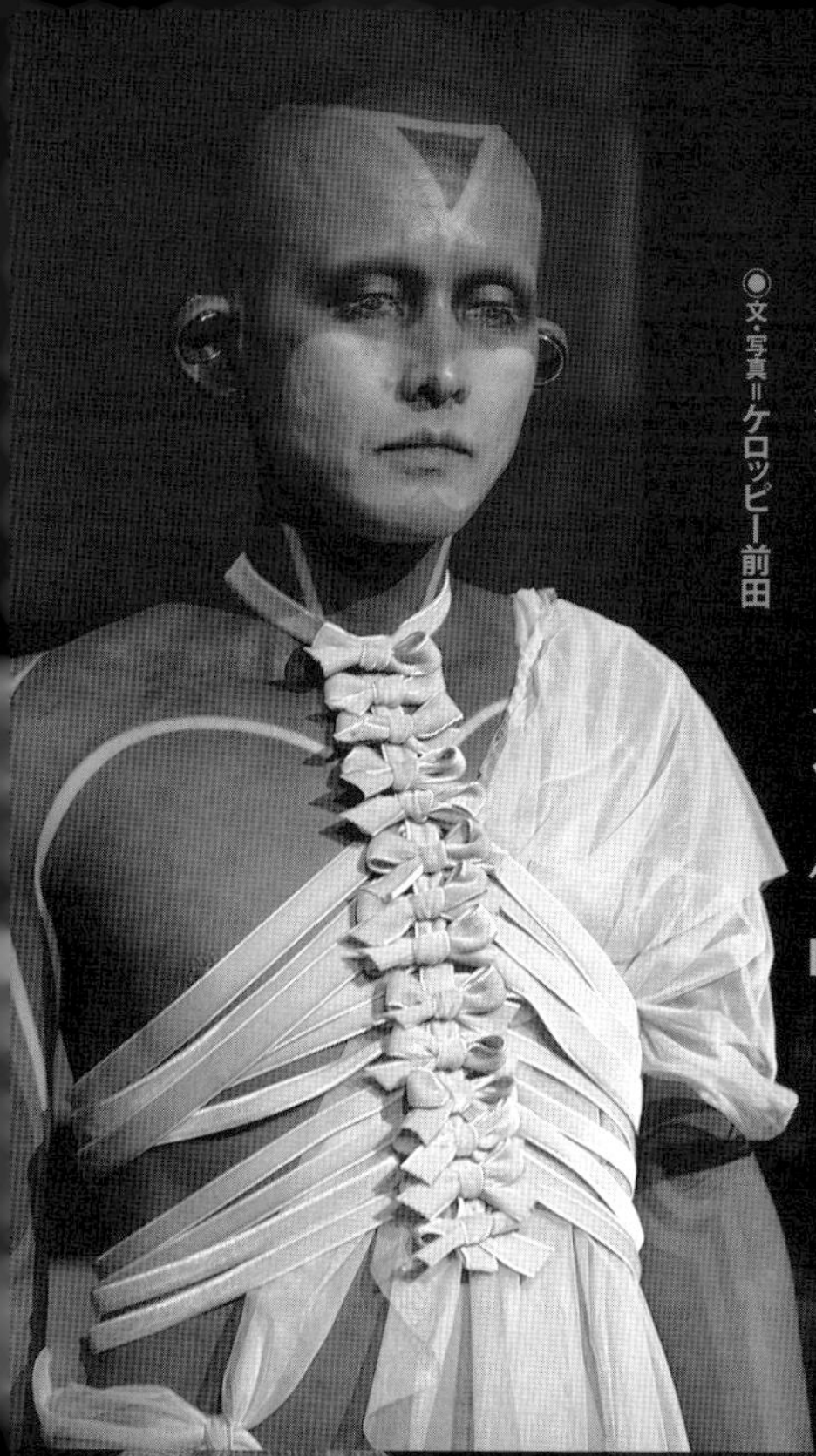

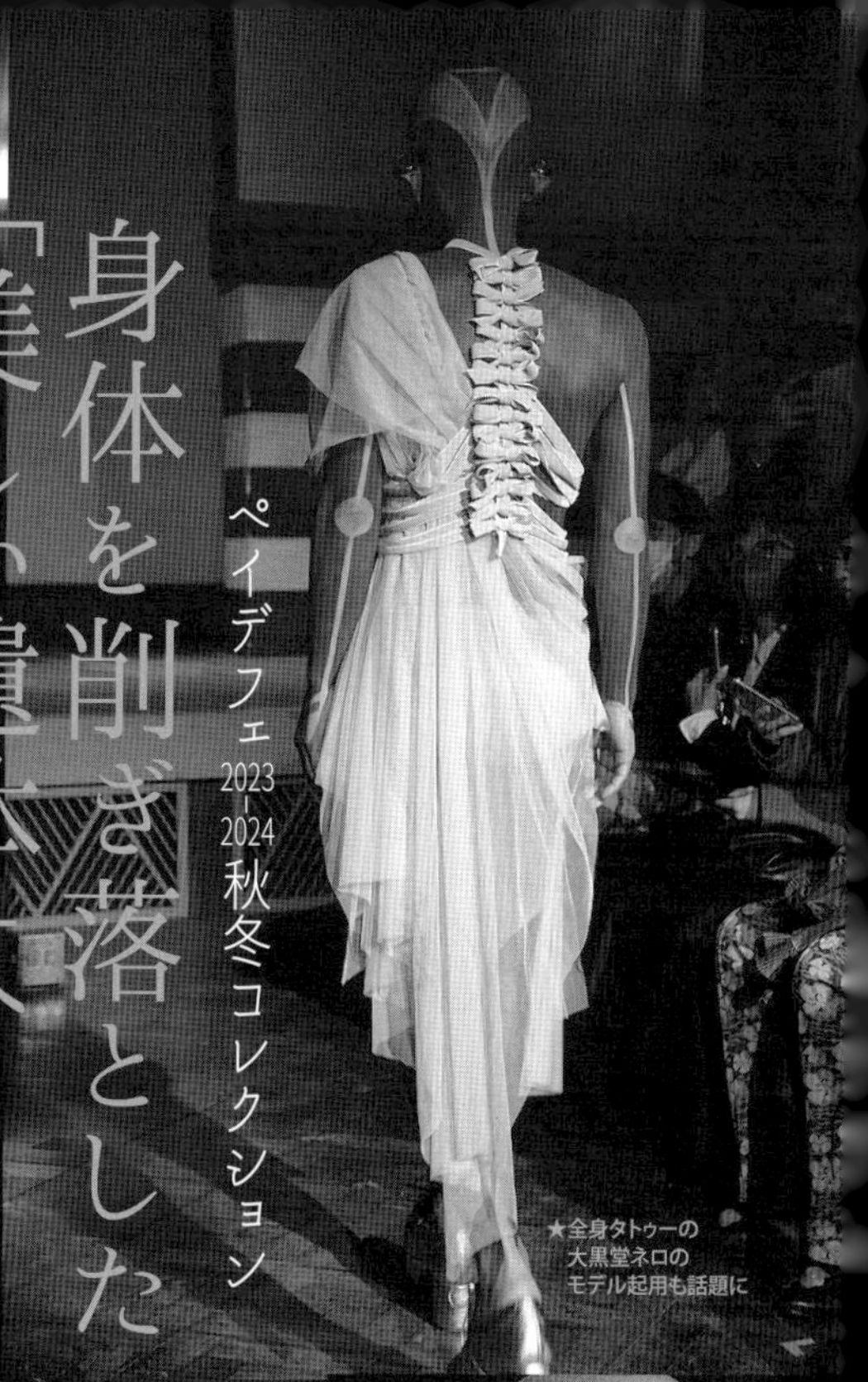

★全身タトゥーの大黒堂ネロのモデル起用も話題に

★大山雅文

★鈴木バネッサ

★むくむくしたけもの

この頁は「迷想と恍惚2―その世界を見つめる―」の出品作家

★Mari Endo

★Thriller_Candy

★濵口真央

★リケットレイ

★本田征爾

この頁は「迷想と恍惚3─それぞれの、きもちとカタチ─」の出品作家

「迷想と恍惚」展

原初的な感性を開く

★犬養康太

★Gorgeoushell Dalida

★中村鱗

★須川まきこ

★星響子

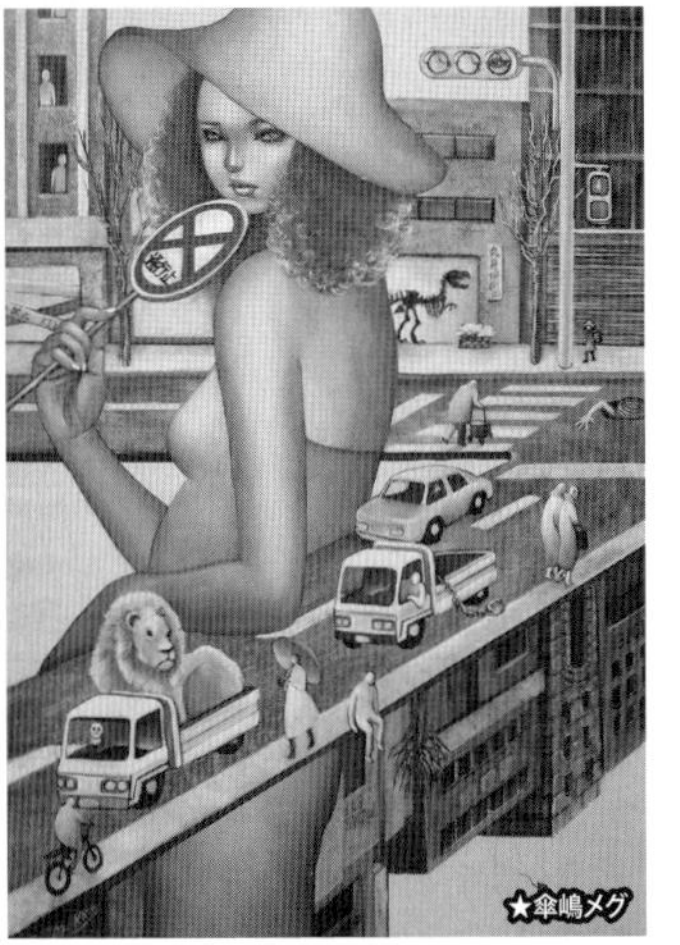
★傘嶋メグ

★Punkvoid

★中井結

この頁は「迷想と恍惚2―その世界を見つめる―」の出品作家

★日野まき

★須佐奈津子

★菊内宏之助

★美澄

★中西揚一

京都のギャラリー・グリーンアンドガーデンで、「迷想と恍惚」展が5月から6月にかけて開催される。有名無名問わず、それぞれの感性で濃密な世界を作り上げている作家たちが、日本のみならず世界から集まった。

「2」では、沖縄の離島に暮らすフランス人の鈴木バネッサ、中国のThriller_Candy、ケニアの版画家Mari Endoなど。「3」では、斬新なデザインのバッグ等を制作するリケットレイ、悪夢のような絵画を描く犬養康太、絵やオブジェなど小宇宙的作品群を作る本田征爾などが出品。

いずれも、自身の持つ世界に深い愛着を持ち、奥深く探求している作家たちだ。

その原動力になっているのはおそらく、自身の中にある原初的な感性。それと正直に向き合い、想像を広げ、それをカタチにする。その恍惚が、再び次の想像へを羽ばたかせる。

その表現には私的な部分も色濃いかもしれないが、それゆえ心に深く刺さる表現に出会えるかもしれない。お気に入りを見つけたい。（沙）

★「迷想と恍惚2—その世界を見つめる—」

2023年5月25日（木）～31日（水）会期中無休

「迷想と恍惚3—それぞれの、きもちとカタチ—」

2023年6月22日（木）～28日（水）会期中無休

場所／ギャラリー・グリーンアンドガーデン
13:00～19:00 入場無料
京都市中京区三条猪熊町645-1 Tel.090-1156-0225

この頁は「迷想と恍惚3—それぞれの、きもちとカタチ—」の出品作家

はだかの居場所

こやまけんいち絵本館 no.51

カタカタカタ。
家に帰って、ただいまと打つ。
そうしたら見知らぬ誰かから
悪口が返ってくる。
私が、今日あった愚痴を書き込むと
また別の誰かが、悪口を言ってきた。

どうやら今日は
アホの子が多いらしい。
相手にしてはあげないけれど、
でもちょっとだけ悪口を返しておこう。

ここは、私が唯一はだかで居られる場所。
見知らぬ誰かに
飾らない私を垂れ流す。
小さな箱に、
毎夜私の思考は
吸い取られていって、
私も段々と
アホの子になっていく。

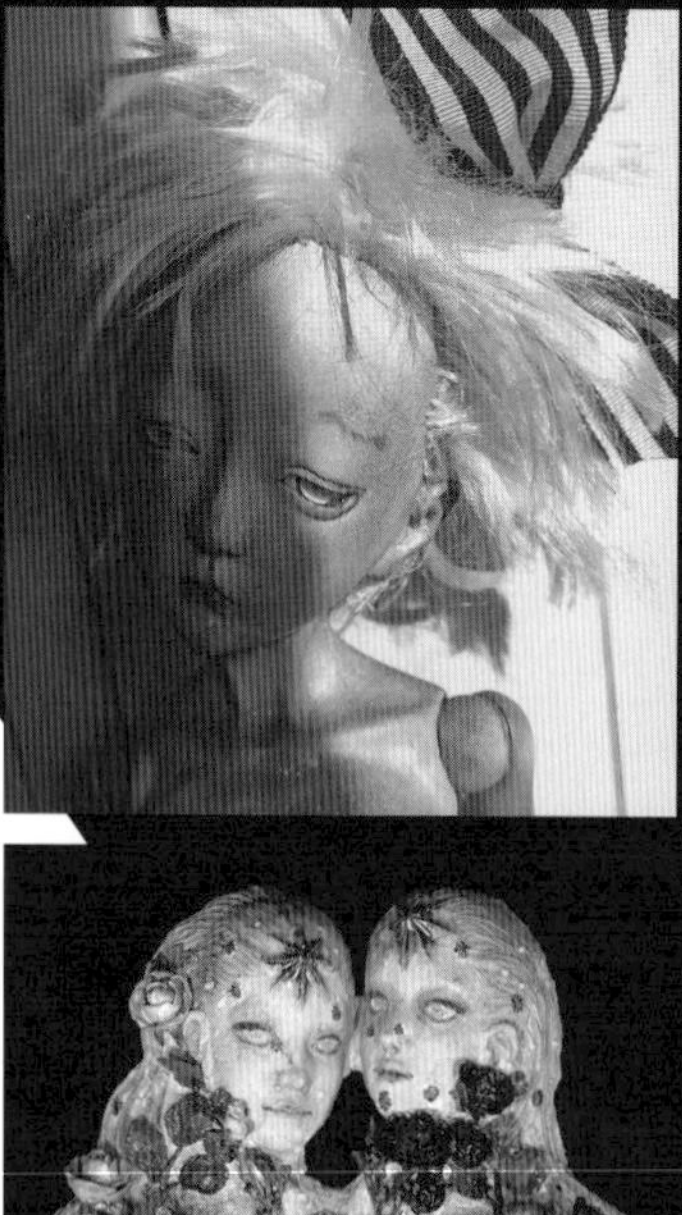

★「Vol.3 Dark」の出展作家より
（右上）金子國義《告知》（右下）トレヴァー・ブラウン《Usagidama（兎魂）》
（左上）衣（HATORI）《八百比丘尼（やおびくに）》（左中央）三浦悦子《baby ブロッケン》
（左下）村上仁美《薔薇の姉妹》（左頁右上）菅原優《学長-Academy headmaster-》

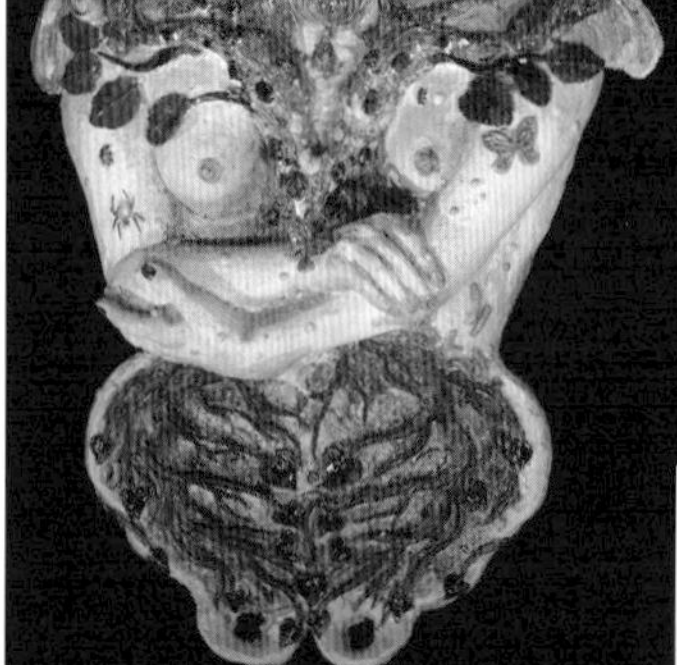

Bunkamura Galleryがヒカリエに移転

★「Vol.2 Calm」の出展作家より
（上）田中千智《今を見つめる人》
（下）水津達大《Khora》

Bunkamura Galleryが、オーチャードホールを除くBunkamuraの長期休館に伴い、渋谷ヒカリエ8Fに場所を移し、「Bunkamura Gallery 8/」としてオープンする。そのオープニング企画の第一弾として、これまで縁のある作家を中心としたセレクション展を開催。鮮やかな色彩をまとうBright、静の中に躍動するCalm、背徳的な美学を追及するDarkと、3つの会期に分け、それぞれ同ギャラリーならではの特色を押し出した展示だ。とりわけ「Vol.3 Dark」には、エロスとタナトス、そして背徳感も漂う無二の美学を追究している小誌でも馴染み深い作家が並ぶ。Bunkamura Galleryの新たなスタートに期待したい。（沙）

★「Opening Selection -Bright, Calm, Dark-」

Vol.1 Bright 2023年6月10日（土）～25日（日）
出展作家／内海聖史、木原千春、経塚真代、笹尾光彦、富田菜摘、細川真希、松井ヨシアキ

Vol.2 Calm 2023年6月29日（木）～7月11日（火）
出展作家／秋山泉、小田橋昌代、水津達大、田中千智、西美公二、吉岡耕二、吉永裕

Vol.3 Dark 2023年7月15日（土）～30日（日）
出展作家／金子國義、菅原優、トレヴァー・ブラウン、衣（HATORI）、三浦悦子、村上仁美

場所／東京・渋谷ヒカリエ8F Bunkamura Gallery 8/
会期中無休 11:00～20:00 入場無料
Tel.03-3477-9174 https://www.bunkamura.co.jp/gallery8/

★「Vol.1 Bright」の出展作家より
（右）細川真希《ヴィーナス誕生（再）》
（左）木原千春《CAT》

辛しみと優しみ〈52〉

人形・文＝与偶
doll & text by Yogu

全てを脱ぎ捨てて、夜明けの薄明かりと、黄昏の夕日に、体を染める。
またもう一度、愛したものが、心の中に命を宿し、その命を孕む為に…。

撮影◎サト・ノリユキ / SATOFOTO

反・回顧展
アートで「革命」を問う

★《昭和・平成・パルチザン》

地域芸術祭の先駆けとして、2000年より「大地の芸術祭 越後妻有アートトリエンナーレ」が開催されている越後妻有。その開催期間中でなくても、さまざまなアート活動が通年おこなわれている。その地域において、芸術祭の一環として築百年の古民家が再生され、その後常設ギャラリーとして運営されているのが、ギャラリー湯山だ。その古の趣を遺す場で、石川雷太の個展が開催される。「初期作品の進化型から最新作までを俯瞰し、リアルとアンリアルを検証する反・回顧展」。都市文化としてのアートと言葉の専制へのレジスタンスが越後妻有から発せられる。(沙)

★石川雷太展「進化・革命・幻想」
2023年4月29日(土・祝)～6月25日(日)の土・日・祝に開催
10:00～16:00　入場料／一般300円、小・中学生150円
場所／ギャラリー湯山　新潟県十日町市湯山446
https://nart.nomaki.jp/g-yuyama.htm
※4/29(土)13:30～ 混沌の首の儀式パフォーマンスやトークなど
6/25(日)13:30～ Erehwonのノイズ・パフォーマンス

★Erehwonによるノイズ・パフォーマンス／撮影：かとうまなぶ

★《迦陵頻伽》

★《ムードラⅡ》

「根源」に還る術としてのアート

アートも宗教も同じく「根源」に還る術であると、高野山で密教の修行をおこない僧籍に入る一方、水墨画を中心にアーティスト活動もおこなっている羅入。精神世界と現実との架け橋となるような作品を生み出している。その羅入が、京都の古書店の2階スペースで個展を開催する。今回は実験的に、石川雷太/Erehwonの協力のもと、音の作品も出品するという(音の作品の体験には、誓約書へのサインと体験料が必要)。その会場であなたも、「根源」に触れてみたい。(沙)

★羅入展「ゲニウスロキ」
2023年5月4日(木)～28日(日)
火・水休
12:00～20:00 入場無料
場所／午睡書架
京都市左京区吉田神楽岡町153-9
Tel.080-4015-2016
https://gosuishoka.blogspot.com/

青年が内に秘めたものを繊細に描く

甲秀樹が、「デッサン力」の向上を図る目的で開講した絵楽塾。「観察力」と「描写力」を高められる講座として評判を得て、10周年を迎えた。デッサンの一助となる「人体デッサン男性ポーズ集」も好評だ。

新宿2丁目にあるその絵楽塾のスペースで、甲秀樹が個展を開催する。耽美かつ情感のあるその世界は、少年・青年が内に秘めたものを繊細かつドラマチックに映し出し、国内外で人気が高い。今回は青年を描いたものを中心とし、新作の色鉛筆画10点に、旧作も合わせて展示される。秀麗な美の世界を堪能したい。（沙）

★甲秀樹展「青年色の情景」
2023年6月17日（土）～24日（土）
13:00～19:00（最終日～18:00） 入場無料
場所／東京・新宿 GALLERY素描（絵楽塾教室）
新宿区新宿2-15-13 第2中江ビル6F
https://kairakujuku.com/

**★「甲秀樹
人体デッサン男性ポーズ集
ディープシーン」**
B5判・カバー装・160頁
定価税別2700円
発行・アトリエサード／発売・書苑新社
好評発売中!
※電子書籍版も配信開始!

★「甲秀樹 人体デッサン 男性ポーズ集」
電子書籍版・好評発売中!
（紙版は品切れ）

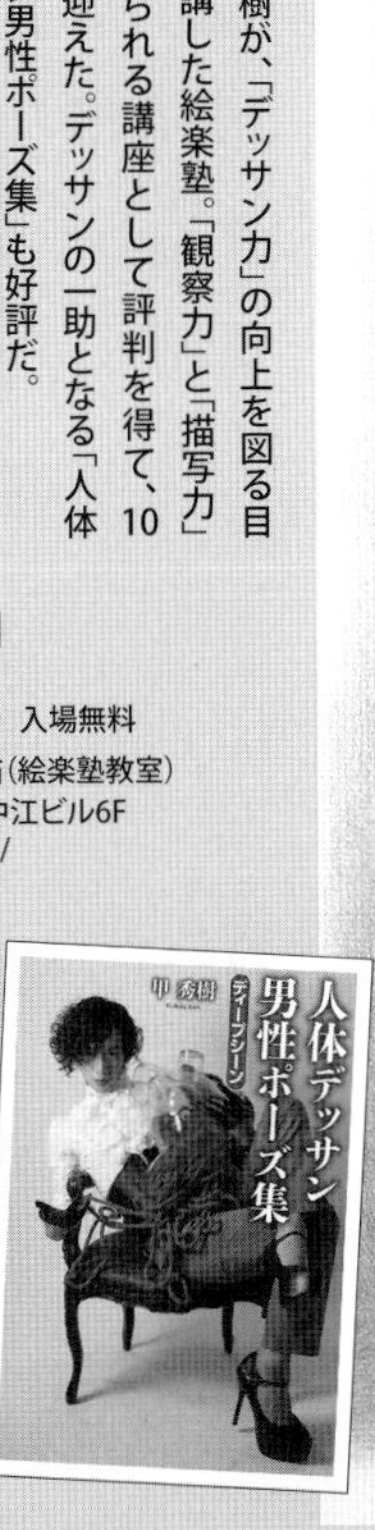

立体画家　はが　いちようの世界《第40回》

ペンギン兵が立つ酒場

ペンギングッズ専門店のM氏から過去五回にわたりペンギン関連作品の制作を依頼された。右下の写真は二〇一三年制作の「ペンギン兵が立つ酒場」という作品で、M氏所有に付き普段は見ることができない。

そこで二〇一八年の春からボクの教室で、生徒八人と共に、ふたたびおなじ作品をつくりはじめた。ところがである。月一ペースで二〇回ほど開催し、そろそろ完成が見えてきた矢先に突然コロナ禍に。以後教室は開かれなくなり、それから三年経った去年の十二月、コロナ沈静化に伴い、ひさしぶりに教室を開いたところ、八人いた生徒は三人に減り、スタート時には六九才だった講師（自分）は七五才となり、ヨボヨボガタガタに。

それでもなんとか今年の二月、ほぼ完成と呼べる状態にまで漕ぎ着けることができた。上の写真は今回制作した作品である。あとは手前の歩道上になにかガラクタでも並べてフレームをつけたら完全に完成だ。（縮尺十二分の一）

本作は「Gallery ICHIYOH」（東京都北区中里三―一三―一二）で見ることができます。あらかじめメール（ichiyoh@jcom.zaq.ne.jp）でご予約の上お出かけください。

★今年の作品の内側

芳賀一洋（はが・いちよう） https://ichiyoh-haga.com/
1948年、東京に生まれる。1996年より作家活動を開始し、以後渋谷パルコ、新宿伊勢丹、銀座伊東屋などでの作品展開催や、各種イベントに参加するなど展示活動多数。著作に写真集「ICHIYOH」（ラトルズ刊）などがある。

★はがいちよう作品集「錠前屋のルネはレジスタンスの仲間」
～レトロなパリと昭和の残像～抒情たっぷりの写真集！
税別2222円　好評発売中！
★ExtrART file 33に作品掲載（計11ページ）

あるがままに生きる妖精たち

森に分け入って葉陰を覗き込むと、こんな光景が繰り広げられているのだろうか。妖精や小さな生きものたちが、そこでにぎやかに遊ぶ。その妖精たちは、現実と異世界を行き来して、あるがままに生きている存在なのだという。

富樫尚美は独学で絵を描き始め、絵本も制作するなど、物語性豊かな世界を作り上げている。その想像力の源は、子供の頃感じたささいな、だけど自分にとっては少しだけ特別な記憶――例えば「鯉のぼりを見上げシャボン玉を膨らませた時の春の風」といったもの――にあるといい、その空気感を表現できたらと考えている。その世界に触れることで、心の奥にしまい込んでいたものが蘇ってくるかもしれない。自由な想像力に満ちた妖精たちとの束の間の時間を楽しみたい。（沙）

★富樫尚美 個展「妖精時間」

2023年5月18日（木）～22日（月） 会期中無休
13:00～18:30（最終日は～17:00） 入場無料
音楽：衣笠まゆ
場所／東京・曳舟 gallery hydrangea
Tel.03-3611-0336
https://gallery-hydrangea.shopinfo.jp/

★（左上）「おやすみタイターニア」2023 （右上）「ユニコーンの膝枕」2021 （右下）「夏の庭」2022 （左下）「森の夜の宴」2021

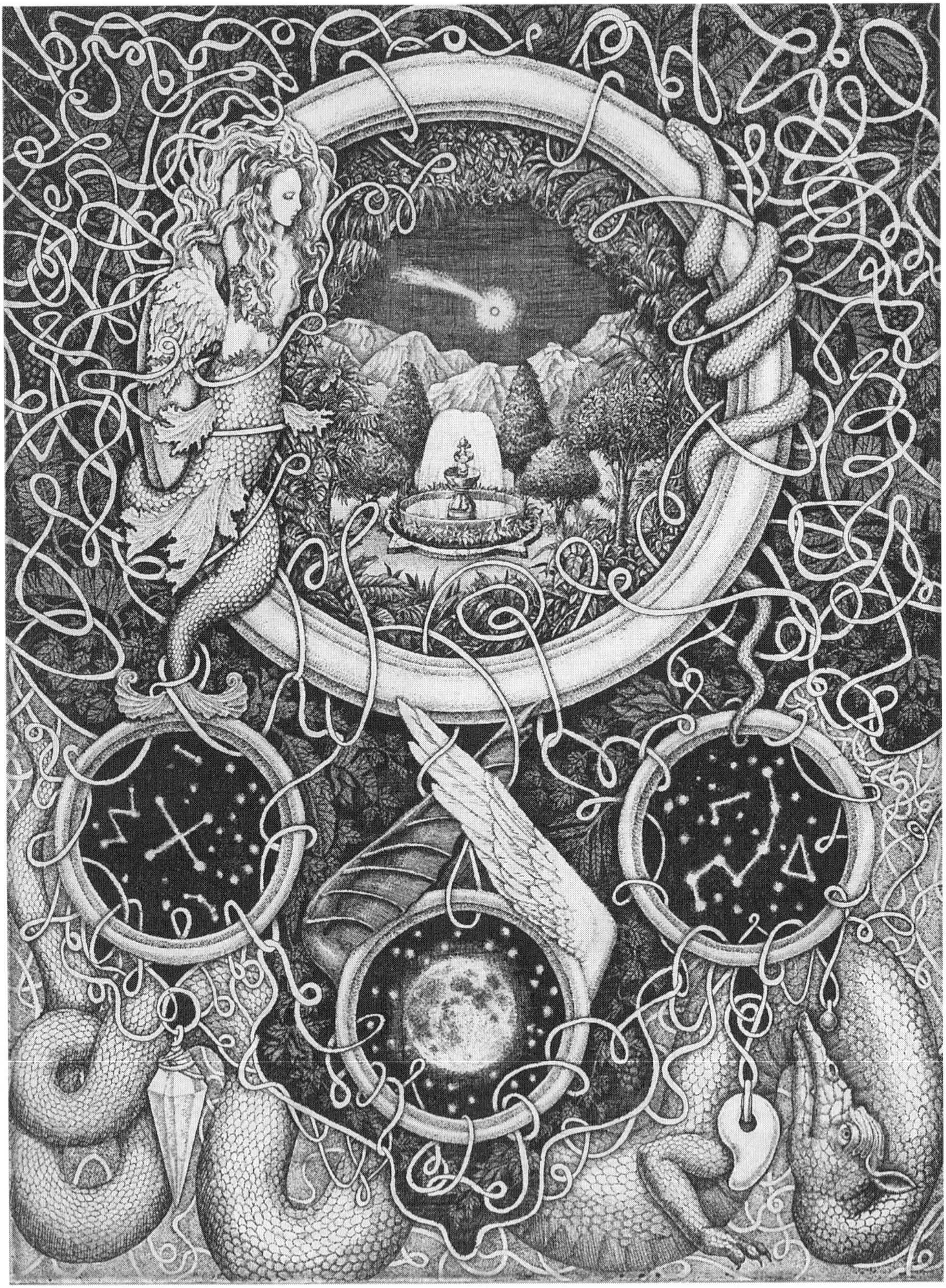

★木村遥名 個展「泉のほとりで」
2023年5月25日(木)～29日(月) 会期中無休
13:00～18:30(最終日は～17:00) 入場無料
音楽：Naoko Shibuya

★gallery hydrangea 企画公募展
「幽玄の楼」
2023年5月5日(金)～14(日) 火・水休
13:00～18:30(最終日は～17:00) 入場無料

左記展示はいずれも
場所／東京・曳舟 gallery hydrangea
Tel.03-3611-0336
https://gallery-hydrangea.shopinfo.jp/

★木村遥名の作品＝(右頁)「源流」2018 (左頁左上)「サロメ」2023 (左頁右上)「車輪の下」2018 (左頁右下)「カリテス」2020

奇妙な幻想が誘う物語世界

木村遥名は、銅版画（エッチング）を中心にペン画、アクリル画を制作。描き出すのは、不可思議な幻想の小宇宙だ。奇妙な生物、植物、鉱物が観る者を出迎え、その異界に連れ去ろうとする。例えば「源流」は、澁澤龍彦の小説『高丘親王航海記』からインスピレーションを得たものだという。熱帯の国々の不思議な幻想が描かれている。また、ヘルマン・ヘッセの『車輪の下』から発想した同題の作品は、少年たちが籠の鳥のように矯正され人間社会の歯車へ組み込まれていく姿を描いたのだという。そうした物語世界を味わいたい。

またgallery hydrangeaでは、ゴシックをテーマにした公募展「幽玄の楼」も開催される。ゴシック的な世界がいま再び評価されようとしている。若い作家たちがそれをどのように表現するのだろう。（沙）

★左下2点は、「幽玄の楼」展より。
（上）招待作家 Toru Nogawa「Mirage of Babel」2019
（下）奥田智人「肉体の呪縛からの解放」2022

Sotaro Okaが描くのは、非常に謎に満ちた世界だ。例えば「波打ち際のぽっぽ」——頭につけた煙突の滑稽さ、なのにその人物は生真面目そうな視線をこちらに投げかけ、それに従う布をかぶった者たちの足は霞んでいて、砂から伸びた手も妙なリアルさを醸す。理解できないかもしれないが、不思議な余韻を残す。

それは、いつか見た夢の光景かもしれない。そんな儚い、記憶の底にずっと留まり続けている幻想が、その作品から浮かび上がる。

謎の幻想湛えた儚いイメージ

Sotaro Okaは、2017年から、水彩や鉛筆を使って独学で絵画制作を始めたのだという。「日々の泡」という個展タイトルは、毎日浮かんでは消えていくイメージの喩えなのだろうか。その一瞬のイメージのきらめきを感じ取りたい。(沙)

★Sotaro Oka 個展「日々の泡」
2023年6月15日(木)〜19日(月) 会期中無休
13:00〜18:30(最終日は〜17:00) 入場無料
音楽:Yoshimitsu Tsunaki
場所/東京・曳舟 gallery hydrangea
Tel.03-3611-0336
https://gallery-hydrangea.shopinfo.jp/

★Sotaro Okaの作品=(右上)「波打ち際のぽっぽ」2022 (左上)「漂流のレテ」2021 (左下)「Parade—そして水の岸をあかるい箱が横切っていく—」2023
(左頁右上)「うつしよ」2021 (左頁左上)「箱庭の夕べ」2022

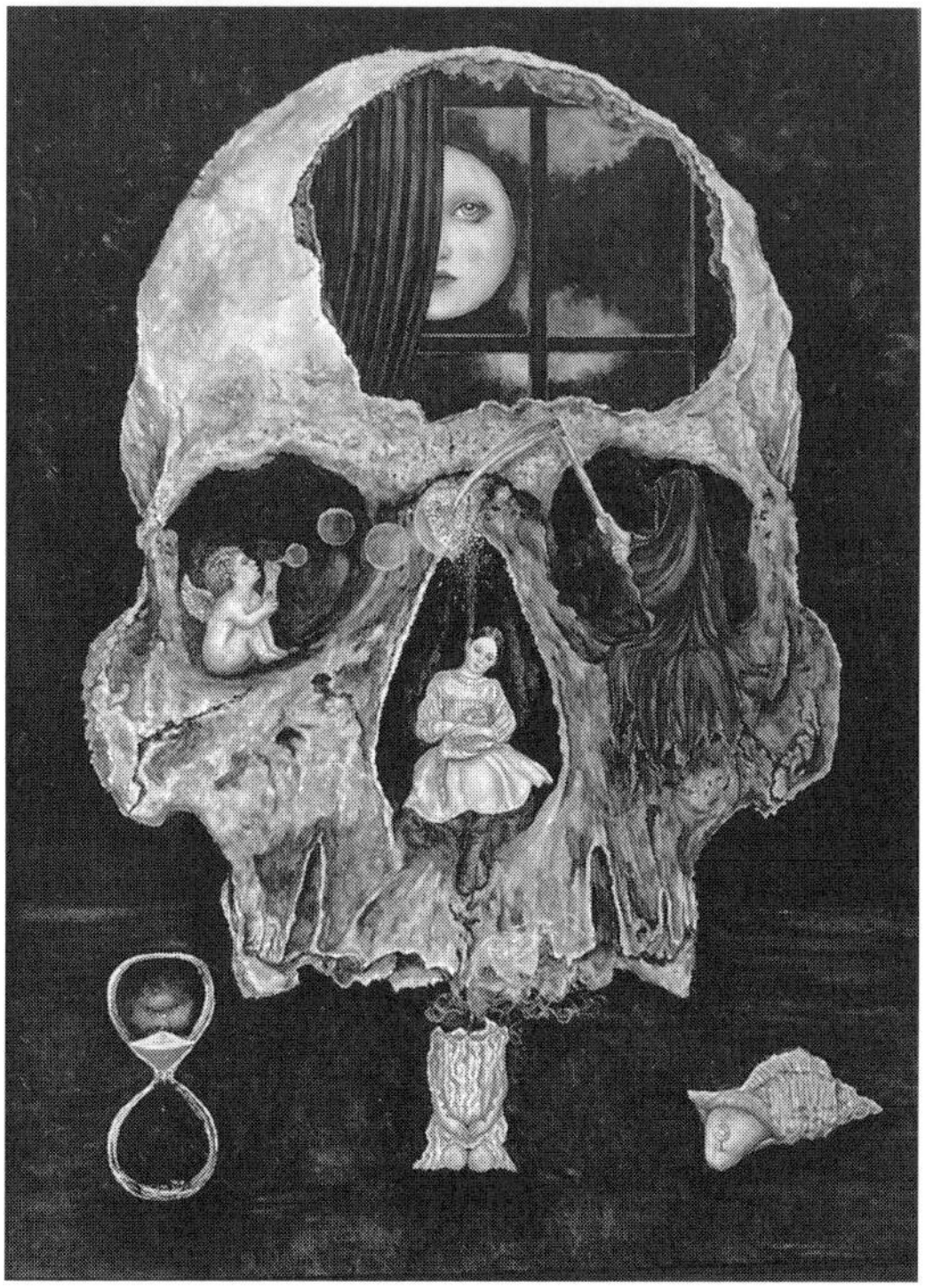

タンゴをテーマにしたユニークな世界

東京・日本橋本町に3月にオープンした太郎平画廊で、ウルグアイ生まれで東京在住のフォトグラファー、ダニエル・マチャドの写真展が開催されている。タンゴをテーマにしながらも、単にその踊りを写すのではなく、大人数のパフォーマンスでその世界観を表象したり、楽器などを使って官能的で遊び心のある画面を作り出したりと、ユニークな世界を作り出している。画廊は、三越前駅から徒歩5分の石造りの建物。その空間も独特だ。(沙)

★ダニエル・マチャド「Tango x 3」展
2023年4月14日(金)〜5月3日(水)の水・木・金・土曜 開廊
12:00〜19:00 入場無料
場所/東京・三越前 太郎平画廊
Tel.03-6262-6905 https://tarohei-gallery.com/

★(上)「タンゴ・コンフュージョン」シリーズより (下)「音楽ラッキーホール」シリーズより

★三浦靖冬

★三浦靖冬 原画展「えんじがかり」 A&B室
2023年5月27日（土）～6月11日（日）会期中無休

★川上勉展「Death／Existence—死／存在—」 A室
2023年6月16日（金）～25日（日）会期中無休

★生誕100年林月光展 A室
2023年6月25日（土）～7月17日（月・祝）会期中無休

★カネオヤサチコ展「隙間的青年百貨改」 B室
2023年6月25日（土）～7月17日（月・祝）会期中無休

以上、いずれも
入場料／オンラインチケット800円
当日券1000円（空きがある場合のみ販売）
※A室・B室の両方を観覧可能
場所／東京・銀座 ヴァニラ画廊
12:00～19:00（土・日・祝は～17:00）
Tel.03-5568-1233 http://www.vanilla-gallery.com/

ヴァニラ画廊では、まず、少女のノスタルジックなマンガで人気の三浦靖冬の、『えんじがかり』〈完全版〉の発売を記念しての原画展。サイン会も予定（応募方法等は画廊のＨＰ参照）。林月光展は、ゲイ雑誌などに掲載された原画を展示。エロス濃密な男性愛の世界だ。同時開催のカネオヤサチコは、「心は淀んでいるが体は清いおにいさん」でお馴染み。ユーモラスに男子を描く。

10頁で紹介した「王女様とメルヘン泥棒」出版記念原画展と同時開催の川上勉は、主に死をモチーフに、乾漆によって少女像を作り続けている作家だ。一昨年の個展はExtrART file.30で紹介させていただいた。次の個展でも死をテーマに展開されるが、安らかな少女の表情には、死への恐怖は感じられない。死を通して生のあり方を夢想させる作品たちだ。（沙）

★カネオヤサチコ

★林月光

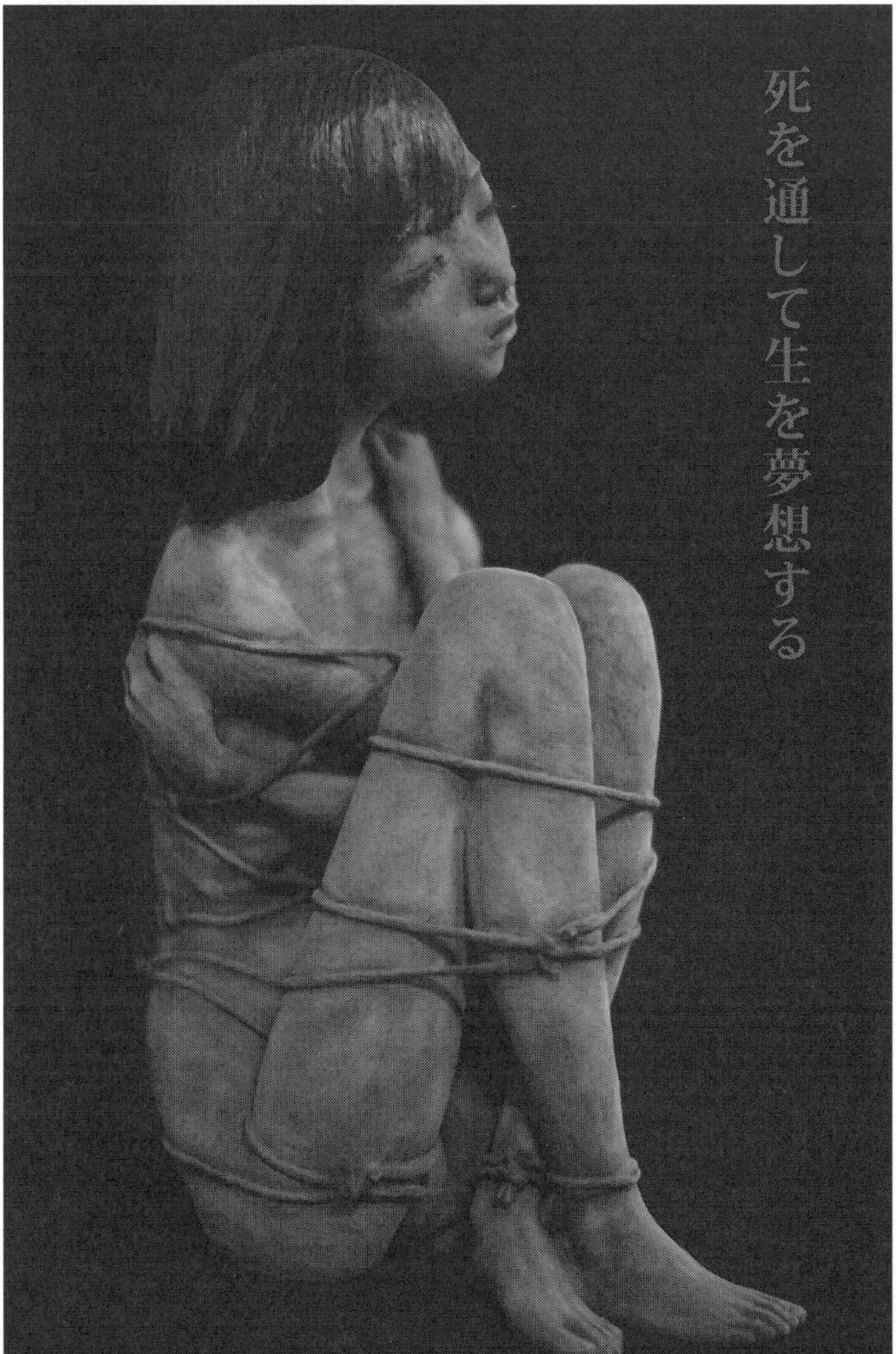

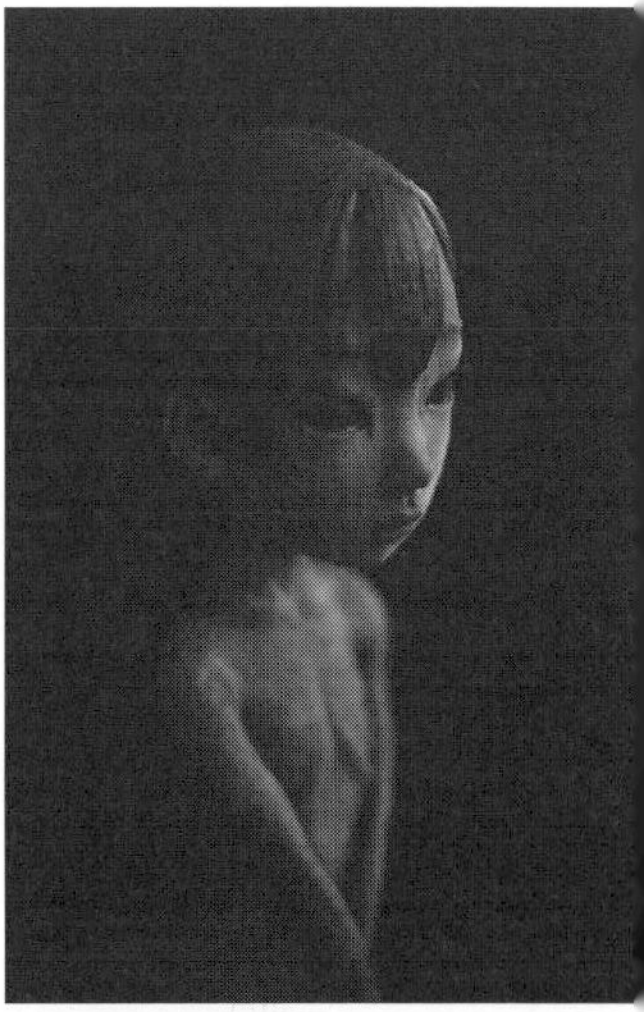

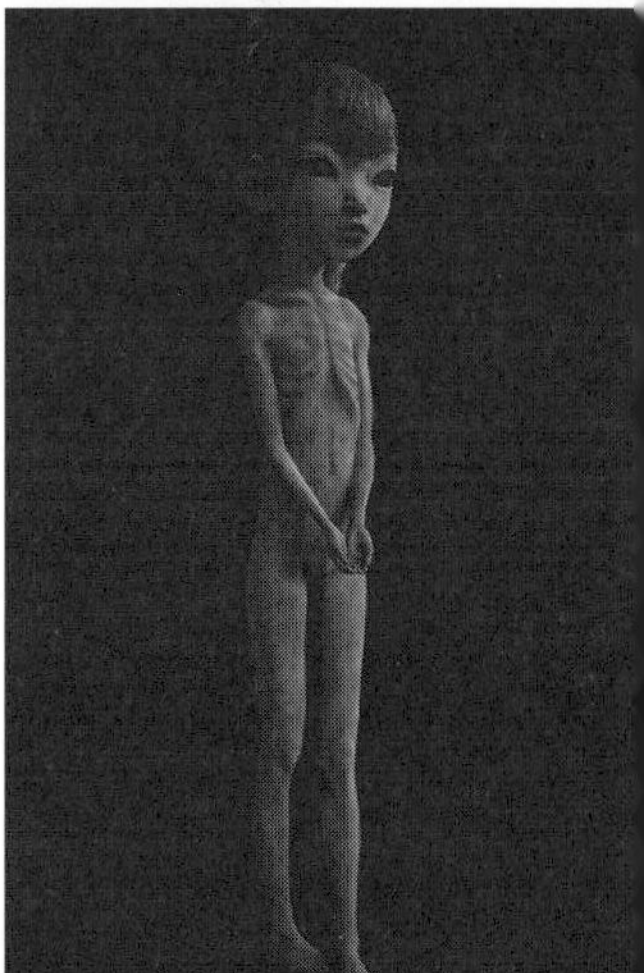

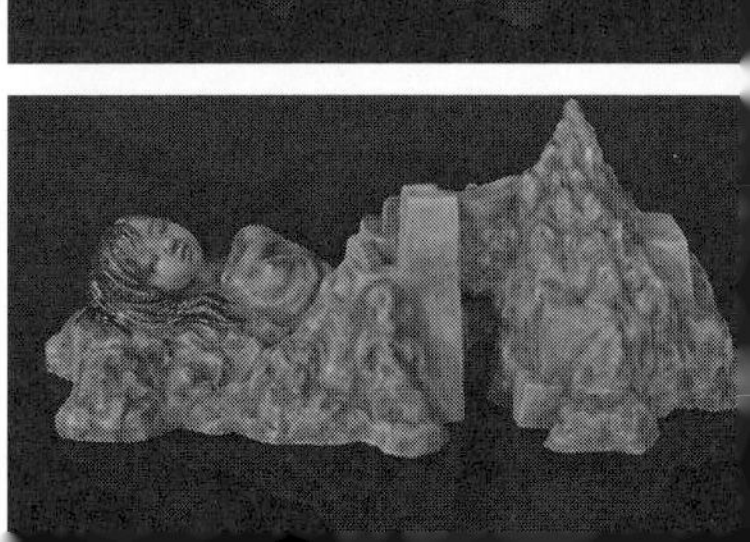

★この頁はいずれも、川上勉の作品

★上映後におこなわれたトークイベント
（左から）ダースレイダー、足立正生、宮台真司、有田芳生

暴力として結実した空虚な実存

足立正生監督『REVOLUTION+1』の捉えた風景

◉文＝岡和田晃

これほど問題作という言葉が似合う映画もそうはあるまい。足立正生監督『REVOLUTION+1』のことである。本作は、安倍晋三元首相に対する山上徹也の「決起」への応答として、急遽制作されたもの。二〇二二年七月八日に起きた銃撃を直接の題材にしていることから、ＳＮＳ等で何度となく「炎上」させられてきた。だが、現物を鑑賞してみれば、山上ならぬ川上達也の独白を中心に、「暴力」として結実せざるをえなかった実存のあり方を掘り下げることこそが目指された作品だとわかる。

「国葬」と同日・同日時刻の二〇二二年九月二七日一四時、本作のダイジェスト版（五〇分）が緊急上映され、足立監督が上映会場と国葬会場の列から、同時中継で挨拶を行ったのは記憶に新しい。その模様は、本誌№92のいわためぐみ「自分たちの生きる社会のために表現をすること――『REVOLUTION+1』」で臨場感たっぷりにレポートされていた。映画を作品とするには、閉塞した状況にゲリラ的な揺さぶりをかける戦略的・批評的「文化運動」である必要がある。今や忘却に付されようとしている――そうした「陣地戦」（アントニオ・グラムシ）の感覚を取り戻すこと。それが『REVOLUTION+1』の第一のメッセージなのではないか。

国葬という名の茶番から四ヶ月強が経過した二〇二三年二月一日、『REVOLUTION+1』の完成版プレミア上映＆トークイベントが、まさに緊急上映がなされた当の場所である東京・LOFT9 Shibuyaにて開催となった。私はダイジェスト版の上映には参戦できなかったため（かわりに国葬反対デモに一兵卒として混じり、自作の国葬反対詩を朗読してきたのだが）、完成版の上映にいち早く立ちあえて感無量だった。会場には他にいわためぐみ、高梨治（編集者）、宮野由梨香（評論家）ら各氏の姿もあった。国葬前後に本作を上映した各地の映画館のなかには上映中止を余儀なくされたところもあったが――Ｗｅｂ発の炎上騒動らしく一過性のものだったようで――このたびは目立った妨害はなかった。

完成版の映画は、追加撮影されたぶんを含めて七五分の尺となっていた。緊急上映はラッシュ（編集が完了していないフィルム）が使用されたためか、「事件」の再現ＶＴＲの域を出ない、あるいはカルト宗教二世の問題について踏み込みが浅い、という批判も見られた。このたびの完成版は、そうした指摘への応答が意識されていたようで、ドキュメンタリーではなく劇映画としての自律性こそがまずもって指向されていた。

むろん「エンタメ」の常識からは逸脱している。なにせ、山上徹也は仮名化されているが、安倍晋三や統一協会（教会）はそのままの形で登場するのだから……。他方、山上が遺したSNSでの書き込みを引用することで「心の闇」に分け入るような方法は採られていない。決起へと至る当事者の内面の揺れ動きについては、個々の受け手が推し量るしかないのだが、それをもたらした歴史的な現在そのものの不可逆性が強調される仕掛けになっている。

ゆえにか、上映後に行われた足立正生×宮台真司（社会学者）×ダースレイダー（ラッパー）×有田芳生（ジャーナリスト、前参議院議員）のトークイベントでは、統一協会と政治をめぐる癒着やダースレイダーと同じ「ロスジェネ」である山上の世代論が主要なトピックとなっていた。なかでも山上の足跡や統一協会に絡むと細部の日付に至るまでの情報を諳んじてみせた有田芳生の強記が印象深い。足立自身は山上の決起を、極限まで追い詰められ、自らの空無を自覚したがゆえの個人的なものだと捉える一方、それを「映画屋」の立場から、「演出過剰ですべてが仕組まれている」国葬の模様と対比させる考えを示していた。

この対比の視点が足立の真骨頂だろう。映画では冒頭、川上の自殺した父親が、学生時代にリッダ闘争の当事者・安田左之の麻雀仲間だったことを示す場面がある。「週刊文春」でさりげなく報じられた部分に焦点を当てたものだというが、本作のワーキング・タイトルが『星に、なる』だったことに鑑みれば――闘争の参加者は死を覚悟して〝オリオンの三つ星〟になるつもりだったと語ったわけだが――生き残りである岡本公三に取材した『幽閉者　テロリスト』（二〇〇七年）との連続性がはっきりと見て取れる。

ここから足立監督のフィルモグラフィーに立ち返れば、安田らが参加したパレスチナ人民解放戦線（ＰＦＬＰ）を足立が取材し、『赤軍―ＰＦＬＰ・世界戦争宣言』（一九七一年）にまとめたことが思い出される。永山則夫の軌跡を「風景映画」として辿り直した『略称・連続射殺魔』（一九六九年）の後、足立は社会主義リアリズムでもハリウッド式の資本主義への従属でもない、民衆の普遍的な日常性を描く映画こそを目指した。このため『赤軍―ＰＦＬＰ・世界戦争宣言』は「武装闘争こそが最高のプロパガンダである」とのテロップが随所に挟まれながらも、作家でもあったスポークスマンのガッサーン・カナファーニーら、ＰＦＬＰメンバーらが生きる日常の景色を切り取った場面が印象的な仕上がりを見せていた。

監督
足立正生
6年ぶりの新作にして最大の問題作
僕は、星になれるのか
REVOLUTION
+1

この文脈に『REVOLUTION+1』を置き直してみると、アンドレイ・タルコフスキー監督の『ストーカー』（一九七九年）を彷彿させる「雨」の撮り方や、胎内回帰的なイメージの重要性がわかってくる。まさしく、足立が脚本を担当した『胎児が密猟する時』（一九六六年）へと通じる円環が示されたわけだからだ。

この構造は、足立正生の盟友で、共同で映画脚本『なりすまし』（二〇〇六年）を仕上げた山野浩一が常々、小説や批評でアピールし続けてきた「内宇宙」の体現なのか。トークイベントの質問時間で、その疑問を足立に直接ぶつけてみた。答えは、否。〝山上＝川上〟の決起が既存の「革命」の枠を逸脱するように、彼が直面した空虚な実存も、そのまま内宇宙ではないという。だとすれば、内宇宙への沈潜というより、自らを断絶する社会との接点を探り当てようとする試みこそが表現されていたわけだ――ゆえに倫理的な正しさへは直結させられないからといって、オルタナティヴを断念には繋がらない。そこにこそ「＋１」は宿るのだから……。こう考えれば、映画では川上の妹が、兄の決起を受けて語るラストの意義も垣間見えるのではなかろうか。

【主要参考文献】

足立正生『映画／革命』（聞き手・平沢剛、河出書房新社、二〇〇三年）
奥平剛士遺稿編集委員会編『天よ、我に仕事を与えよ　奥平剛士遺稿』（田畑書店、一九七八年）
重信房子『革命の季節　パレスチナの戦場から』（幻冬舎、二〇一二年）
中村泰之監修『REVOLUTION+1 Book』（きょうRECORDS、二〇二三年）

★『REVOLUTION+1』は全国順次公開中。詳細は公式サイトへ https://revolutionplus1.com/

本物のタトゥーをトコトン楽しめ！

KING OF TATTOO 2023

◎文・写真＝ケロッピー前田

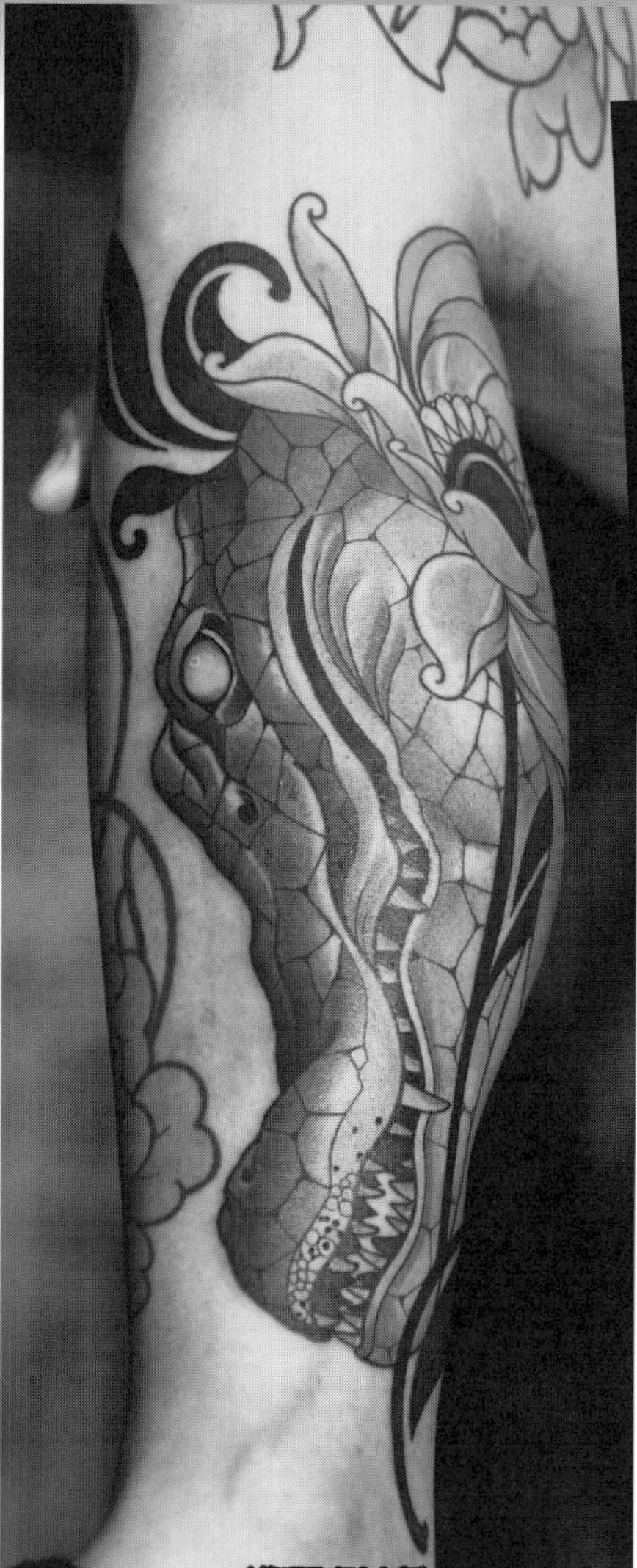

★第1日目ベストオブデー受賞、ソース氏の作品

★KING OF TATTOO 2023ポスター
（ビジュアル：信州彫英）

最近、本誌には毎号タトゥーの記事が入っていることに熱心な読者の方々はもうお気づきだろう。その理由は、コロナ後に向けて、日本のタトゥー新時代が動き始めているからである。

とはいえ、タトゥーを本当に理解するには、やっぱり生で本物のタトゥーをたくさん見て、その芸術表現を体感し楽しむのが一番だろう。ちょっとタトゥーに興味が出たなど思ったら、インスタグラムやネットで画像検索して妄想を膨らむだけではなく、ぜひとも本物のタトゥーをたくさん見れるイベントを目指して欲しい。そして、なんと言ってもお勧めしたいのがKING OF TATTOOだ。

KING OF TATTOOは、国際規模のタトゥーコンベンションとして世界的にもよく知られ、ゼロ年代以降の日本のタトゥームーブメントを支えてきた存在である。全盛期には、アメリカ、ヨーロッパ、メキシコ、台湾などから彫師たちが大挙来日し、日本勢と合わせて50名を超える彫師たちがブースを並べ、全日3日間、国内外から千人規模の観客を集めていた。

ちなみに、タトゥーコンベンションとは、イベント会場で彫師たちがタトゥー実演を行い、その場で彫った作品や愛好者たちの自慢のタトゥーをコンテストで披露するものである。タトゥーが広く受け入れられている諸外国では、数万人規模の巨大な国際タトゥーコンベンションが大都市圏で定期的に行われ、彫師の技術や愛好者たちの観察眼が鍛えられ、タトゥーを愛する者たちの交流の場としてその文化を大きく育んできた。

世界に誇るタトゥーの祭典「KING OF TATTOO」は、日本のタトゥー文化の素晴らしさを体感できる大会として、長引くコロナ禍を乗り越えて継続され、今年も4月24日〜26日の3日間、東京・新宿ロフトにて開催された。

2023年度は大会ポスターのビジュアルを信州彫英氏が担当し、海外からはロバート・ヘルナンデス氏、日本勢は

★ガールズタトゥー準優勝

★ガールズタトゥー優勝

SABADO氏、SHIGE氏ら有名彫師たちがタトゥーブースをかまえ、さらに日替わりで新世代の彫師たちが実演を披露し、3日間それぞれに異なる印象を与える贅沢なイベントとなった。海外からの観客も多く、「イレズミ最高!」という片言の日本語も会場から聞こえ、新宿ロフトを会場としてからの集客記録を更新するほど、日本のタトゥーの新たな時代到来を感じさせる熱気にあふれていた。

第1日目は、ガールズタトゥーコンテストをメインに、面白いモチーフやアイディアを競うファニータトゥー、その日に会場ブースでのワンセッションで仕上げた作品を競うベストオブデーなどが会場を沸かせた。ベストオブデーを受賞したソース氏はネオトラディショナルやブラックワークを得意とし、「引きで見たときの体の配置にこだわっている」という通り、ワニをモチーフとした受賞作もタトゥーならではのダイナミックさが見所となっていた。

第2日目は、恒例となったSHIGE氏の大作の大集合撮影会に続き、総手彫りの伝統彫り物を追求する彫ひろ氏と彼の作品も壇上に並んだ。ベストオブデーはキュートなカラーワークの女性彫師ミカキャット氏が受賞し、故浅草彫長氏が手掛けた往年の傑作をご夫人らが披露する感動の一幕もあり、全身刺青の伝道師

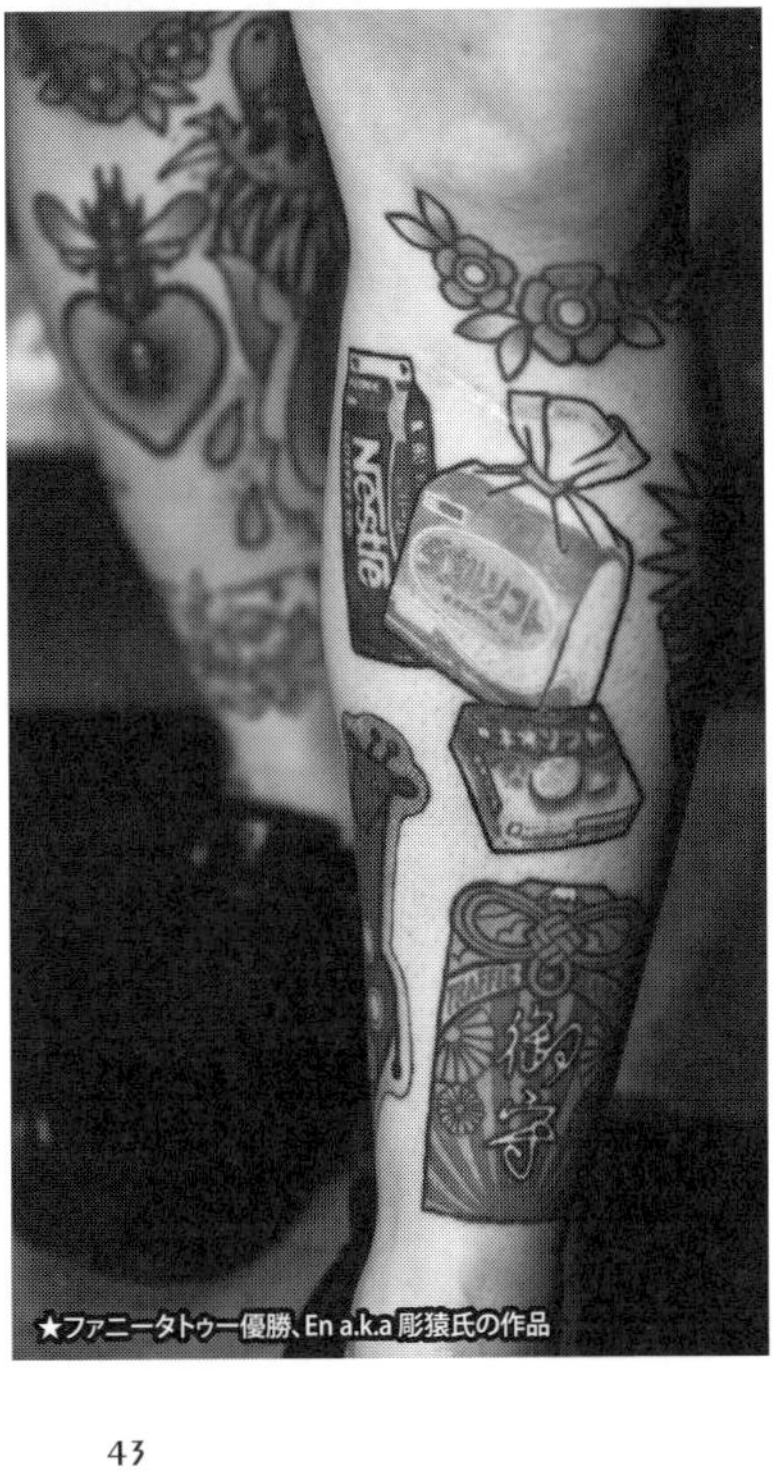

★ファニータトゥー優勝、En a.k.a 彫猿氏の作品

★SHIGE氏とその作品

★第2日目ベストオブデー受賞、ミカキャット氏の作品

★三巴 彫ひろ氏とその作品

アーサー・ホーランド氏は「タトゥーはステンドグラス、心の明るさがあってこそ美しく輝く」と説いてタトゥー愛好者を大いに励ました。

第3日目は、ビッグピースコンテストがクライマックスとなった。優勝と第3位を勝ちとった信州まなぶ氏は自身のジャパニーズスタイルを「型にはまらず、個性を出していければ」と説明した。ベストオブデーは彫ぺこ氏が受賞、浮世絵とエロスを結びつけた「浮世エロス」と称する独自のコンセプトを掲げ、受賞作も超個性的であった。総勢数十人の刺青愛好会メンバーによる集合撮影も強烈で大いに盛り上がった。

最新のタトゥー作品をみて驚かされるのは、昨今のタトゥーマシーンやインクの品質向上や、ネットを通じての最新技術やデザインなどの国際的な共有に伴う、さらなるクオリティの躍進である。いまや日本国内でも世界のあらゆるスタイルのタトゥーを最高の技術水準で手に入れることが可能となっている。そればかりか、伝統刺青の手彫りを行う新世代も育っている。

KATSUTA★氏は「海外の彫師をたくさん呼びたいので大きい会場のオー

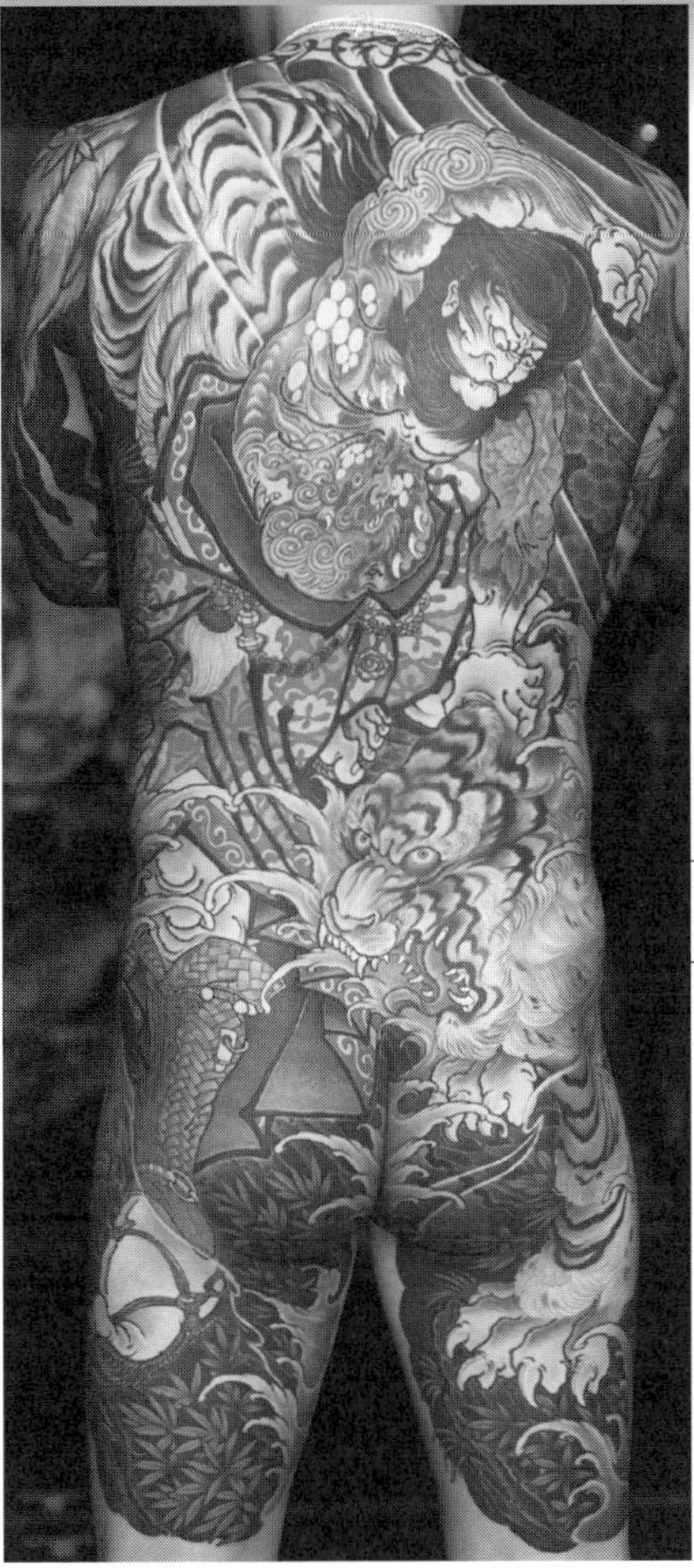

★ロバート・ヘルナンデス氏作

★ビッグピース優勝、
信州まなぶ氏の作品

★第3日目ベストオブデー受賞、
彫ぺこ氏の作品

★全身刺青牧師
アーサー・
ホーランド氏

※「KING OF TATTOO 2023」は、2023年4月24日～26日に、
東京・新宿ロフトにて開催された。

★刺青愛好会の皆さん

ナーさん、あるいはご存知の方、連絡ください」と訴えた。日本のタトゥー文化の新時代を世界も待ち望んでいる。キングのさらなる進化を応援したい！

日本刺青界のレジェンド二人展10周年

三代目彫よし×小妻要『狐狼展』2023

◉文・写真＝ケロッピー前田

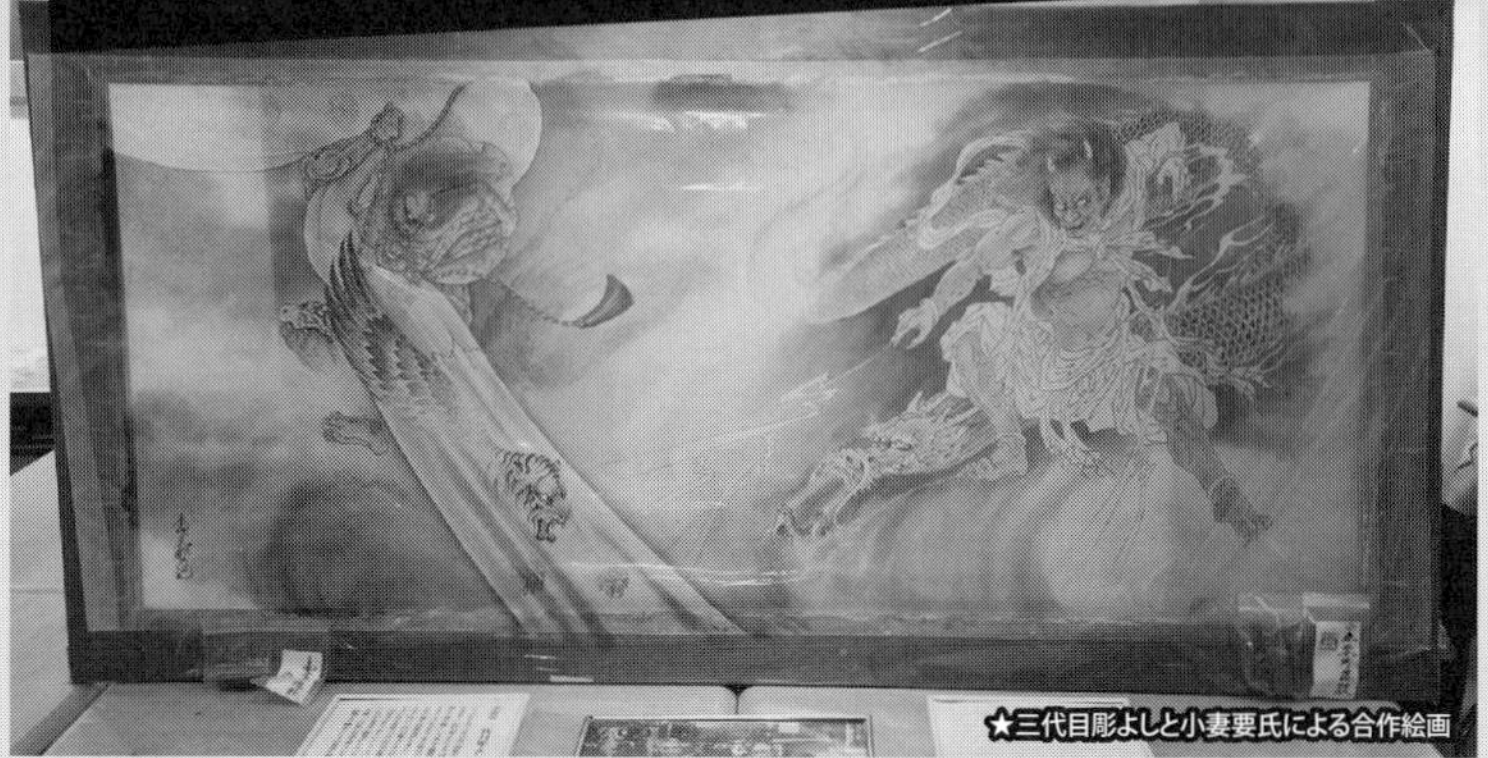

★三代目彫よしと小妻要氏による合作絵画

三代目彫よしによる恒例の二人展『狐狼展』が、2023年3月22日から3月27日までアートギャラリー道玄坂で開催された。この展示は刺青原画や絵画作品を中心としたもので、2013年に刺青美人画で知られる絵師の小妻要氏に始まり、イラストレーターの空山基氏、切り絵師の風祭竜二氏ら、三代目彫よしとの交友関係を持つアーティストとの二人展として続いてきた。

そして、今回は10年目にして初回の小妻要氏に立ち戻った記念碑的な展示会となった。もともと『狐狼展』開催のきっかけは、2011年11月に三代目彫よしが小妻要氏と開催予定であった『同盟二人展』にあった。同年9月の小妻氏逝去により中止されたが、その追悼も兼ねて始まったのが『狐狼展』であった。小妻氏は1939年生まれ、幼少の頃から画家の叔父から指導を受け、のちに刺青美人画という独自の世界を確立した。もちろん、その背景には三代目彫よしとの長い交友関係があった。良き友であるとともに良きライバルであった二人の関係は、今回再び作品が並べられたことで強く伝わってきた。ここで最も注目すべき作品は、三代目彫よしと小妻要氏による合作絵画であろう。当時の2人の写真とともに、当時の経緯が記されていた。

★小妻要氏と三代目彫よし（右）

「この作品は（中略）小妻要と三代目彫よしによる『同盟二人展』のために描いていた合作絵画です。（中略）完成まであと一歩というところで入院を余儀なくされたため、これが小妻要の絶筆作となってしまいました。生前、この絵に落款を押す日を励みに闘病生活をおくり、最後まで画家としての姿勢を貫き通した、渾身の作品です」

日本の伝統刺青の想像力の源が、刺青と絵画との絶えまない異種交配と切磋琢磨にあることを実感させられる展覧会であった。

★小妻要氏の作品

★三代目彫よしの作品

★萬野達郎監督「ストレージマン」

〈福岡インディペンデント映画祭 2022〉レポート

どっぷり映画に浸った四日間。思い掛けないネタと展開で、〝常識〟の裏を掻いてくれた作品群

◉文＝友成純一

二〇二二年十一月三日から六日まで、福岡市の六本松で〈福岡インディペンデント映画祭〉が開催された。上映されたのは中編短編が五十五作品、長編が三作品。これらを二十のプログラムに分けて一日五プログラムずつ上映する――ファンタ系ありアニメありラブコメあり犯罪物ありドキュメンタリーあり――朝の十時二十分から夜の八時半頃まで、十五分の休憩を挟んでってことになっているが、どのプログラムも上映終了後には監督や出演者を招いてのトークと質疑応答があるので、時間が足りなくなる。休憩時間は事実上、五分くらいしかなかった。

上映会場は、福岡市科学館の中のサイエンスホール。プラネタリウムのある博物館で、この映画祭が開催されている間は恐竜の特別展示をやっていた。この一角は数年前に再開発で街並みが大改造され、この科学館ばかりでなく地方裁判所と家庭裁判所もここに移設されている。

最新設備に有りがちなことだが、館内で飲食のできるスペースは限られており、特にコロナ対策が続いていて、上映ホール周辺での食事は難しかった。まして休憩が五分しかなくては――私はメシ替わりに菓子パンの類いを抱えて行っていたのだが、何処で食ったら良いか判らず、結局トイレでガツガツとパクついた。最新の建物なのでトイレは大変にキレイで、休憩時間に最も落ち着ける場所だった――最新設備の皮肉。

九〇年代初頭から三十年以上、世界各地の映画祭を転々と彷徨って来たが、こんなサバイバルな映画祭は初めてだった。まさに中短編の作品群にどっぷり浸った四日間だった。

民話に託して語られたこと

近頃は民話の類いにハマっているせいか、今回の上映ではまず、お伽噺絡みの作品に惹かれた。例えば、**難波望監督の「オトギネマ」**（22年42分）。

御伽噺の映画化と聞くと、ついついアニメだろうと思ってしまうが、これはバキバキの実写だ。かぐや姫、雪女、一寸法師、浦島太郎、桃太郎の五人がネタになっているのだが、舞台は現代。だから主人公はまさに今の我々で、彼らは脇役として登場する。お伽噺の主人公たちが、今の我々にどんな風に関わって来るか、というエピソードに換骨奪胎されていて、現実にはあり得ないファンタなキャラとの出会いにより、今時の若者の生き方、

★難波望監督「オトギネマ」

考え方が浮き彫りにされる。どのエピソードも落語のように楽しい小噺となっていた。今後も時間とお金を調達して、撮り続けるとのこと。

小鷹拓郎「インドネシア人技能実習生、河童の狩猟技術を学ぶ」（21年25分）は、まさに題名そのまんまのお話。コロナ禍直前までバリ島でバリやジャワの地元民に囲まれていたので、インドネシア語が懐かしい。

そうだったのかと私も驚いたのだが、インドネシアでは河童の肉がコロナ・ワクチンとして有効と見なされ、需要が大変に高いという。インドネシアにも河童がたくさんいるが、河童の生態に最も詳しいのは日本だというので、静岡県に住む技能実習生が地元の猟友会や笹間神楽保存会を訪れ、捕獲術を学ぶこととなった。

★小鷹拓郎監督「インドネシア人技能実習生、河童の狩猟技術を学ぶ」

映画ではまずインドネシア料理店などが紹介され、店主のインドネシア人のおばちゃんが、インドネシアでいかに河童が求められているかを語る。そして静岡の農家や猟師たちを訪れる実習生。お百姓も猟師たちも、この辺には昔からたくさん河童がいて、しょっちゅう姿を見せると言う。そして、猟友会の人々と純朴な実習生達との交流が始まる――本作の目的は実は、実習生と地元農家や猟師との楽しい交流にある。結局、河童は登場せず、実習生たちは鉄砲の撃ち方は教わるだけ。実習生と地元民との、河童を巡る大真面目なやり取りが楽しい。

民話伝説、神話の類を読んでいて思ったのは、本になって刊行される場合、特に外国の民話が翻訳される場合は、当然ながら今の普通の日本語に訳される。が、こういうのは本来、地元の言葉で語られてこそ、そもそもの面白味や微妙なニュアンスが伝わるのではないか――しかし実際にそうされると、何を言っているのか判らなくなってしまうわけだが。

今回の上映作品では、**若見ありさ「ガラッパどんと暮らす村」**（21年17分）が、バキバキの宮崎方言で綴られる、宮崎に伝わる河童小噺のアンソロジーだった。鹿児島に近い都城市と三股町で、実際に河童を見た、出会ったという体験のインタビューを基に作ったとのこと。アニメなのだが、河童と農家の人々との関わりが、素朴かつシュールな絵柄で淡々と語られる。今とか昔とか、そんな時間の流れ、時代を超越した味わいがあった。

インディペンデント映画には民話に取材したお話が多いけれど、これには製作資金の問題があるのだそうだ。地元文化の紹介ということで、資金援助を得られやすいのだと。

これも民話として語りたい、**にいやなおゆき「うなぎのジョニー」**（21年7分）。同じくアニメなのだが、静止画で綴られるので、絵物語と言ったほうが近い。いや、紙芝居だ。

少女の声で、謎の巨大うなぎジョニーへの愛が切々と語られる。一見、怪物であり怪獣なのだが、実は愛すべきジョニーを巡る、ほのぼのとしたエピソードが続く。しかし、ラストで火事があり家が焼け落ちる。ジョニーが正体を表わし、語り手の〝少女〟の本当の姿がポロリと明かされる――この結末、明かさずにおこ

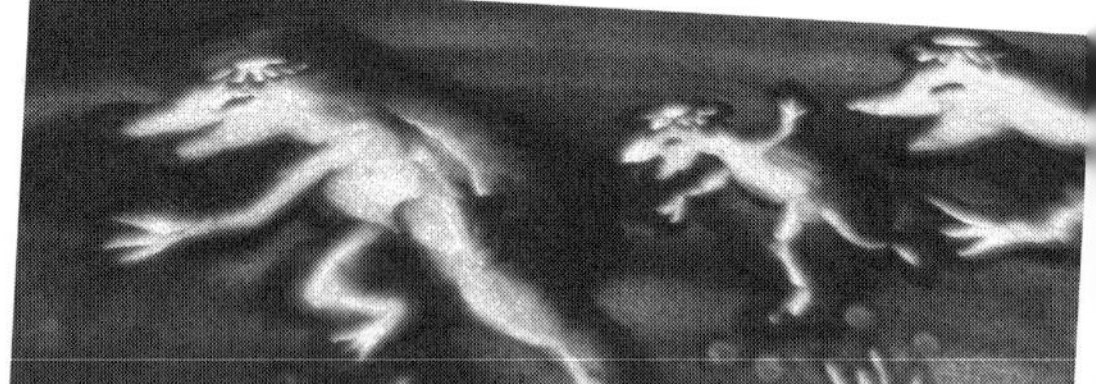

★（上）若見ありさ監督「ガラッパどんと暮らす村」
（下）にいやなおゆき監督「うなぎのジョニー」

★（上）クラノマサキ監督「こんなのどうせ初恋なんかじゃない」
（下）三善万椰監督「死体と生きる」

う。

明るい開かれた日本社会の、裏の顔が仄見える――社会派作品だった。

明るい開かれた日本社会の裏の顔

クラノマサキ「こんなのどうせ初恋なんかじゃない」（22年20分）は、幼い子供達の〝初恋〟を淡々と描く。ある日、女の子は隣のクラスの男の子からお手紙を貰い、仲良くなる。一緒に登校し、帰りには二人で公園とかお店とか色々なところに寄り道。家にも遊びに来て、楽しく毎日を過ごす。ところが男の子は突然いなくなってしまう。不意に引っ越してしまったのだ。引っ越しの理由を――大人たちが噂する――夜逃げしたんだって。夜逃げの理由は……大人の社会の辛い現実が不意に明らかになる。

子供たちの会話は、まさに子供の言葉でなされる。子供たち同士では通じているらしいのだが、大人には何を言っているのか判らない。幼い子供同士の会話って、大人には通じないことが多いよなあ、確かに。それより何より、本作の女の子の語りは、男の子の喋っていたハングルを、意味は判らないままに音だけ模倣したものなのだそうだ。ひたすら幼い子供の目線で撮っているだけに、沁みる作品だった。

三善万椰「死体と生きる」（21年29分）は、恋人の死を受け入れられず、その死体と仲良く暮らす娘の話。彼がまだ生きているものとして食事の支度をして一緒に食べ、仕事に出掛ける時も帰って来た時も挨拶をする。夜も一緒だ。

しかし生きてりゃ当然、事態は刻々と動いて行く。仕事先で新しい彼氏に出会い、次第に心がそちらにシフトして行くのだが――どうするんだ、元彼の死体？

元彼に対してもまだ、愛が残っている。解決策は、ただ一つ。新しい彼氏を自宅に招いて、一緒にディナーを分かち合うが、その食材は――一歩間違えるとスプラッタになるところだが、明るくサッパリと仕上げてある。石井隆の「フリーズミー」を思い出した。

萬野達郎「ストレージマン」（22年40分）はコロナ禍で派遣切りにあった男が、社宅からの立ち退きを迫られ、ついに女房子供も実家に帰ってしまい、独りに。何処にも行き場がなくなって、トランクルームに住むことにする。トランクルームは物を預けるところで、住み着くことは許されない。そこにこっそり住んでしまうわけだが、住んでいる男が実は他にも居て、彼は居住歴も長い。世間一般の人々は全く知らないが、トランクルームにはトランクルームの社会があり、世間から隠れた別世界を作っているのだ。こっそり隠れ住むために、警備員の目をどうやって誤魔化すか、内側から鍵を掛けるには……食事は、排泄は……先輩が色々と教えてくれる。

男ばかりか女もいた。彼女は売春で生き延びており、迫られたりするのだが、ついに行き詰まって部屋で首を吊ってしまう。事件になり、警察も出入りして――今の時代ならではの切実な展開。韓国映画「パラサイト」が重なってしまった。

田中聡「うまれる」（21年34分）は凄かった。小学生の娘が、天然パーマのせいで同級生たちに虐められていた。が、理髪店を経営する母は忙しくて構ってやる時間がなく、虐めを軽視したこともあって、何もしないでいた。やがて、同級生た

★萬野達郎監督「ストレージマン」

★（上）田中聡監督「うまれる」
（下）田中聡監督「あの娘の雫」

ちと下校の途中に崖から転落、死体で見付かる。事故死扱いにされるが、同級生たちの会話から母は疑いを抱く。子供たちを問い詰めて、実は彼らに飛び降りろと強制され、抵抗したものの突き落とされて死んだのだと知る。

母は虐めを軽視した自身の責任も噛み締めつつ、娘を死に追いやった子供達とその母親連を追求して行く。学校の教室で母親同士と担任教師の集まりが持たれ、被害者の母は同級生の親達に「あなた、おかしいんじゃない」「あなたこそ、ウチの子を怒鳴り付け、突き飛ばしたんじゃない」と罵られる。被害者の母は遂にブチ切れ、他のお母さん達もブチ切れ——お母さん同士の罪の擦りつけ合いが始まり、罵り合い、突き飛ばし合い叩き合い——情念の大爆発となる。クライマックスは、一大スプラッタ。

虐めという現代社会で最も微妙でデリケートな問題を、こんな風に一気呵成に処理してみせるとは。中島哲也の「告白」を思い出したが、こちらの方がはるかに直截的で、見終わって妙に気分もサッパリ。自主製作ならではの作品だろう。映画祭の事務局は、監督からこの作品のアイデアを聞かされた時、「それだけは止めてくれ」と訴えたのだが、撮ってしまったのだそうだ。

同じ**田中聡「あの娘の雫」**（21年17分）も実にエグい、これまた私好みの変態な短編だった。新興宗教の教団が舞台である。この教団では新教組を選ぶ際、現教祖が垂らす唾液を、仰向けに横たわって、邪念なく口で受け止めなければならない。この現教祖が素晴らしいセクシー美女と来た。新教祖の候補者たちは若い男子の信徒たちなのだが、邪念なくこの唾液を飲み込めるか。教祖の右腕とも呼ぶべき屈強な信徒がおり、邪念のあるなしは、彼が股間をチェックして確かめる。

一人また一人と儀式に挑む。美人教祖はセクシーに踊りながら、衣装裾から太腿を露出し、胸を揉み、仰向けの候補信徒の顔に上半身を被せ、唾液をタラアアアア……屈強な信徒が候補者の股間を揉み揉み揉み揉み……はい、邪念あり。処罰が待っており、堕ちた信徒はポコチンをボンコチで一撃される。

誰がこの儀式を乗り切って新教祖となるか、皆んな戦々恐々となるが、一人、フフンと勝ち誇っている若者がいた。彼は同性愛者なのだ。だから、美女であっても女相手には邪念は沸かない。しかしいざ儀式を迎えると——屈強な右腕は、男の中の男みたいな奴だ。彼に股間を揉まれ、否応なしにおっ立ってしまった——はい、邪念あり！

果たして誰が後継者に？ コロナ禍と新興宗教と、両方を落とし込んだ大笑いの作品だった。

息も吐かせぬエンタメ系作品

山口森広「捨てといて、捨てないで」（20年31分）お客が外出した後のホテルの客室に、何気なく残された紙屑やペットボトルが、ゴミなのか否か——そんな判断をする客室係の話。ちり籠の脇に置いてあったペットボトルを処理したら、お客がカンカン。クシャクシャになったティッシュを捨てても、怒り狂う客がいる。かと思うと、ゴミじゃないと思った代物が実はゴミで、捨ててないと苦情が来たり——支配人が苦情を受けて、問題となっ

★山口森広監督「捨てといて、捨てないで」

★（上）廣田耕平監督「ラの＃に恋して」
（下）佃光監督「アキレスは亀」

た客室係のお姉さんは「また君か」とガミガミ叱られる。そんな毎日の中から、ゴミの正体を巡って宿泊客の思い掛けない人間関係、奇妙な癖や習慣が見えて来る。そしてホテルの従業員の先輩後輩、上司と部下の繋がりも見えて来る。さらに、客室係のお姉さん自身の生活も、ゴミの扱いに重なって、思い掛けない波乱万丈のドラマが展開する。

廣田耕平「ラの＃に恋して」（21年16分）も、オナラをネタにこんな上品な映画が仕上がるなんて——格式のある老舗の呉服店に、若い調律師がピアノの調律に訪れる。呉服店の淑やかで美しい長女がお茶を出してくれるのだが、しゃがんだ姿勢でお茶を掲げた拍子に、ぷっとオナラをしてしまう。何事もなかったかのように振る舞う二人だが、長女がそれをすごく恥じる一方、調律師はしかしそのオナラの響きに惚れてしまった。高尚なお屋敷でのいささか尾籠な出来事なので、どちらもそれに触れるわけには行かないまま、時だけが粛々と過ぎて行く……二人の間にいつしか、仄かな恋が……微笑ましくも心が温まる話だった。

佃光「アキレスは亀」（21年37分）は、奇想天外な痛快SFコメディだった。神戸の街が舞台となり、クライマックスは須磨山頂の遊園地。地の利を目一杯に利用している。

量子物理学の研究室で飼っていた亀が誘拐された。亀の名はアキレス、行方不明になっている天才物理学者が飼い主だった。卒業を控えて論文の評価を待っている教え子の女子大生が、アキレスの後を大追跡。アキレスの面倒を見ることが、先生に対する彼女の責任で、先生を見付け出さないと卒業が危うい。アキレスを盗んだのは変な爺さんなのだが、この爺さんこそ、実はその天才博士だったと判明。彼はタイムマシンの研究をしていて、その実験で未来に行っており、そのタイムマシンの作動に欠かせないのが、亀アキレスだった。この研究を盗もうとしている悪党がおり、先生の行方を探しつつ、悪党からは逃れなければならない。

アキレスと謎の爺いの行方を追って、神戸を電車で走り回る。ついで悪党から逃れるために、遊園地の遊具で追っ掛けっこ。〝アキレスと亀〟理論を始め、様々な科学知識が散りばめられ、謎解きに応用され、逃避行追跡行を盛り上げて行く。クライマックスは須磨の遊園地で、そのまま活劇の舞台になる。古典的な謎解き映画に相応わしい舞台でもあり、B級テイストが楽しい快作にして怪作となっている。

爺さん天才博士と若い娘の師弟関係、タイムマシンを巡る大活劇は、往年のエンタメ「バック・トゥ・ザ・フューチャー」を思わせた。ちなみに、須磨の遊園地での活劇だが、宣伝のために借りた訳でも何でもなく、皆んな入場料を払って、勝手に中で撮影したのだそうだ。

賀々賢三「マンチの犬〜アンパンとカツ丼〜」（21年28分）、これまたオフビートにブッツンした驚天動地の作品だった。二人の凸凹はみ出し刑事が殺人事件を追う。なかなか口を割らない容疑者に自白させるために二人が打った手は——取り調べの必需品、カツ丼を素晴らしい手並で調理して、容疑者を快楽のあまり悶絶させる。張り込みの際には長時間の見張りが必要なのだが、それに備えて携帯ミニコンロを持参する。何かある毎に料理が登場するが、これの調理手順がきちんと描かれ、詳細なレシピも示される。これが実に美味しそうでかつ事件の解決にも繋がる。探偵物であり料理映画でもある。

二人がここぞという場面でいきなり料理を始めるのもぶっ飛んで笑えるが、

★賀々賢三監督「マンチの犬〜アンパンとカツ丼〜」

それ以上にファッションや小道具のセンスが型破りで楽しい。昔ロンドンで〈ゲイ&レズビアン映画祭〉でゲイのミュージカルを見て、そのファッションや小道具のセンス、会話や出来事のタガの外れっ振りにひっくり返ったものだった。本作のファッションや小道具のセンスが、まさにそれ。全編、麻薬ヤリまくりってのが、まさにインディペンデント映画ならではだった。

GAZEBO監督の二本が、現代日本の最先端技術であるインターネットを、肯定するとか否定するとかでなく、生活の一部として描いていて面白かった。

「Vtuber渚」（19年30分）は、挫折したアイドルがVtuberとして再起を目指す。何せアイドルが目指していたので、ステージの上とかカメラの前では、いかにもアイドルらしく明るく元気いっぱいに振る舞う。が、日々の生活はえらく地味で内気、根が暗い。この落差が可愛いやら笑えるやら。

改めて承認欲求を満たそうと、Vtuberの〝中の人〟たるべく応募してみたところ、採用される。本人としては「アタシってダメダメ」と思いながらも、スタジオで明るく元気に頑張ってみる。が、やはりやり直しの連続で、「やっぱりダメだわ」と諦め掛けていたら、制作スタッフの狙いは、何処にでもいる一人の少女がVtuberたるべく頑張るその姿をありのままに描くことだった。舞台裏の彼女の表情や行動がそのまま投稿され、それがバカ受けして彼女は人気者になる。この女の子の、演技をしている時の突き抜けた明るさと、普段の暗い地味な表情の対比が、実に惚けていて面白い。

★（上）GAZEBO監督「Vtuber渚」
（下）GAZEBO監督「AIM」

もう一本**「AIM《エイム》」**（21年22分）。引き篭もりでひたすらオンラインの射撃ゲームに打ち込んでいる二十三歳の娘に、外で建築の現場仕事をしている親父は心を痛め、インターネットに相談を投稿したりしている。傍目には彼女は、全くの社会不適応のダメ娘だ。

ところがどっこい、オンライン・ゲームを介して彼女には友達がいた。特に仲が良いのは、若きゲームの達人男。彼女は彼と組んでプロのゲーマーになる道を選び……結末は言わないでおこう。引き篭りオタクに見えた女には、実は明るい未来が開けていた。

二本とも、一昔前までオタクの世界、いささか暗いイメージで見られていた連中の、明るく前向きに、頑張って生きている姿を描いている。ゲームにハマるのは悪いことでも病気でもない。「光のお父さん」ってドラマがあったが、ゲームが生き甲斐だったり、バーチャルで解決する事態もある。ネットゲームにもVtuberにも全く興味がない前世紀ジジイの私だが、この二本はすごく面白く見た。

場に宿るもの

映画祭のクロージングは**犬童一心監督の「名付けようのない踊り」**（22年114分）。二〇一七年から一九年までの田中泯の活動をドキュメントしながら、彼の踊りに賭ける心意気を、生まれにまで遡って追いかけて行く。頷かされたのは、田中泯の「踊りはその〝場〟限りのもの。その場所と空間、そこにいる人々と共に作り上げて行くので、一つとして同じものはない」

という意味の言葉。私はコロナ禍以前まで長いことバリ島にいたが、そこで気付いたのも同じことだった。

二十年ほど前だったか、バリ島に部屋を確保して間もない頃だったが、お祝いの集まりがあって、皆んなで余興を楽しんだ。〝作家〟だと名乗っていた私に皆んなが求めたのは、「詩を朗読しろ！」「唄を歌え！」だった。自分は書くのが仕事なので、朗読とか唄とかダメだと言っても、聞いてくれない。理解してくれない。

「書くって、何を？ 手紙でも書くのか？」

小説とかエッセイとか、まして映画評論なんて言っても誰もピンと来ない。本屋など観光地の繁華街にしかないし、雑貨屋で売っている本は本というよりペラペラの小冊子で、イスラムかヒンドゥーの宗教絵物語くらいのもの。映画館など二十年前には、都会の不良がナンパに行くところなので、田舎では行ったことのない人がほとんど。文章を書くって、手紙の代筆か公文書の作成かと思われたのである。

しかし考えてみれば――作家ってのはそもそも、吟遊詩人だったんだよなあ。今でも東南アジアの田舎では、そういう地域が多いと思う。

インドネシアでも二十年前まで、特に田舎では娯楽＝エンタメとはお祭りであり、そこで演じられるお芝居、影絵芝居、踊りだった。まさに一回性。その場限り、演者や踊り手と周囲の人々が一体となって作り上げて行く。演者も踊り手も憑依されたみたいになり、神懸り状態で喋り、歌い、火の上を火傷一つせずに歩いたりする。観客も一緒になって歌い、踊り、取り憑かれて奇怪な祈りを呪文のように唱えながら、泡を吹いて痙攣し始めたりする奴も出て来る――これこそ、命を持った〝芸術〟。その土地の精霊、そこにいるすべての生き物の命の顕現なのだった。

★犬童一心監督「名付けようのない踊り」

お祭りの高揚を知っている彼らは、本にも映画にも興味がなかった。記録された〝歴史〟など信用しない。書物も写真も映像も、カタチを写し取っただけのモノでしかなく、記録された時点で命は失われている。昆虫採集され、箱に並べられた虫さん達の死骸も同然。美術館とか博物館とか、その伝で言うと、屍の山だ。本来息付いていた場所から、殺して引き離して、まとめて陳列してるだけ。

絵画とかは、そもそも特定の教会とか寺院とか聖堂とかお屋敷のため、そこに住んだり訪れる人のために描かれた。その場から切り離して、美術館に並べた時には、もう死んでいる。絵や彫刻の中には、美術館で見ると不自然な形のものがあるが、それは教会や寺院の壁や天井、祭壇の形に応じて描かれていたからだ。それをその場から離して美術館にコレクションした時点で、もはや殺されてしまったのである。

こんな風に考えると、まさに一回性、その場限りのはずの田中泯の踊りを、記録映画に残すのは、田中泯の魂を殺すことになるのか――そうであり、そうでない？

文芸も映画も、ただの記録するものから、今では独自の〝文法〟や〝表現形式〟を持ち、それ自身の命が宿っている。美術館でも博物館でも図書館でも、今ではそこで独自のイベント＝お祭りを開催し、コンサートがあり、その場に合わせた独自の創作展示をする。映画にしても、起きている出来事をただドキュメントしているわけではない。

田中泯自身が、上映後のトークで言っていた。「この映画は、僕の踊りではなく、犬童一心にとっての〝田中泯の踊り〟を描いている」つまり、田中泯の踊りを介して、作り手の犬童一心が自分自身の魂を込め、田中泯を換骨奪胎したのだと。

今では文芸も絵画も映画も、ただの記録＝コレクションという屍でなく、それ自身の命を持っている。去年の十月下旬にあった〈Asian Film Joint 2022〉（本誌前号にレポート記事掲載）の〝場に宿るもの〟というテーマは、たまたま続けて見たこの「名付けようのない踊り」にも通じていた。ここで紹介したのは見た映画のごくごく一部だけだが、今回の〈インディペンデント映画祭〉で上映された個性豊かに独自の語りを見せてくれた長短篇のどれにも、これは言いうることでもあった。

その場に拘ること、つまり個的であればあるほど、それは普遍性を獲得し、人間などというチンケな存在を超えた〝循環する命〟が目醒めて来る――うおっと、なんか、テツガクみたいになっちまった。

※福岡インディペンデント映画祭2022、は2022年11月3日〜6日に、福岡市科学館 6F サイエンスホールにて開催された。https://fidff.com/

いま振り返る〝身体改造30年史〟

『モダン・プリミティブズ』から眼球タトゥー、脳チップへ

◉文・写真＝ケロッピー前田

パンデミックを通過して、世界は大きな変革期に入っている。20世紀末からたびたび言われてきたことだが、人類史全体でみても、いまこの時代は人類そのものの大きな曲がり角でもある。いきなり話が大きくなっているが、90年代、筆者は性器ピアスを中心とするボディピアスの取材から始め、現在では脳とコンピュータを接続する脳チップ「ニューラリンク」を取材するところにまで辿り着いている。最先端のカウンターカルチャーである「身体改造（ボディ・モディフィケーション）」がどれほど時代の先端を突っ走っているのか、我ながら実感させられるのだ。そんなわけで、いまここで身体改造の30年史を振り返ってみたいと思う。

★『モダン・プリミティブズ』（1989年刊）

『モダン・プリミティブズ』という革命

身体改造カルチャーのはじまりとして、最も明確でわかりやすく、そして文化史的にも重要であるのは、1989年にサンフランシスコの個人出版社リサーチ社が出版した『モダン・プリミティブズ』である。

その本を開くと、第1頁目からファキール・ムサファーによるアメリカ先住民のサンダンスという儀式を現代的に再現したボディサスペンションの写真がドーンと登場している。この本のタイトルにある「モダン・プリミティブズ」を直訳すると「現代の野蛮人たち」となるが、この野外でのボディサスペンションはその言葉を象徴するイメージとして世界中の多くの人々の脳裏に焼き付けられた。もちろん、筆者もその一人である。

それぱかりか、本書にはノイズ・インダストリアル・ミュージックのカリスマであるジェネシス・P・オリッジやモダン・サタニズムの牽引者アントン・ラヴェイのインタビューも掲載されている。

もちろん、性器ピアスを始めとするボディピアスを広めたことこそ、この本の大きな重要ポイントであった。1994年、筆者が初めてアメリカ西海岸を取材したころには、マドンナがおへそにピアスをしたことから世界的な〝へそピ〟ブームが巻き起こっており、ボディピアスというものが広く世の中に認知され始めていた。

インターネットと身体改造世界大会

タトゥーやピアスを含めた身体の加工&装飾の総称である「身体改造」というカルチャーから、巷で「身体改造」と呼ばれるイメージに合致する過激な改造が大きく発展してくるのは、インターネットの登場による。

スプリットタン、インプラント、スカリフィケーションなど、それらの過激な改造カルチャーを牽引したのは、シャノン・ララットが主宰するBME（ボディ・モディフィケーション・イージン）というホームページであった。

筆者がシャノンと接触したのは1997年だが、その時点で彼はすでに世界中の過激な身体改造実践者たちを集めた世界大会のアイディアを語っていた。彼がその大会を思いついた背景には、『モダン・プリミティブズ』に書かれていた、70年代にピアスマニアの大富豪ダグ・マロイが世界中のピアス実践者を集めて開いたパーティの存在があった。そこでファキール・ムサファーとジム・ワードが引き合わされ、1975年、ロサンゼルスに世界最初のボディピアス専門店ガーントレットが作られることとなった。現代における身体改造カルチャーの隆盛の本当の出発点はそこにあった。

シャノンは、インターネットの時代のダグ・マロイのごとく、世界中の改造実践者たちを引き合わせて、身体改造の次なる時代を切り開こうとしたのだ。

シャノンラット主催による身体改造世界大会は1999～2001年の3

★フックを刺して吊り下げるボディサスペンション

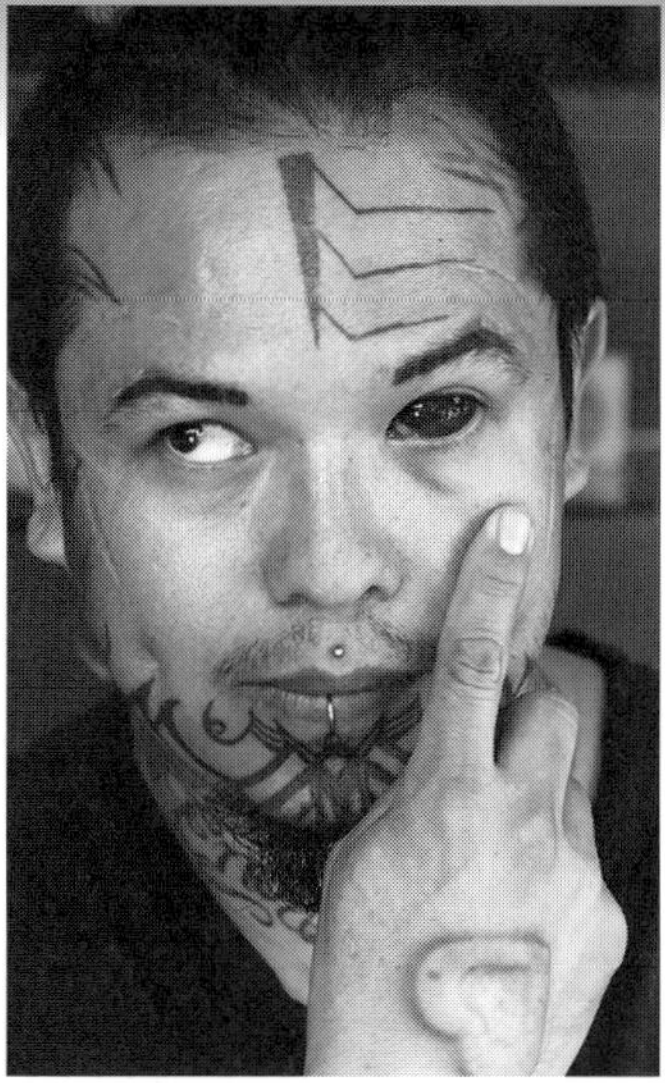

★眼球タトゥーはメキシコで盛んだ

年間にわたって行われ、その大会の記録は『MODCON』として2002年に出版された。その本を翻訳して日本で自費出版したのが『モドゥコン・ブック』である。2003年に初版を出してから長く品切れが続いていたが、昨年増補完全版として復活している。

次代を開く眼球タトゥーと脳チップ

『モドゥコン・ブック 増補完全版』の増補ページにおいて、非常に重要なポイントとして2つのことがある。

ひとつは眼球《アイボール》タトゥーが登場するプロセスが詳しく記されていることである。英文ではネット上で今でも読めるものであるが、検索して簡単に見つかるものでもなく、ここで日本語にしたことで、その全貌がわかったという人も多いだろう。

眼球タトゥーは、もともと「ジュエル・アイ」と呼ばれる白目のところにチタニウムなどで作られた素材を埋め込む実験的な行為をオランダの眼科医がやり始めたことに起因する。2004年、シャノンの当時の妻レイチェルは、その被験者が募集されると、すぐに名乗りを上げ、それを埋め込んでいる。銀色の小さな星型のようなものだが、他にもハート型の素材なども準備されていた。

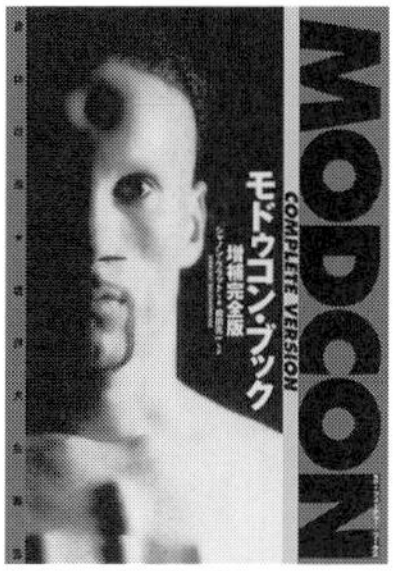

★ケロッピー前田訳
『モドゥコン・ブック 増補完全版』

2007年、眼球タトゥーを最初に試みたのはシャノンを含む3人の勇敢なるモルモットたちであった。身体改造アーティストのルナ・コブラが施術者を務め、3つの違う方法で眼球タトゥーを試みた。5年後の2012年に、その結果の続報が報告された。とりあえず、その施術に伴う障害や後遺症は観察されないとされ、ここから多くの追従者が出てくることとなった。

近年では、南米で過激な改造の実践者たちが急増しており、メキシコでは眼球タトゥーによるトラブルが社会問題になるほど広く認知されている。タトゥーという名前になっているが、眼球にインクを彫り込むわけではなく、注射器を使って特殊な溶液で作った色素を注入するもので衛生管理が難しく、技術的にも高度な最難関の身体改造である。

それゆえに、眼球タトゥーは本物の改造人間であるかどうかの証のようなものにもなっており、改造人間に憧れる人たちはともすると危険な賭けに人生をさらしてしまうのである。改めて、ここで強調しておきたい。決して試みることのないように。

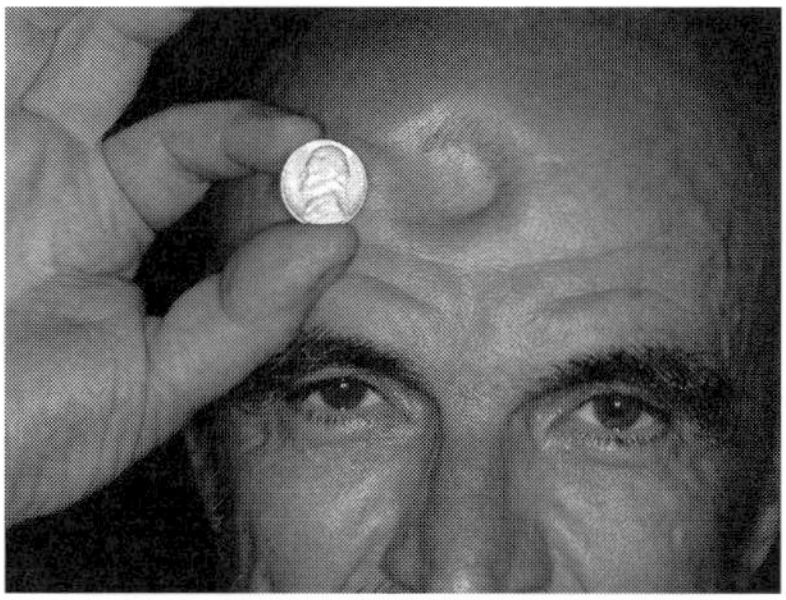

★脳チップは頭蓋骨に穴を開けるトレパネーションの未来形

もうひとつ注目して欲しいものに頭蓋骨に穴を開ける「トレパネーション」がある。筆者は漫画家・山本英夫の『殺し屋1』の情報提供者となったことから、次作の『ホムンクルス』にも長くかかわることになり、膨大に集められた調査資料や取材レポートはやはり自費出版で『トレパネーション・ソースブック』という本にまとめている。

頭蓋骨に穴を開けると意識が覚醒するのではないかと信じている人たちがおり、彼らのなかにはセルフトレパネーションに挑む者さえ存在する。筆者は覚醒を目的に実際に穴を開けた実践者たちと会っており、ロシアにあるトレパネーション研究所も訪ねている。ここで興味深いのは、イーロン・マスクが手掛ける脳とコンピュータを接続するニューラリンクが頭蓋骨に穴を開けて脳に電極を刺し込むという意味で、トレパネーションの未来形となっていることである。実際、脳とコンピュータを接続するとどんな感じになるのかについて、フロー状態になるだろうという予想がある。フロー状態とはものごとに集中して気持ちいい状態をいう。トレパネーション実践者たちが夢見た意識の覚醒は脳チップの埋め込みによってこそ、確実に達成されるかもしれない。詳しくは『トレパネーション・ソースブック』を参照して欲しい。身体改造カルチャーのさらなる展開にご期待いただきたい。

陰翳逍遥《第50回》

志賀信夫

シン・原爆の図

▽「母袋俊也　魂―身体　そして光」／丸木美術館、22年10月22日～23年1月22日

母袋俊也の作品は、コンセプト的というか、とても特徴的だ。絵画の左右のサイズ比にこだわり、その「フォーマート」というコンセプトで作品をつくってきた。さらに、複数の組合せ絵画について、日本の屏風絵は偶数であるのに対して、欧州のキリスト教の祭壇画などの組合せ絵画は奇数であることにも着目した。そして母袋の作品は、基本は抽象作品である。だが、いくつか元になる具象絵画があってつくられた作品がある。そのひとつが、ロシアのイコン画家、アンドレイ・ルブリョフの作品『三位一体』（至聖三者、一四二五）に基づいた作品（「Qf SHOU（掌）」シリーズ）だ。

ロシアのイコンは通常、修道院などで修道士・修道女が制作する。それゆえに、無記名であり、作者が世に出ることはない。そのため置かれた教会や地域の名前をつけて、「ウラジーミルの聖母」などと呼ばれている。さらに多くのイコンは上書きされている。つまり古くなると同じ絵がをその上に描かれるのが普通だ。それは、芸術的な絵画としてではなく、信仰の対象物だからだ。だが、それでも『ウラジーミルの聖母』（一一三一）のような有名なイコンには、当初のまま残っているものがある。

だが、一四～一五世紀のイコン画家、アンドレイ・ルブリョフや、日本の山下りん（一八五七～一九三九）などは、作家名とともに作品が残っている。ルブリョフが有名になったのは、一九七一年にアンドレイ・タルコフスキー（一九三二～八六）による伝記映画『アンドレイ・ルブリョフ』が公開されたからだ。日本でも一九七四年に公開され、筆者もそれを見て、惹きつけられた。おそらくこの映画を見て、イコンに関心を持った人は多いだろう。また山下りんを知ったのは、たぶん七〇年代、ＮＨＫの『日曜美術館』である。ルブリョフでイコンに関心を抱いていたため、「日本にもこんな画家がいた」と驚きだった。

母袋俊也は筆者とほぼ同世代のため、ルブリョフのイコンに対するイメージは重なるところがあるはずだ。しかし、なぜイコンだったのだろうか。

実は、それ以前に母袋は、一六世紀、ドイツの画家グリューネヴァルトの『イーゼンハイム祭壇画』（一五一一～一五頃）に出合っている。そして、それに基づいて、『ta・KK・ei』（一九九八）を制作している。それは、前述の通り日本の屏風絵の偶数性に対して、西洋の祭壇画の奇数性に着目したからだ。そして中央の大きい絵と両側の二つの小さい絵に呼応するように、タイトルも大文字の「ＫＫ」に対して、両側に小文字を置いている。つまり、

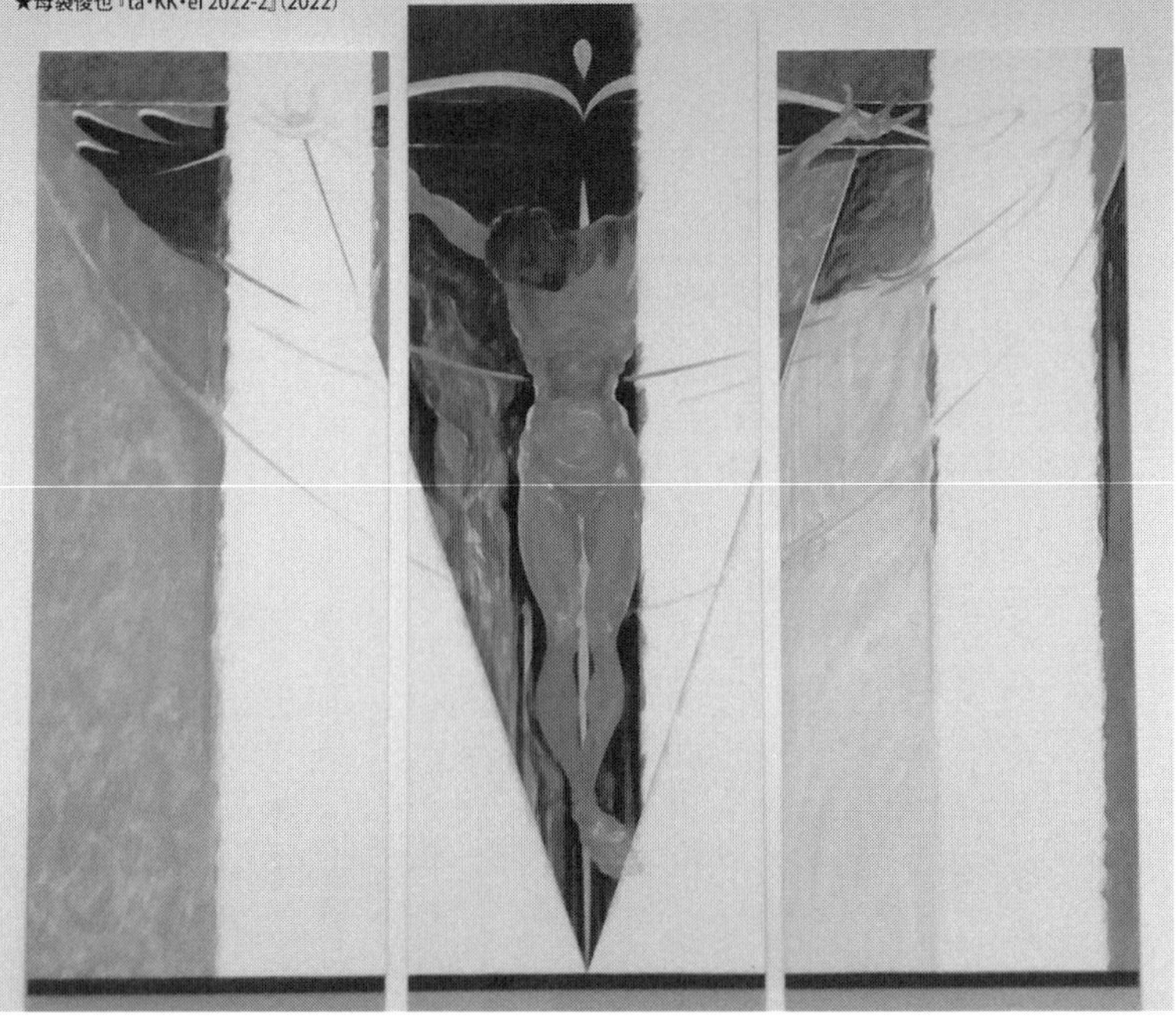

★母袋俊也『ta・KK・ei 2022-2』（2022）

★（上から順に）母袋俊也『TA・GEMBAKZU』（2022年）
丸木位里・俊『原爆の図』「水」（1950年）
丸木位里・俊『原爆の図』「水」部分

絵画の左右比率である「フォーマート」と絵画の組み合わせという二つが、母袋の絵画の構成要素となった。「フォーマート」とは、英語ではフォーマット、つまり形式という意味である。この母袋の絵画理論については、筆者の編集した母袋の著作『絵画へ』（論創社、二〇一九）に詳述されている。

今回の丸木美術館の展示は、この絵画論を背景に、丸木位里・俊の『原爆の図』を元に、母袋が新たな作品をつくるというのが、大きなポイントである。

『原爆の図』は、一九五〇年、第一部「幽霊」から始まり一九八二年の第一五部「ながさき」まで一五点、それぞれ四曲二双、八枚の屏風絵である。そのため、西洋の祭壇画を元に作品をつくった母袋にとっては、必然でもあったのだろう。以前から母袋は『原爆の図』に思いを寄せていた。そして今回、綿密な調査のうえで、その第三部「水」（一九五〇）を選んだ。作品名は『TA・GEMBAKZU』（二〇二二）となった。「TA」は縦長フォーマートの意味で、縦長作品を複数連結するという、屏風絵にならったものだ。元の「水」は、全体の画面左側に多くの死者、屍体、右側には被爆した人々、そして中央右には、乳飲み子に水を飲ませる被爆者の女性が描かれている。これが聖母像のようにも見える作品だ。

ルブリョフの『三位一体』と丸木夫妻の『原爆の図』に共通するのは、傑出して広く知られる絵画のイコン性とでもいうべきものだ。イコンの発祥は、キリストの遺体に載せた布にキリストの姿が写された「聖骸布」「聖顔布」といわれるものだ。それが奇跡を生むとして信仰された。それに対して、神の姿を写してはならないということから、偶像破壊、イコノクラスム運動や論争が生じた。それは新教と旧教、カトリックとプロテスタントとの対立とも重なる。そのなかで、ロシア正教はイコンを重視して、護り続けている。そして、イコンがキリストの死体を写したならば、原爆の被害者たちの死体や生きる姿を描いた『原爆の図』もイコンの原型といえるかもしれない。いわゆる信仰の対象ではないが、その前に立つと、だれしも祈る気持ちが生じる存在であろう。

★『ヤコブの梯子』『ゴルゴダ』（2022年）などを含めたインスタレーション

今回の母袋の『TA・GEMBAKZU』の展示でまず特徴的なのは、水平線である。『原爆の図』「水」に見いだすことができる水平線に並べて、『TA・GEMBAKZU』を配置し、かつ壁面に木炭で水平線を描くという、インスタレーション的展示を行ったのだ。そして母袋はさらに『ta・KK・ei』、『ゴルゴダ』などと『ヤコブの梯子』を配した。『ヤコブの梯子』は、旧約聖書創世記にある、地上と天国を結ぶ梯子である。

今回の展示で、母袋はグリューネヴァルトのキリストの磔刑に基づく作品、「ta・KK・ei」シリーズをいくつも展示している。それは当初の抽象化から、再び具象化を獲得し、「形」を得てきているようにも見える。そして、「聖母子」のいる『原爆の図』「水」、それを母袋が描いた『TA・GEMBAKZU』、そして天国につながる『ヤコブの梯子』と『ゴルゴダ』。つまり磔刑のキリストとその場所、聖母子、原爆の生んだ地獄＝地上と天国への道を、母袋は今回の展示、インスタレーション全体で示していることになる。それは、紛争やコロナなどの大きな危機の中にある母袋の「祈り」でもあるのだろう。

「フォーマート」や偶数性と奇数性といった絵画の「形式」にこだわるところが母袋の特徴なのだが、それによってイコンや磔刑のキリスト、そして『原爆の図』のリアルが改めて見直され、際立つこともあるだろう。これらイコン的絵画は、どうしても抱えた物語や伝説などが作品を覆いがちだが、それを形式という視点からそぎ落とすという、一種の抽象化がはかられることで、見る人のとらえ方も変わるのではないか。何度か見ている『原爆の図』だが、母袋の『TA・GEMBAKZU』を見て、改めて『原爆の図』の「水」を見直すと、意識に変化が起こっている気がする。

筆者はその歴史的・社会的意義はもちろんだが、それだけでなく、絵画としての力で『原爆の図』を高く評価してきたつもりだ。それでも今回、ホワイトキューブに置かれた模写と母袋の描いた原爆の図を見て、改めてこれまでの展示を見ると、よりくっきりと浮かび上がったものがある。それは、描くという意識、作品を生み出す強い意志だ。丸木夫妻がこれをどのような意識で描いたのか、そこに思いを馳せる。三二年にわたって一五連作を描くときには、意識もさまざまに変化しただろう。そのつど、作品への取組みも異なったに違いない。そういう点で、今回の母袋展示によって、すべての連作それぞれが、より際立って、これまでにないものとして見えてきたのだ。

なお、筆者が訪れた一月一四日には、画家と神奈川県立近代美術館長水沢勉氏、歴史家の小沢節子氏による鼎談が行われ、とても刺激的な意見が示されたことを記しておく。

クレズマーを知っているか？

▽東欧ユダヤ音楽・クレズマー演奏会／シアターカイ、23年2月23日

クレズマー、と聞いてわかる人は結構音楽好きだろう。日本では、先般亡くなった歌手、おおたか清流《しずる》も共演していた、梅津和時らによる「こまっちゃクレズマ」というバンドがあり、それで知った人も少なくないはずだ。篠田昌已や巻上公一も取り入れたことがある。映画『シンドラーのリスト』（スピルバーグ監督、一九九三）でも知られる。

クレズマーとはイディッシュ音楽、つまりユダヤ音楽のことだ。一八世紀中ごろから、東欧のユダヤ人社会に、クレズメルという楽士がおり、その音楽が二〇世紀に米国で流行って英語読みのクレズマー音楽となった。クレズメルは「歌の器」という意味らしい。それが一九九〇年代にリバイバルでブームとなった。それ以前に、日本では『屋根の上のヴァイオリン弾き』で有名になっている。メロディを聴くと、「ああ、あれかあ」と思わせる耳慣れたものだ。

しかし、いや待てよ。これは中東のアラブ音楽とやたら似ている。あるいはヴァイオリン曲で有名なチャルダッシュといわれる音楽とも似ている。そして、クレズマーのヴァイオリンはジプシーヴァイオリンっぽい。クラリネットの感じはチンドン音楽にも似ている。要するに祝祭的音楽、祭りや儀式で奏でられ、人々が踊ったりする民衆音楽という感じだ。

両国の劇場シアターカイでは、以前からクレズマーの音楽会を開催してきた。今回の二月二三日、『東欧ユダヤ音楽・クレズマー演奏会』が第一六回。主催する樋上千寿は美術史研究者だが、マルク・シャガール（一八八七〜一九八五）の絵画に登場する楽隊に関心を持った。それがクレズマーだった。彼はそれにのめり込んで、クレズマー音楽の演奏グループを結成、自らクラリネットを演奏し、そクレズマー音楽の普及につとめている。

今回のコンサートは、米国からクレズマー・ヴァイオリンの最高峰といわれるスティーヴン・グリーンマンを招いて、国内のクラシック音楽家などとの共演だった。曲は、グリーンマンが一九九七年に作曲した『ソロヴァイオリンとオーケストラのためのクレズマー・コンサート組曲』。伝統音楽としてのクレズマーのフレーズを多用しながら、オーケストレーションし、今回はグリーンマンに加えて横山久梨子と川又慶子のヴァイオリン、武本秀美のヴィオラ、新倉瞳のチェロ、長谷川慧人のコントラバス、濱島亮太のフルート、企画者でもある樋上千寿のクラリネットという編成で演奏された。

曲は六部構成で、前半、後半に分け休憩を挟んだ。テーマは「婚礼」で、第一部の「挨拶」は、これまで耳にしたクレズマー音楽とちょっと違って不思議な現代曲っぽい雰囲気だったが、第二部「悲哀」と第三部「ダンス」からは、聴き覚えのある祝祭的でダンスを伴うようなクレズマーの響きが会場を埋めた。祝祭的といっても、村祭りでいつも踊られる大衆曲というよりは、儀式に伴って奏でられるもので、代表的な旋律は「ニグン」である。第四部の「魂・ティッシュ・ニグン」はシナゴーグの祈りと関連があるそうだ。第五部は「名人的ダンス」。第三部の「ダンス」ともに、ユダヤだけでなく非ユダヤ、バッハや多民族由来の旋律がクレズマー的に変奏される。最後の第六部「別れ」は、花嫁が少女時代と家族と別れるもので、曲名の「ドブラノチェ」は「お休みなさい」という意味だ。

★『東欧ユダヤ音楽・クレズマー演奏会』の
イディッシュダンス「フライラハス」

さらに、日本人で海外でもクレズマー・ダンサーとして活躍している吉田佐由美が、グリーマンのヴァイオリンとチェロ、コントラバス、フルート、クラリネットという編成の音楽で踊った。恋人たちのデュオ「コーシドル」、さらにサークルダンス（輪舞）の「フライラハス」を披露し、現地の雰囲気を垣間見せた。イディッシュダンスは、決まった振付がなく、踊り手によってさまざまな表現がされる。見せるためではなく、「神との対話」＝祈りの表現らしい。

　実は筆者には以前から、クレズマーに代表されるユダヤ音楽と中近東のアラブ音楽には似たところがあるという疑問があった。特に舞踊と絡むような音楽は、コード進行、メロディラインなど、非常に似ている。今回、アフタートークでその問いを投げかけところ、それは同じ時代に同じ場所で混交したこともあり、毎年開催される国際的なクレズマー音楽祭でも会議のテーマになったほどだそうだ。

　さらに、ジプシーヴァイオリン、ロマ音楽との共通性という問いについても、同様にその会議で論じられているという。そして、ロマ（ジプシー）とクレズマーは同じ場所にいることも多く、交流があり、ナチスドイツの迫害でユダヤ人が強制収容所に送られたときは、ロマがユダヤのクレズマー音楽を継承して残したという。そして第二次大戦が終わり、解放されたユダヤ人たちが、故郷でロマからそれを渡されたというエピソードがあるそうだ。

　この文化の異民族による伝承という点は実に興味深い。例えば、アメリカ先住民の言語の一つを伝えているのは、日本人の研究者だという話を聞いた。また、日本でもアイヌ語を伝えている多くの人は、アイヌの古老から学んだ和人、アイヌでない日本人である。最近はアイヌの若者も学んで伝えられるようになったが、三〇年ほど前は、そういう人はほとんどいなかった。

　考えてみると、ロマは放浪民、移動民族だったので、各地の文化を伝えるということも多々あったのだろう。クレズマーは当時のユダヤ社会では低く扱われていたため、ロマとつながるところは大きかったに違いない。さらに、ユダヤ人も長い間、故国を持たない流浪の民であったことも、ロマとの交流につながるものがあったろう。

　第二次大戦後、一九四八年、英米の策謀によりユダヤ人国家イスラエルが建国された。それにはナチスドイツの迫害も大きかったはずだ。だがそれによって、パレスティナ人を追い出し、半世紀以上迫害が行われてきたことも事実だ。虐げられた民が他の民を虐げる。歴史上には多いことだが、近代国家を経て現代に至り、民主主義思想が定着したにも関わらず、国家として不当に迫害を続けることは、国際法的にも犯罪行為だろう。また、英米の財閥と国家の後押し、すなわち「カネ」がこの迫害を成立させていることは、間違いない。

　だが、クレズマーは、そのイスラエル国家成立、その前のナチスによる迫害以前から続く、放浪の民イスラエル人ならではの音楽なのだ。それゆえに、前述のように、さまざまな音楽と混淆しながら、生き続けている。イスラエルも、このクレズマーの精神に立ち戻って、他国や他民族と対等の交流を行うようになれないか。歴史は、差別・迫害された民族が、他民族を差別・迫害することが繰り替えされているが、その循環を断ち切ることが、多くの紛争を解決に導くのではないだろうか。

ユダヤ人作家にインスパイア

▽夢枕企画『色を塗られた鳥、時空を舞う』
／杉並公会堂、23年4月6日

　Ａｙｕｏという音楽家がいる。本名高橋鮎生。イラン系の義父と日本人の母とニューヨークで育つなど海外で長く生活し、本名で、八〇年代から音楽シーンで活躍してきた。アルバムはすでに一八枚を数える。そのＡｙｕｏによるコンサートが開かれると聞き、四月六日、東京・荻窪の杉並公会堂に向かった。

　ここは思い出深いホールだ。高校時代のロックバンドで学園祭に出たためだ。筆者の時代はクラスが九組まであり、全校生徒が千人以上。そのため体育館では入りきらず、大きい公会堂を借りて学園祭のコンサートが行われた。確か中学のときは中野公会堂、現在の中野ゼロホールだった。

　バンドは、放課後の教室で練習して、レッド・ツェッペリンやグランドファンク・レイルロード、マウンテン、ディープ・パープルなどのハードロックを筆者は歌っていた。それがいきなりリハもなく、千人以上の会場、中野公会堂。照明で観客はまったく見えない。さすがに途中、一瞬、歌詞が飛んだが、終わると上級生も含めた女子たちが集まった。そんな謎の栄光？の場所だが、建て替えで、現在はガラス張りの美しい劇場に変貌している。今回の会場はその地下の小ホール。以前に中学の友人のオペラ歌手竹下数雄がチューリッヒからの帰国コンサートをやった会場でもある。

　今回のコンサートは、『色を塗られた鳥、時空を舞う』というタイトルだ。これは、『The Painted Bird』にインスパイアされた三人の作曲家、足立智美、中村明一、Ａｙｕｏによる新作で構成されたもの。『The Painted Bird』（邦題『異端の鳥』）は、二〇一九年に映画化されたコシンスキーの半自伝的小説。イェジー・コシンスキー（一九三三〜九一）はポーランド出身で、ホロコーストを逃れて米国で活動した、謎の多いユダヤ人作家。

物語は、ジプシーかユダヤ人か東洋人

★『色を塗られた鳥、時空を舞う』舞台
©marmelo

らしい少年が、中・東欧の国々の小さな村をさまよいながら見た第二次世界大戦を描く。『色を塗られた鳥』は、その中のあるエピソード。鳥捕りの男が捕らえた鳥を塗り分けている。色を塗られた鳥が自分の群れに戻ると、群れはその鳥を侵入者とみなし、激しく攻撃して墜落死させる。つまりこれは、異国で育った少年が、生まれ故郷に帰っても、同類から差別され攻撃されることのメタファーだ。日系を含むアジア系アメリカ人も、両親の国に戻ると起こる。また、Ａｙｕｏによれば、現在、米国では日中韓アジア人の差別が拡大しているという。

　前半は、まず足立智美作曲の『弦楽四重奏曲第四二番「蝶が猿とあくびする（パヴェル・ハースに倣って）』。パヴェル・ハースは、ヤナーチェクに学んだウクライナ＝モラヴィア系のユダヤ人作曲家で、アウシュヴィッツで殺された。足立の作品は、パヴェルの弦楽四重奏曲第二番『猿山より』の副題に由来し、ヤナーチェクとパヴェルの音程などを背景にしている。足立智美は実験的な電子音楽などで国際的に活動しており、ダンサーなどとの共演も多い。今回の作品は、弦楽四重奏に第一楽章では立岩潤三のダルブカが入り、テンションの高い鋭い現代音楽にリズムが入ることで、リズムに乗れる要素もあった。第二楽章では、上野洋子の女性ヴォイスによって幽玄ともいえる広がりが生まれ、いずれも魅力的だった。

　次は、中村明一作曲の『月白』。「月白」とは、この世のさまざまな困難、苦難など、すべての波長を含んだ「白」で描かれた「月」という中村のコンセプト。彼は日本のみならずバークリー音楽大学などでも学んだ尺八奏者で、ちょうどつい最近、音楽家佐藤慶子の企画で出会っていた。彼には『倍音』など多くの著作があり、そのときは「倍音」に関するトークと実演を行ったが、その圧倒的な尺八の技術に舌を巻いた。今回の作品は、尺八と弦楽四重奏によるもので、その技術はもちろんだが、非常に繊細な演奏だった。特にピアニッシモのロングトーンでヴァイオリンとユニゾンしているところが、聴いたことがない音の世界で、凄かった。現代音楽と尺八というと、武満徹と横山勝也、山本邦山が有名だが、「和」の強調とか東洋の個性ではなく、まったく同等に音楽を構成していることが感じられた。

　そして休憩を挟んで第二部が、Ａｙｕｏ作曲『色を塗られた鳥、時空を舞う』。これは、コシンスキーの『The Painted Bird』に強くインスパイアされた組曲で、Ａｙｕｏのこれまでの作品などと新作を組み合わせたもの。『ユーラシアン・タンゴ』『幻想が現実に見えるとき、現実は夢になる』『三つの時代を表す三人の女神』を含み、英語で語られる一種の音楽劇でもある。

　この作品は、前の二作でも演奏した、ヴァイオリンの甲斐史子と亀井庸州、ヴィオラの迫田圭、チェロの松本卓以の弦楽四重奏をベースに、Ａｙｕｏの歌、ヴォイス、中世ヨーロッパのプサルテリー（木箱に二四本のピアノ線を張った楽器）とギター、そして中村明一の尺八に上野洋子のヴォイスとアコーディオン、立岩潤三のダルブカ、フレームドラムなどの打楽器、そして高橋アキのピアノが加わって演奏された。なお、Ａｙｕｏと中村明一、上野洋子、立岩潤三は「夢枕」というグループを結成している。

　最初と途中に入る「ユーラシアン・タンゴ」は、それぞれカザフスタンとビザンチンの伝統音楽に基づくとされている。つまりアルゼンチンなどの耳慣れたタンゴではないが、舞踊的といえるところがある。そして、一〇の物語に従って、Ａｙｕｏは英語で歌と語るようなヴォイス、時にはラップのようなリズムに乗って、さまざまに声を発し、そこに時折、上野洋子の女声が絡む。彼のプサルテリーの繊細な音、ギターのリフも効果的だった。そして立岩潤三の打楽器が中東からユーラシアの雰囲気を醸す。中村明一の尺八は、いわゆる尺八的な音は抑えられ、繊細に、時にはフルートに感じられるようで、音楽にアクセントを加えた。また、中盤から登場した高橋アキのピアノは、後半のソロフレーズから、和音のリフレインまで、音楽に厚みを加えつつ、メロディックな感覚も示して、秀逸だった。これらが変拍子を交えて、さまざまなイメージを生み出す。最後は全員がリズムを合わせ、盛り上がる演奏となった。現代音楽と中東、アジア、さまざまな音楽が交じり合いながらも、混沌ではなく独自の調性を生み出しており、聴きごたえ、見ごたえのある音楽だった。また、作曲としては、足立智美はコンセプトと理論をふまえた音楽、中村明一は演奏者としての体感からの音楽、Ａｙｕｏは多領域の音楽体験と社会との関係からの音楽で、それぞれ、これまでにない音楽世界を生み出しているように感じられ、とても刺激的なコンサートだった。

バロックとキリスト教

▽谷川渥『ローマの眠り』

『ローマの眠り』という絵がある。現代の画家、ファブリツィオ・クレリチ（一九三七〜九二）が一九五五年に描いたもので、画面には一七もの彫刻が描かれている。これらはジャン・ロレンツォ・ベルニーニ（一五九八〜一六八〇）をはじめとしたイタリアのバロック彫刻なのだ。つまり二〇世紀の画家が、一六〜一八世紀の彫刻をいくつも描き込んだという、とても変わった絵画だ。谷川渥は、『ローマの眠り―あるいはバロック的遁走』（月曜社）で、その彫刻を一つひとつ解きほぐしながら、バロックとは何か、バロックの魅力について語っていく。

バロックについてまずいわれるのは、「歪んだ真珠」である。ポルトガル語の「barroco」に由来するとされるのだが、この「歪んだ」がポイントだろう。美術におけるバロックとは何か。それは、それ以前のルネッサンスに対する「反」ということができる。

だがもう一つ、マニエリスムというものもある。ドイツのグスタフ・ルネ・ホッケ（一九〇八〜八五）が提示して、現在は広まったこの概念も、同様にそれまでの「美」に対する「反」である。ホッケによれば、その古典主義とマニエリスムの対立は、男性的と女性的、自然と技巧、統一と分裂、統合と分解、アニムスとアニマ、威厳と自由、秩序と反抗、形態と歪曲、神学と魔術などに呼応するとする。これを見ると、シュルレアリスムの時代に、アンドレ・ブルトンが『黒いユーモア選集』（一九四〇）で示した対比を思い起こす。どんな時代も、前の時代（権威）に対するアンチ（反）が登場して、新たな展開を迎える。

それでは、バロックとマニエリスムの関係はどうなのか。それに対して、谷川は、ホッケやイタリアのマリオ・プラーツ（一八九六〜一九八二）に基づき、「マニエリスムとバロックとの微妙な異同の関係は括弧に入れたままにしておこう」と述べる。つまり、バロックとマニエリスムは地続きであるらしい。いずれにしても、前の時代に対する「叛旗」が常に世の中を変えてきた。それは、文化についても同様で、その変化は「正↓反↓合」の弁証法的止揚ともいえるだろう。

谷川はこのバロックについて、イタリアから各地を旅した体験を重ねて論じていく。それが「遁走」ということだろう。

★ファブリツィオ・クレリチ『ローマの眠り』(1955)

その旅は、イスラエルのエルサレム、マルタ島やアフリカ・チュニジアのチュニスに至る。もう一つ、その道しるべの一つが、フランスの作家、ドミニク・フェルナンデス（一九二九年〜）の著書『天使の饗宴―バロックのヨーロッパ、ローマからプラハまで』（一九八四）である。

　ドミニク・フェルナンデスは、メディシス賞をとった作家で、去勢歌手カストラートを主題にした『ポルポリーノ』（一九七四）で知られる。同性愛をテーマにした印象もあるが、まさにバロックの「歪み」（barroco）に注目していたのだ。

　歪んだ真珠といえば、二〇一五年に逝去された画家、横尾龍彦の二〇二三年春の個展「瞑想の彼方」（神奈川県立近代美術館葉山）に興味深い作品が出ていた。その『隠された真珠』（一九六六）と題する作品は、まさに歪んだ真珠を描いたものだ。澁澤龍彦と同じ一九二八年生まれの辰年、種村季弘、由良君美とも交流があった横尾龍彦のことだから、当然、「バロック＝歪んだ真珠」という知識はあったろう。だが、横尾は元々小さいころに、球体を幻視するような体験があり、球体に対するこだわりがあった。そして、この時期には真珠という球体を描いていたようだ。当時の作品では、いくつもの真珠が変形され乳房のようになっているものもある。横尾については、改めて論じる予定だ。

★谷川渥『ローマの眠り――あるいはバロック的遁走』（月曜社、2022）

　谷川渥の『ローマの眠り』は四章に分かれており、一章から三章まではクレリチ作品とバロックについて述べられる。そして、最後の四章は、ピラネージについて述べている。ジョヴァンニ・バティスタ・ピラネージ（一七二〇〜七八）は、澁澤龍彦が言及したことで知った人も多い、廃墟や牢獄を描いた画家だが、元々建築家であり、「廃墟」美術の代名詞ともいえる存在だ。彼が描いたのはバロックだけではなく、古代からルネサンスも含めた廃墟で、特に古代の神殿も有名だ。ローマは遺跡の国でもあり、そこが「ローマの眠り」ともつながってくる。

　つまり、谷川渥は、クレリチの『ローマの眠り』を入口に、眠れるローマの魅力、「バロック」という名前だけでとどまっている存在の真の魅力を露わにしようとする。そのクレリチの『ローマの眠り』で描かれたバロック彫刻たちのほとんどは、眠っている。では眠りとは何か。ボードレールは「睡眠は奇跡に満ちている」「獣の眠りを眠れ」ともいったが、眠りと法悦、死はつながっている。法悦、絶頂、エクスタシーからの失神は小さな死であることは、バタイユを引くまでもない。そして死は永遠の眠りである。谷川の引いた彫刻、クレリチの描いた彫刻たちは、いずれもその小さな死を体現しているようにも見える。

　また、この谷川の旅は、キリストを辿る旅でもある。ルネサンスからバロックを中心とした西洋美術はキリスト教と切り離せない。特に谷川が注目するのは、聖骸布、聖顔布である。亡くなったキリストにかぶせた布に移った姿、それが信仰の対象であり、キリスト教と美術のつながりの元、イコンのはじまりともされる。それは偶像崇拝として批判され、イコノクラスム（偶像破壊）運動とともに。キリスト教の争いの一因ともなった。そして聖骸布は、キリスト教の奇跡、神秘の一つでもある。イエスの復活や病を治すといった奇跡や神秘ゆえに、宗教は人々に広まった。それは宗教というものの本質につながる問いでもある。

　聖骸布は、クレリチの『ローマの眠り』に登場する多くの彫刻がまとっている布とも共振する。ここで現れる布、ヴェール、襞は、いずれもこれまで谷川が論じてきた、皮膚や皮膜とも関連する。この著作で彼が論じた「濡れ布としての聖骸布」の節は、特に魅惑的、エロティックである。

　西洋文化、特に美術を語るにはキリスト教は切り離せない。だがそれは一面的なものではなく、絵画的、イコノロジー的なもの、伝説・物語、モチーフなどさまざまな要素があり、またキリスト教の受容も国や時代によって多様である。そのなかで、「奇蹟」はキリスト教においては、大きな位置を占める。その奇蹟を生む聖骸布は、絵画、キリストの似姿という点でも、奇蹟と神秘という宗教の本質という点でも重要だ。

　谷川渥は、本書で、クレリチの『ローマの眠り』を道標に、バロックの意味とキリスト教の関係を辿る旅を続けて、ヘレニズム文化からローマ文化、バロックに至る美術の本質、人は何に美を感じるのかを問うているように思える。それは「歪んだ真珠」といわれる「反美」であっても「美」であるという逆説を含めた美の世界、その魅力を、本書を辿ることによって、読者に教えてくれる。本書を紐解くことは、そんな美をめぐる旅に足を踏み出すことなのだ。

表紙＝写真／七菜乃

All pages designed by ST

CONTENTS

特集

ネイキッド
身も心も、むきだし。

天使なんか見たことないから描かん！
と言って、写実に徹したクールベ。
描く裸体も理想化されたものではなく
シワもリアルに表現してみせ
この「眠り」などは公開禁止の憂き目にあう。
性器だろうとなんだろうと
クールベは
むきだしにすることを厭わなかった。

★ギュスターヴ・クールベ「眠り」(1866)

裸体に挟まれた ある画家の運命、さえも
――ゲルハルト・リヒターの肖像、絵と映画

◉文＝高槻真樹（SF評論・映画研究者）

ある日、階段を降りると、敬愛する叔母が、全裸でピアノを弾いていた。茫然として見つめていると、叔母はうつろな表情で立ちあがり、ガラスの灰皿を手に、血が流れるまで自らの頭を叩き続けた。心を病み、自分が分からなくなってしまった叔母。服を全部脱いでみても、「ありのままの私」だとは思えない。ならば「私」は、この頭蓋の内側にあるのか？　割って開けば中から「私」を取り出せるのか？

叔母は言った。

「真実はすべて美しい」

だが、ありのままの私、ありのままの真実とは何なのだろう。どうすればそれを目に見える形にできるのだろうか。叔母は強制入院のため連れ去られてしまう。

問いかける裸体

映画「ある画家の数奇な運命」（二〇一八）は、そんな衝撃的な裸体とともに幕を開ける。

デビュー作「善き人のためのソナタ」でアカデミー賞外国語映画賞を獲得したフロリアン・ヘンケル・フォン・ドナースマルク監督の最新作で、現代アートの巨匠ゲルハルト・リヒターの生涯をもとにしたものだという。日本公開はコロナ禍自粛真っただ中の二〇二〇年一〇月だったため、ほとんど話題にもならずに終わってしまった。だが二〇二二年、東京と豊田で大規模な「ゲルハルト・リヒター展」が開催されたことで、改めて注目を集めている。

裸で自らの頭を殴る叔母の姿とともに始まったこの映画は、全裸で階段を降りる妊娠した妻を描いた「エマ（階段上のヌード）」の完成の瞬間で幕を閉じる。ナチズム、共産主義、資本主義と政治体制に翻弄された若き画家の数奇な運命。その発端と着地点に、印象的なヌードが置かれているのは、大変興味深い。

確かに裸体には一片の真実がある。だが真実のすべてではない。裸体を思索の糸口にすることはできるが、裸体になったところで何かが分かるわけではない。問われているのは、裸体から何を引き出すかという、各人の洞察力なのである。

★「ゲルハルト・リヒター展」チラシ（東京国立近代美術館、2022年）。右はフォト・ペインティング作品「エラ」が、左はアブストラクト・ペインティングの代表作「ビルケナウ」が使われている

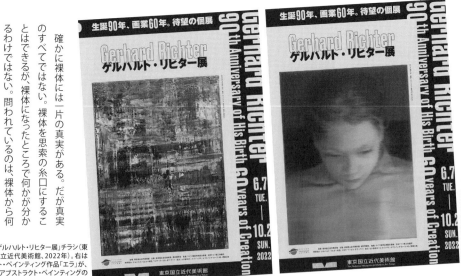

本作品はドキュメンタリーではなく、あくまで劇映画である。とはいえ、細部には微修正や省略が見られるものの、おおむねリヒターがドナースマルクに語ったという半生の記憶をもとに進んでいくようだ。少年期にはナチス政権を体験、精神を病んだ叔母は、不要な存在として処刑されてしまう。敗戦後は東ドイツの共産主義政権となり、プロパガンダ的な表現しか許されない。息苦しさに悩んだ若き画家は、恋人とともに、壁建設直前のベルリン経由で西側へと脱出。当時教育者としても精力的に活動していた現代美術界の重鎮ヨーゼフ・ボイス（劇中名はフェルテン教授）に教えを請う。彼は、それまで身につけてきた東側のアートがまったく役に立たないことを悟るが、ではどうすれば「ありのままの自分」としての独自の表現を見出すことができるのか。再び、苦闘の日々が始まる。

ここまでのエピソードだけでも十分に「数奇」というほかないが、実は恋人の父親は、ナチス高官の医師という経歴を持ち、叔母を殺害した張本人だった。しかも戦後も巧みに捕縛を逃れ、同様に西側に渡った。そして二人の結婚後も義父として、そしらぬ顔でそばに居続けたのである。

救済としての写真

主人公は、様々なモダンアートの技法を試してみたものの、模倣の域を出ることはできず苦しんでいた。そんなある日、叔母と過ごした幸福な少年時代を切り取ったスナップを見つけ、これを絵に描いてみようと思い立つ。もちろんただ描き移すだけでは作品にならない。そこで、画面をかすれさせたりぼかしたりして、独自の距離感を作り出した。

これが後にリヒターのトレードマークのひとつとなる「フォト・ペインティング」である。

実際にはこのとき、リヒターは義父の正体を知らなかったという。それでも作品の私的背景について、ほとんど明らかにしなかった。リヒターは、ディトマー・エルガーによる『評伝 ゲルハルト・リヒター』（美術出版社）の中で、作品についてこう語っている。

「そこには様式もコンポジションも判断もなく、私は自分の個人的経験から解放されました」

これは何を意味するのだろう。叔母を失った経験は、とても辛いものだったに違いない。だが写真の中に含まれる様々な記憶を一切捨て去り、いったん無意味な画像としてなぞりなおすことで、トラウマを克服できたということなのではないだろうか。

★『評伝 ゲルハルト・リヒター』（美術出版社）

だから、義父の犯罪を知らなかったというのは、本当だろう。もし知った上で題材として取り上げたのだとすると、あまりにも固有の意味が付きすぎるし、ノンフィクション的な告発画としての解釈しか許されなくなってしまう。それでは多様な解釈を認めつつかつ「私」を描き出すアートとはいえない。

リヒターは、自らの波乱に満ちた人生のデータをいったんすべて捨て、そのことによって、ようやく「ありのままの自分」を描く手段をつかんだ。だからこそ、素材となる写真の選択は「恣意的」であると言い張り続けることになった。

だが実際のところは、エルガーが『評伝』で指摘している通り「モチーフ選択の際にはやはり彼の人生と経験が決定的な影響を及ぼしている」のだろう。作品の描かれた動機は確かにあるが、それを鑑賞者に見抜かれてしまった瞬間、「絵で描かれた自伝」というべき、読み解くべきパズルに変じてしまう。リヒターの作品世界は、実はかなり危ういバランスの上に立っている。

それでもリヒターは、自伝的な読み解きを誘う題材を選ばずにいられない。ドイツ赤軍の惨劇を伝える写真をモチーフにした連作「一九七七年一〇月一八日」は、その解釈を巡って大論争になり、リヒターは左右両派から批判を

★『ゲルハルト・リヒター　写真論／絵画論』（淡交社）

受けた。射殺された赤軍青年の写真を大きく拡大して絵画にするという行為は、あまりにも挑発的だった。リヒターの経歴を考えれば、制作動機はいかようにでも解釈可能だろう。だがリヒターは素材選択について「無意識に進んだ」結果だとし、「我々は一面的な存在ではなく、つねにその両方です。国家そしてテロリストです」（『ゲルハルト・リヒター　写真論／絵画論』淡交社）と語っている。

　このように、非言語的な形で「ありのままの私」を提示し、自伝的解釈を誘いつつも、決して自伝的解釈を受け入れない。鑑賞者としての私たちは、リヒターのことが分かったようで分からない状態に、いつまでも留め置かれる。

　しかも表現手段としても、フォト・ペインティングに安住せず、カラーチャートやアブストラクト・ペインティング、ガラスを用いた立体作品など次々とスタイルを変え続けてきた。個々の作品は素晴らしく独創的で印象深い。いずれもリヒターならではだ。だが、なぜ突然違うことを始めるのか。フォト・ペインティングとカラーチャートは彼の中でどのように使い分けられるのか。まったく分からない。そうやって混乱すること自体が、リヒターの意図通りで、私たちはいいように彼の手の中で転がされ続ける。

映画への挑戦

　このように自伝的解釈を頑なに否定してきたリヒターがドナースマルクによる伝記映画化を快諾したのは意外に思える。リヒターになんのつてもなかったドナースマルクは、「1時間だけ話を聞いてほしい」と恐る恐る申し出るが、待っていたのは意外なまでの厚遇だった。4週間にわたってリヒター自身の口から生い立ちが語られ、録音も許された。リヒターは、故郷ドレスデンと自身のゆかりの地の数々を自ら案内することまでしたという。

　いったいリヒターにどんな心境の変化があったのだろうか。ひとつには、黙し続けるには、あまりにも波乱万丈の人生であったということがあるだろう。自身は自伝的表現を否定することで作風を築いたため、直接手掛けることはできない。しかし、時代の記録として誰かに語っておく必要を感じたとしても不思議ではない。

　だがそれ以上に、自伝の否定によって「ありのままの自分」ではなくなっているのでは、と不安に駆られたのではないか。閉塞感に満ちた密告社会としての東ドイツを、隣人愛をテコに鮮やかに覆してみせた「善き人のためのソナタ」のドナースマルクなら、自分が陥ったジレンマを打ち壊してくれるかも、と期待したのかもしれない。

　もちろんリヒターにはそれなりの作戦があった。映画化の条件は

「会話の記録は一切外部に漏らさない、人物の名前は変えて、映画のためだけにオリジナルに制作された絵画を使い、内容は必要に応じて自由とするが、映画の中で何が真実かを絶対に明かさないこと」（『ある画家の数奇な運命』パンフレット）

　という風変りなものだった。ここまでたどってきたリヒターの足跡と突き合わせれば、意図はすぐ分かる。自分が題材にした名もなき写真たちのように、出自を曖昧にできると考えたのではないか。

　だがリヒターは映画をよくわかっていなかったと言わざるを得ない。確かにリヒターが手掛けている絵画の世界では、対象物から名前を奪うことで、簡単に匿名性は担保できる。だが時間というベクトルを持つ映画表現においては、固有名詞はさほど重要ではない。よくあるハリウッドの実録再現ドラマでも、人物名の変更は珍しくない。それでも観客がそこに見るのは、モデルとなった現実の方だ。映画は「物語」によって識別される。だからこそ、主人公クルト・バー

ナートは若き日のリヒターにしか見えないし、ベスト姿にソフト帽のフェルテン教授はどうみてもヨーゼフ・ボイスだ。

『評伝』によれば、リヒターは一九九一年、日本を舞台に映画作品を撮ろうとしたことがあるという。二週間の滞在で一五二時間もの映像素材を撮影したが、実際に編集する段階で途方に暮れた。「なにかは出来るだろうと考えていた。ところが何も出来なかった」

結局プロジェクトは頓挫するのだが、最終的に出来上がったという九〇分の映像はちょっと見てみたい気もする。そんな挫折体験があったからこそ、再起を期す思いを抱いていたのだろう。

ふたつの裸体の間に挟まれた「ありのままの自分」を見つけ出すドラマ

遠ざかるための裸体

実のところ、ドナースマルクの取った戦略は、リヒターの思い描いたものとはかなり違っていた。リヒターの語った生い立ちをそのまま映像化しても、安っぽい再現ドラマにしかならない。そこでドナースマルクが持ち出したのが、冒頭にも触れた裸体なのである。

回顧展に行かれた方ならうなずいていただけることと思うが、リヒターの作品世界において、裸体はなじみ深い要素ではなく、むしろ極めてイレギュラーな存在だ。「エマ（階段上のヌード）」は、確かに代表作中の代表作と言ってよいが、その後裸体が題材となることはほとんどなかった。

だからこそ、ここには何かがあるとドナースマルクは感づいたのだろう。そこで、序盤の叔母が精神を病む場面に、裸でピアノを弾き灰皿で頭を叩くというショッキングな映像を置いた。ふたつの裸体の間に「ある画家の数奇な運命」を挟むことによって、政治情勢に翻弄され苦汁をなめた青年が、「ありのままの自分」を独自の形で描く方法を見つけ出すまでの、起伏にとんだドラマが完成したのである。

作品としての映画は、リヒターの生涯から切り取られ、ディテールを丁寧になぞり再現しつつも、細部を独自の形に加工することで、独立した別個の存在として完成された。映画「ある画家の数奇な運命」は、ドナースマルクなりのフォト・ペインティングであると言えるかもしれない。裸体は、リヒターの絵画におけるぼかしやブレにあたる表現で、現実としての画家の実人生から遠ざかり、多くの鑑賞者が自分に引き付けて考えることのできるようにする効果をもたらした。

リヒターは、自身の生涯が容易に読み取れる形で映画が完成したことに激怒したそうだが、「ありのままの自分」を描きつつ「普遍的な表現」でなければならぬという、リヒターを常に悩ませる難題は、実にエレガントな形で解消されている。なによりもリヒターの表現技法にも寄り添っており、見事なオマージュといってよい。ひょっとするとリヒターの怒りは、自分が見つけるべき正解を映画に取られてしまった、という嫉妬なのかもしれない。

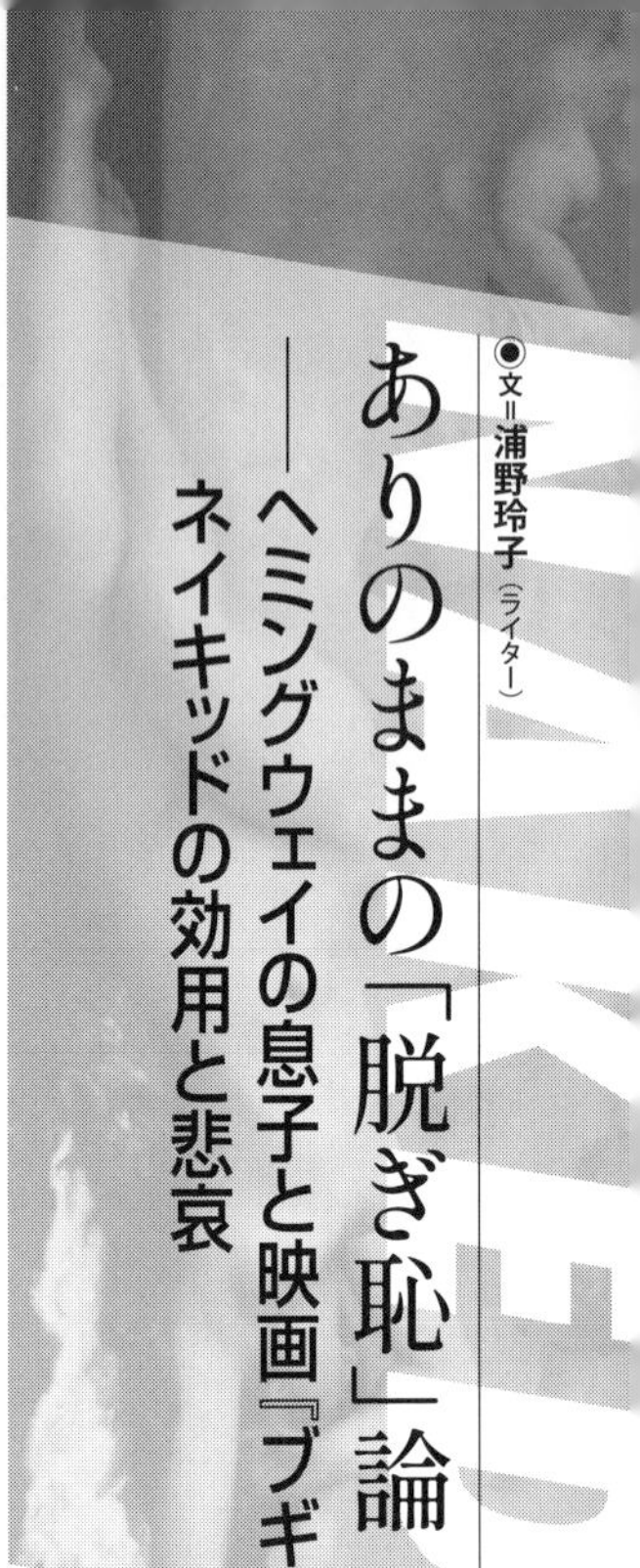

ありのままの「脱ぎ恥」論
——ヘミングウェイの息子と映画『ブギーナイツ』にみるネイキッドの効用と悲哀

◉文＝浦野玲子（ライター）

脱ぎたいオトコたち

本誌命名の着想源となったというアメリカのバンド、トーキング・ヘッズ。そのボーカルのデヴィッド・バーンのソロアルバムの中の『Back Naked』という曲に「裸で州道を走れ」という一節があるという。その歌詞で思い出したのが、ノーベル文学賞も受賞したアメリカの文豪、アーネスト・ヘミングウェイの息子のエピソードだ。

『武器よさらば』、『誰がために鐘は鳴る』、『老人と海』など骨太な作品に加え、スペイン内戦に国際義勇兵として参加するなど、正義感が強くマッチョなイメージのアーネスト・ヘミングウェイ。

その息子、グレゴリーは路上を全裸で徘徊していたところを公然わいせつ罪で逮捕された。その時の写真がネット上に拡散された。白くぶよぶよした裸のオジサンの哀れな姿！

彼はアルコール依存、性同一障害などの問題を抱えていた。女装癖があり、実際に性転換手術や豊胸手術も受けていた。

この事件の数日後、グレゴリーは亡くなった。彼の死亡報告書に記入された名前はグロリア・ヘミングウェイという女性名だったという。

親があまりに偉大過ぎると、その子供たちは自分のアイデンティティが確立しにくくなったり、いわれのない劣等感をかかえてしまう。あるいは逆に自尊感情が高くなりすぎ、他者に対して尊大な態度をとったりすることがあるという。

LGBTQの視点から言えば、グレゴリーの性同一障害は生得的なものとみなされるのかもしれない。だが、20世紀末におこった世界的文豪の息子の醜聞は、あまりにも偉大なパパ・ヘミングウェイへのコンプレックスが遠因ではなかろうかと考えてしまう。

かくいうパパ・ヘミングウェイも実は「女性的」（ジェンダー的にはNGな表現？）ともいえる繊細さがあり、内面ではさまざまな葛藤を抱えていたのだろう。アルコール依存症や躁鬱に悩み、最後は散弾銃で自殺している。

孫娘のマーゴ・ヘミングウェイはモデルや女優として活躍した。雑誌「プレイボーイ」の表紙をヌードで飾ったこともある。筆者は彼女と実の妹マリエルが出演した映画『リップスティック』（ラモント・ジョンソン監督）が印象深い。マーゴとマリエルのちょっとエラのはった顔立ちは、ヘミングウェイにそっくり。

『リップスティック』は、端的にいえば卑劣な男にレイプされた美しいモデルの復讐譚。モデルは裁判に訴えるが、「女のほうが挑発した」という常套手段で敗訴。あまつさえ、妹まで同じ男

にレイプされ、怒り心頭。ついには男を射殺してしまう。

ほんとうの姉妹だから顔も似ているし、映画も妙なリアリティがあった。深読みしすぎかもしれないが、マーゴは「ヘミングウェイの孫」という自分の立ち位置に苛立っているような印象が強く、得体のしれない怒りが伝わってくるような演技だった。

今でこそ、「#Me Too」運動などで、女性へのセクハラは断固許すまじ！　という風潮になってきたが、50年近く前の作品である『リップスティック』の時代は、男性の言い分が優先されるのが当たり前。日本でも同様だった。

だから、卑劣なバカ男を射殺した瞬間は、ブルース・リーが怒りの鉄拳で悪漢を退治したときと同じような快感を覚えた。アチョー！

だが、マーゴ・ヘミングウェイも実生活では不幸続き。アルコール依存症や双極性障害だったといい、祖父や叔父グレゴリーと同様に自殺という悲劇的な最期を迎えた。呪われた一族か？

日本の無礼講とハダカの関係

もう二十年近く前になるが、日本の国民的アイドルグループSMAPの一人だった草彅剛が深夜の公園内で全裸で眠りこけ、公然わいせつ容疑で逮捕されるという事件があった。こちらは不起訴（起訴猶予）になった。その後、深く反省し、手厚いメンタルケアも受けたのだろう。いま彼は毛生え薬のCMから大河ドラマの徳川慶喜まで、コミカルからシリアスまで幅広い役をこなす中堅俳優として活躍している。

昨今、英国BBC放送の「ジャニー喜多川の性加害」に関するドキュメンタリー番組が話題だが、もしや草彅剛の全裸泥酔事件もジャニー喜多川が絡んでいたのでは…？

草彅やゲイであることをカミングアウトした稲垣吾郎がジャニー喜多川のスペオキ（スペシャルお気に入り）だったかどうかは不明。だが、『世界に一つだけの花』とか『夜空ノムコウ』とか、悩める若者を慰撫し、励ますような国民的ソングとして愛されるようになった。それが逆に少年時のトラウマをよみがえらせることになったのではなかろうか。

グレゴリー・ヘミングウェイや草彅剛のような特殊例は除くとして、「同調圧力」が強い日本において、とりわけ男性はプレッシャーやストレスに弱いように思える。その反動としてのネイキッド（裸）が無礼講と称して、ある程度、許されていた時代があったのではないか。

たとえば、昭和レトロブームで見直されている森繁久彌主演の『社長シリーズ』やクレージーキャッツ、植木等主演の『無責任』シリーズなどの映画。ここでは必ずと言っていいほど、会社の宴会芸が登場する。

そのような宴会芸のひとつとして、裸踊りが重宝されていたような気がする。大の男が素っ裸で満座の前で踊り、社員たちの笑いをとる。日頃は威張っているお偉方や堅物もすっぽんぽんになれば「人類みな同類、明るく楽しくいきましょう、ご同輩」てな気分になれたのかもしれない。

こんな宴会芸は、コンプライアンス重視の現代では、ほぼ不可能。コロナ禍を経験し、リモートワークも当たり前のような状況にあっては、宴会そのものが自粛傾向にある。

だが、裸踊りをはじめ昭和のサラリーマンの伝統芸（?）は、「安心してください、穿いてますよ」の「とにかく明るい安村」だの、全裸に蝶ネクタイ姿で現れ、トレー2枚を持ち替えて局部を隠すという芸だけで一躍有名になった「アキラ100％」、古くは小島よしおや江頭ナントカなどという一発屋的芸人たちがお茶の間の人気者（お茶の間なんて死語か?）になる素地をつくったのではないか。

そもそも日本には、「禊《みそぎ》」と称して、褌一丁で滝に打たれて修行をする風習がある。いま、その禊の滝行がひそかなブームと聞く。熱々のサウナブームはその逆バージョンかもしれない。

急激な物価上昇、第三次世界大戦の予兆のようなロシアのウクライナ侵攻、巨大地震や大災害の予感など、ありとあらゆるストレスやプレッシャー、不安、閉塞感に押しつぶされそうなご時世。

滝修行は、そんな憂いや迷いや煩悩、日常生活のなかで薄汚れてしまった精神、怠惰な精神を吹き飛ばすための行為。冷たい滝の水にうたれて、心身ともにまっさらな自分に戻りたいという気持ちの表れだろう。

ネイキッド＝裸になりたいという欲求も行為も、〝生き直し〟というような効用があれば、上面ばかりコンプライアンス重視の現代社会では意味のあることかもしれない。

日本人は常識やマナーや道徳意識など過剰な鎧をまといすぎ、その重みで疲労困憊しているのではないだろうか。

そんな糞くらえのコンプライアンス意識を過剰に身に着けた、いわゆる「ゆとり世代」の青年Aが身近にいる。彼はコロナ禍で習慣となったアルコール消毒を過剰に実践。ことあるごとに手にアルコールスプレーを吹きつけている。その姿はまるで血で染まった手を洗い続けるマクベス夫人のようだ。

さらに、青年Aは上司への過剰な気遣いのあまり、心身ともにガス抜きができないのか、ガス臭とアルコール臭と汗臭と体臭がまじった強烈な異臭を放っている。その異臭除けとして、近年のマスク生活は救いだった。

彼の異臭は、周囲の人間にとってはスメハラ（スメルハラスメント）にほかならない。だが、「におい」の問題は意外にデリケート。本人に指摘するのはパワハラになりそうで、常識と節度を心得ている（?）職場内ではだれも指摘できない。本人は気づかないままだ。だれか教えてやれよ！

そんなコンプラ重視のあまり本末転倒になっている人々も、ちっぽけな肩書や制服といった鎧を脱ぎ捨て、無意味で過剰な忖度を忘れ、裸に戻ったら、もっと楽に生きていけるだろう。

脱いでも脱いでも解脱不能な人々

日本では「全裸監督」村西とおるが有名で、その全身ポルノ監督みたいな生きざまがドラマ化された（英題は「The Naked Director」）。アメリカには『ブギーナイツ』（ポール・トーマス・アンダーソン監督）というポルノ映画界の悲喜こもごもを描いた秀作がある。人間の生と性、むき出しの欲望と野望、そして絶望を描いた群像劇だ。

舞台は1970年代後半のアメリカ。映画の都、ハリウッドに隣接するサンフェルナンド・バレー。ここは、〝裏ハリウッド〟ともいうべき、ポルノ映画製作のメッカだったという。

主人公は、いつかビッグスターになるという野望を抱く17歳の青年、エディ・アダムス。彼の取り柄といえば、巨大なイチモツ。そこを見込んだ敏腕ポルノ監督にスカウトされ、エディは一躍ポルノ映画界のスターに上り詰めていく。芸名は「ダーク・ディグラー（Dirk Diggler）」。中坊的にいえば〝セックス・ピストルズ〟みたいな意味合いか。

むき出しの欲望、野望、絶望…ネイキッドになれば怖いものはなにもない

ちなみにエディの名字の「アダムス」には、エデンの園を追放されたアダムのごとく、無垢だったが、堕落した男という意味が込められているという。

アダムとイブは知恵の実を食べ、裸でいることに羞恥を覚えた。だが、ポルノ業界は裸が命、いわば正装のようなもの。男も女もこれだけネイキッドになれば怖いものはなにもない。監督、撮影をはじめ制作スタッフも真剣に仕事に取り組んでいる。いかに観客を喜ばせるかに腐心するプロフェッショナル集団なのだ。

余談だが、大昔、筆者もいわゆる「ビニ本」の制作現場に立ち会ったことがある。いたってビジネスライクだった。素人に毛の生えた程度（だが、毛深かった）のモデルだったので、私はライター兼付き添いのような役割だった。

映画やカメラマン志望のスタッフが多かったせいか、演出や撮影もそれなりにこだわっていた。ビニ本は、いまでいえば袋綴じのようなものか。ネット上に出回る現在のわいせつ動画に比べれば、かわいいものだった。

そのビニ本には、ポエムに毛の生えた程度のコピーを書いた。だが、色気がなく生硬な文章だったのかどうか、その後、原稿依頼は二度となかった（そもそもビニ本にコピーなんて必要だったのか？）。

『ブギーナイツ』では、ポルノ業界で働く人々のさまざまな人間模様が繰り広げられる。たとえば、どんな演技もFU×Kシーンもてきぱきこなすベテランポルノ女優。その姿はまるでバリバリのキャリアウーマンのようだ。だが、彼女も実生活では麻薬に溺れ、息子と疎遠という悩みを抱えている。

なかでも、色情狂の妻を持つマネージャー、リトル・ビルの姿が哀れを催す。妻の浮気、不倫は日常茶飯事だが、見て見ぬふりをしている。妻の色情狂は完全な病気で、いつでもどこでもやらずにはいられないのだ。

だが、ついに事件が起こる。監督の豪邸でおこなわれたパーティでのこと。中庭に人だかりができている。なにごとかと、リトル・ビルがのぞきこむと、なんと妻と見知らぬ男が白昼堂々セックスをしている。色情狂も極まれり！

リアルなセックス現場はポルノ映画以上の見世物だろうが、周囲の人々はそれを止めもせず、小動物の交尾でも目撃したかのように冷ややかだ。リトル・ビルがただひとり絶望の淵にいる。

彼はその後、妻を射殺し、自分もピストルを口に加えて引き金を引く。これぞ究極の「ディープスロート」であり、昇天フェラか？

この悲惨な事件を契機に、ポルノ映画業界も下火になっていく。エディもドラッグのやりすぎで自慢のイチモツが立たなくなってくる。そしてアダルトビデオ全盛の1980年代を迎える。日本でもロマンポルノやピンク映画が廃れ、村西とおるの躍進が始まる……。

さて、近年、ロマンポルノが再評価されたり、アダルトビデオの帝王こと村西とおるの破天荒な人生がクローズアップされたりしている。時代が変われば、価値観も倫理観も変わる。

世界的なファッションシーンやハリウッドのレッドカーペットに登場するセレブたちの間では、シースルー素材を使い、ほぼ全裸に見える「ネイキッド・ドレス」が流行っているらしい（体形に自信がないとできないけどね）。

これは、別にスケベな男目線に媚びたり挑発したりしているわけではなく、フェミニズム系の「フリー・ザ・ニップル（乳首解放）」運動の延長上にあるという。いつの時代も、脱ぐのは恥だが役に立つ？

★「TIME」1975年3月17日号。
表紙は、シースルーのドレスを着たシェール。

精神が秘めるパワーの探求
——ニューエイジが残したもの

●文＝相良つつじ（画家）

戦後、アメリカの若者たちを中心に、ヒッピーやカウンターカルチャーが生まれた。それまでの倫理観・価値観からの脱却・反発として、ドラッグ、反戦運動、環境保護活動、ニューシネマ、ロックンロール、前衛芸術、女性解放運動、セックス革命、人種的平等など、幅広い分野で権威主義に反するムーブメントが巻き起こった。

その中で内面的な世界の拡張を求め、ドラッグや瞑想から霊性的感覚を体験し、新しい時代の精神を模索したのがニューエイジである。それは、精神をネイキッドな状態にして、その深層に隠されたパワーを引き出そうとするものだった。

1965年排日移民法の廃止によってアメリカにアジア系移民が入国を許され、東洋的思想やヒンドゥーの導師《グル》が流れてきた。自己啓発系スピリチュアルの元となった人間性回復運動は、人間の秘められた能力をフル活用できるようにすることを求め、哲学、心理学、音楽、芸術、ヨガ、禅を実践した。そこには、霊的進化、古代宇宙飛行士説、コンピュータ、超古代文明、チャネリング、自己超越、ヒンドゥー教的輪廻転生思想を持つ死生観、UFO宗教など様々な要素が絡み合うが、最も有名なものの一つが、マハリシ・マヘーシュ・ヨーギーが普及させた超越瞑想である。これはマントラ瞑想法の一種で、マントラを心の中で唱え、目を閉じて、徐々に神経活動を抑え、意識を深みへ導き最高の境地に達するというもので、ビートルズやローリングストーンズ、ビーチボーイズ、デヴィット・リンチなどの有名人たちが支持し、またたくまに広まった。

日本では80年代に、ストレス解消法として、ソニー、京セラなどの企業が導入したが、超越瞑想の上級段階、三昧《サマディ》に至ると空中浮揚・ヨーガ飛行が叶い、一万人の空中浮揚者を生み出すことができれば「地上の楽園」が実現するとのユートピア思想がオウム真理教と通じるものがあった。よってオウムの一連の事件後、瞑想研修は人気を失くした。

★マハリシ・マヘーシュ・ヨーギー（手前）と、
ミック・ジャガー、ブライアン・ジョーンズら（1967年）

もう一人有名な導師《グル》がバグワン・シュリ・ラジニーシ。西洋的なセラピーと、東洋的な瞑想法をアレンジしたテクニックを使用した。ラジニーシはタントリズムから来る性的欲望の解放を唱え、大量のヒッピーが集まり、弟子たちがアメリカオレゴン州に巨大なコミューンを作った。しかし地元住民と対立し教団が武装化した上、サルモネラ菌によるバイオテロを起こしてしまう。これにより、ラジニーシは国外追放され、コミューンも崩壊した。コミューンでの生活、テロ行為、教団内での名前付け方などには、オウム真理教と共通点がある。

そして、思想家ラム・ダス。元はハーバード大学で教鞭をとり、LSDの研究をしていたが、東洋的な思想に目覚めインドで修行し、大ベストセラー「ビー・ヒア・ナウ」という本を書いた。この本はヒッピーのバイブルとなり、アップル社創設者スティーブ・ジョブズに強い影響を与えた。若き日のジョブズは「ビー・ヒア・ナウ」を持ってインドのヒンドゥー教寺院カインチ・ダムに行き、そこで出会った仲間とアップル社を立ち上げたのだ。この寺院にはフェイスブック社のマーク・ザッカーバーグも行っており、彼も「ビー・ヒア・ナウ」の愛読者である。他にも、グーグル共同創業者で元CEOのラリー・ペイジもこの本に影響を受けた。オアシスの名盤「ビィ・ヒア・ナウ」が生まれたのも、そのソングライターのノエル・ギャラガーは、この本を読んで影響されたためと答えている。

宇宙の超古代文明・ヨガ・瞑想などの東洋の修行法と自己超越、コンピュータ、ドラッグ神秘主義などのニューエイジ要素を含んだ映画などとしては、『スター・ウォーズ』『機動戦士ガンダム』、また、古代宇宙人説から着想された作品も『2001年宇宙の旅』『プロメテウス』『天空の城ラピュタ』などがある。

★（上）ラム・ダス＋ラマ・ファウンデーション「ビー・ヒア・ナウ―心の扉をひらく本」（平河出版社）
（下）オアシス「ビィ・ヒア・ナウ」

ニューエイジは日本では「精神世界」として新宗教に影響を与え、独特の発展をし、既存宗教・日本的霊性・古神道とも親和した。この他にも、ホメオパシー、レイキ、手かざしなどのヒーリングやチャネリング、超能力やUFOは70年代に多くのテレビ番組で人気となりオカルトブームが起きたが、同時に新宗教も続々と生まれ急速に拡大した。

★「スター・ウォーズ」1作目のポスター（1977年）

しかし、霊感商法問題や、ライフスペースによる成田ミイラ化遺体事件、オウム真理教事件が起こり、ノストラダムスの大予言が外れた時期からオカルトブーム・精神世界ブームは消えていった。

だが、ニューエイジ思想がサブカルチャーに与えた影響は濃く残り、ヒーリングやマインドフルネスなど医療に取り入れられたものも多い。インターネットの普及により、再び都市伝説や陰謀論を含むオカルト的コンテンツが流行しているが、スピリチュアルや自己啓発セミナーが人の心を操り、多くの事件を起こした過去を忘れないでいたい。

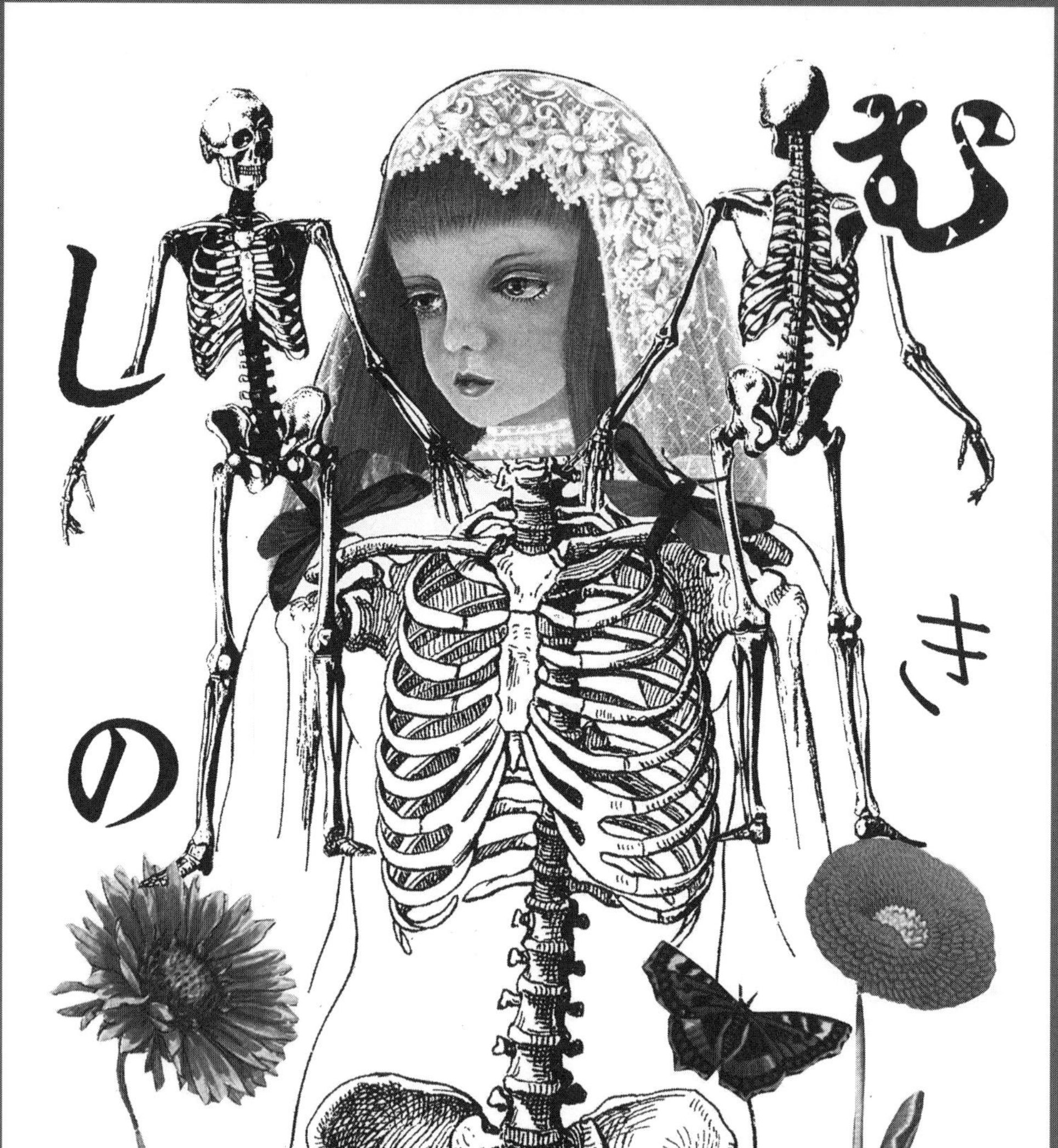

岸田尚一コマ漫画 ◉コラージュ＆文＝岸田尚

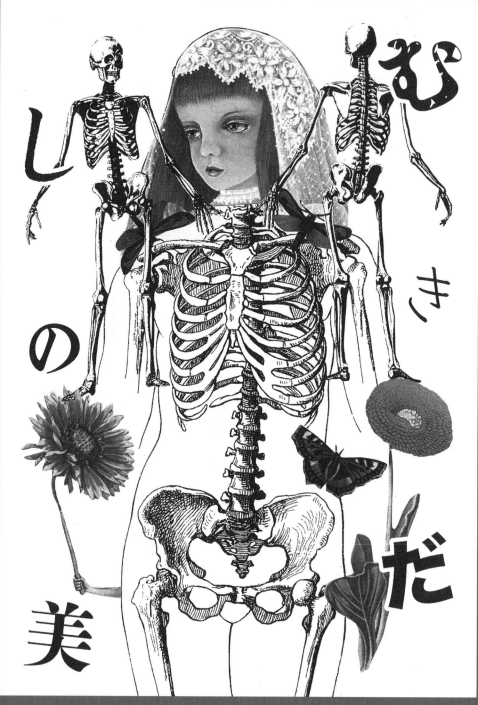

『まぼろしの市街戦』と裸のココロ

●文＝浅尾典彦（作家・プロデューサー・夢人塔代表・治療家）

学生の頃、英語の授業でplay a part inという言葉を習った。「〜の役割を果たす」「〜の一翼を担う」「〜を演ずる」という意味だが、改めて考えると、学校の先生も、親も、お巡りさんも、社長も、映画の中の役者と同じく社会の枠組みの中で「役割を演じている」のだなあと変に納得して理解した。世の中は既存のルールを壊さないようにそれぞれの役割を演じながら生きている。つまりはみんなそれぞれ肩書きや仮面《ペルソナ》をつけているのだ。ならば、本当の自分自身になるとは？

その頃、心に多くの疑問を持ち続けて生きていた。その答えの手がかりになるようなヒントは、意外にもサンテレビやテレビ大阪の深夜映画の中で見つけた。そこには不条理な楽しい映像世界が花咲いていた。BBCテレビ番組『空飛ぶモンテイ・パイソン』や、映画『わたしの戦争（ジョン・レノンの 僕の戦争）』（1967）、『不思議な世界・未来戦争の恐怖（リチャード・レスターの不思議な世界）』（1969）などがそれで、何故かその多くがイギリス製作の作品だった。そんな中でも、強く印象に残った作品のひとつが『まぼろしの市街戦』（1966）だった。

これは、フランス・イギリス合作で制作された反戦映画だ。

ジャン＝ポール・ベルモンドを『リオの男』『カトマンズの男』などの主演に起用してスターに押し上げた監督フィリップ・ド・ブロカが、「殺意の瞬間」の作家モーリス・ベッシイの原案を元に映画化。出演者には『フィクサー』『ジョージー・ガール』の名優アラン・ベイツ、『1000日のアン』でゴールデングローブ賞主演女優賞に輝くジュヌヴィエーヴ・ビジョルド、『フランス式十戒』のジャン・クロード・ブリアリ、パブロ・ピカソたちと1920年代のシュルレアリスムの運動に参加した『天井桟敷の人々』のピエール・ブラッスールなど、名だたる名優が揃った。ほとんどのシーンは、旧市街にローマ時代や中世の街並みや仕掛け時計の塔が残るフランスの北部のサンリスという村で撮影された。

その内容は、こうだ。

第一次世界大戦の頃、フランスはパリ北方の小さな村にドイツ軍が攻めて来た。ドイツ軍は進撃してくるイギリス軍を一網打尽にしようと広場に大型の時限爆弾を仕掛ける。村ごと吹き飛ばそうというの

だ。イギリス軍に内通していた床屋は、通信で情報を送ろうとするが、その最中ドイツ兵に撃ち殺された。不確かな通信を受けた隊長は、フランス語ができるという理由で、鳩の飼育をしている伝令兵プランピックを村に派遣し、爆弾を見つけて撤去せよと命じる。プランピックはいやいや命令に従う。その村の人たちは戦争に戦慄し、みんなそろって村から逃げ出していた。

　しかし、不思議な事にプランピックが到着してみると村はにぎやかになっていた。精神病院（DVDや配信では精神科病院）から抜け出て来た患者たちや、置き去りにされたサーカスの動物が檻から出て闊歩していたのだ。患者たちはみな思い思いのカラフルな衣装を身にまとい、公爵に公爵夫人、司教や娼館のマダム、紳士淑女や将軍、踊り子、床屋など自由奔放になりすまし、それぞれを楽しんだ。プランピックは有事たる戦時下でありながらこんなに明るく、優雅で楽しそうに暮らす村人たちの様子を見て驚く。やがて、この村人たちが彼をハートの王様に祀り上げて、綱渡りの美少女コクリコと結婚させようとしているのを知り、初めて〝自分が狂人の世界に足を踏み入れてしまった〟のだと悟った。

　プランピックは爆弾のありかを突き止め、伝書鳩で連絡を試み、患者たちを避難させようとするが、誰ひとり村から動かない。なんとか爆発を回避したが、そこへドイツ軍とイギリス軍が同時に村に進軍。相撃ちになって双方の軍が全滅すると、これを見た患者たちはこの「狂気の沙汰の外の世界」にゲンナリして、みんな自ら精神病院に帰っていってしまった。軍に戻ったプランピックは英雄となり勲章が贈られたが、すぐにまた次の任務を命じられる。ジープに揺られ、彼は遠ざかるあの村をじっと見つめていた。

　そして……脱走した。

　すべてが嫌になったプランピックは、精神病院の鉄の扉の前に立っていた。全裸で鳥籠だけを持って……。

　学生の私はこれを見て衝撃を受けた。その夜は眠れなかった。精神病院の中ではなく本当の狂気は外にあったのだ。患者らは狂気を演じているが本当は正常なのだ。去り際にプランピックに向かって「陛下もお帰りなされ。戦争好きなお仲間の処へ」（吹き替え版）と言い残す。そして、それぞれ身につけていた衣装を脱ぎ捨てて、みんな後ろも見ずに病院の中へ帰って行く。そして、鉄の扉に自ら鍵を掛けてしまうのだった。

　自由は外にない、精神病院の中にこそ、いや人の心の中にこそ本質的な自由があるのだ。患者たちは決して狂ってなんかいない、戦争をしている外の世界の人間の方がよほど狂っている。彼らはわざと狂気を演じて自分たちの世界の平

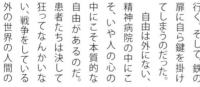

役割を脱ぎ捨て、狂気を演じることで自分たちの世界の平和を保つ

和を保っていたのだ。これこそ、逆の意味での play a part in だった。患者たちは、公爵や司教や踊り子などの役割から逃れたネイキッドな存在なのだ。すごい作品があると思ったが、当時は誰に話してもこの作品を知っている友人はいなかった。

因みに、後に調べて知ったのだがプランピックが恋に落ちるヒロイン、美少女の名前コクリコ cocreco は、フランス語で「ひなげし（虞美人草）の花」の意味。花言葉は「思いやり」「いたわり」だ。さらに、吹き替え版では彼女の名前はコロンバン Colombin となっている。意味は「野鳩」で、伝書鳩の世話をしている男が惹かれるにはうってつけの名前だ。電線を綱渡りして部屋に忍んで来るのも、名前の意味を知るとより深いシーンになる。

患者たちのセリフで「今を生きる」「我々は幸せに生きると決めた」など深い言葉もあるし、ドイツ軍には若き日のヒトラー兵士もちょっとだけ出てくるのだが、その役柄は監督本人がカメオ出演している。知れば知るほど良く出来ている。

この『まぼろしの市街戦』は、公開当時フランス本国ではヒットせず、単なるコメディの扱いだった。しかし、ベトナム戦争の苦しみを体験したアメリカやカナダでは、込められた強いメッセージに共感する者が多く大ヒット。今ではカルト・ムービーとしてアート系の映画館で長く公開されている。

日本では4Kデジタル修復版が2018年にリバイバル公開されて評判となった。単に戦争への諷刺だけではなく、人間の内面を鋭く描いている傑作だと思う。

尚、リバイバルでは私が学生の頃見たものとはラストが違っていた。〈完全版〉なのだそうだ。全裸で鳥籠を持つシーンの後にまだ続きがあって、病院内の鉄格子の中で〝ハートの王〟になったプランピックは、仲間とカードゲームに興じる。プランピックが「ルールが判らないが」と言うと「ルールは無いんです」と誰かが教える。将軍が「ここにいるのがルールです」と付け加える。「もちろんここから出るつもりはない」とハートの王が言うと、横で公爵が立ち上がり、窓から外を眺めて「もっとも美しいのは、窓から出かける旅なのです」と言って締めくくる（字幕版）。裸で鳥籠バージョンより衝撃は少ないが、これはこれで哲学的な深い味わいがある締めくくりだ。

『まぼろしの市街戦』は、ココロの解放を感じた私の忘れ得ぬ一本なのである。

公衆浴場インターセクション

●文＝本橋牛乳（物書き）

「沸いてきたぜ」

そう言って戦い始める「仮面ライダーリバイス」は、昨年8月末まで1年間放映していた。ぼくとしては、久しぶりに1年間通して視聴した作品だったけど、それはまあ、銭湯が舞台ということもある。でも、それはけっこう重要な要素だったな。撮影に使われた外側は足立区北千住にあるタカラ湯だったと思う。

話はというと、中南米の古代遺跡で発見されたギフという悪魔（のようなもの）を復活させようとするデッドマンという組織が作り出す怪人と、人間にとりついている悪魔と契約して仮面ライダーに変身するリバイスドライバーで変身して戦う主人公、そして変身するためのバイスタンプをつくり、悪魔から人間を守ろうとするフェニックスという組織を中心としたストーリー。主人公はしあわせ湯の長男の五十嵐一輝で、悪魔バイスと契約し、本人は仮面ライダーリバイ、悪魔は仮面ライダーバイスに変身して戦う。弟の大二はフェニックスに所属し、仮面ライダーライブに変身して戦う。さらに妹のさくらも仮面ライダージャンヌに変身。さらに父親まで、仮面ライダーベイルに変身するので、家族で仮面ライダーをやっているという。

でも、この作品は、家族ということと同時に、銭湯が舞台ということが生かされている。銭湯にやってくる客は、広いお風呂とコミュニケーションを求めてやってくる。まあ、男湯にいるとそうでもないけれど、夕方の女湯はにぎやかだ。裸のコミュニケーションができる場所が、この作品の中心に置かれたことで、五十嵐家はもちろん、悪魔のバイスにフェニックスのメンバーや、改心したデッドマンのメンバーなどもここに集まることができる。裸というのは比喩でなしに、見ていて本当にここでは正直になってしまうところがある。どうしようもなく人間的なゆるい物語だけれど、見ていてほっとするところがあった。

銭湯というのは、人が交差する場所だし、だからこそ、一人のヒーローに収れんされることのない作品になったと思う。最終回の1か月前にはギフは倒されて

★George Ryley Scott「The story of baths and bathing」(1939年)より東京の公衆浴場の女湯／Wikipediaより

しまい、その後の話がもう少し続くということからして、この物語の主眼は絶対的な悪を倒すことではなく、自分と誰かの関係を取り戻すことにあったのではないか。

銭湯では人は裸になる。そんな作品を、今回は紹介しようと思う。

銭湯ということで、最初に思い浮かんだのが、秋元治の『いいゆだね!』、コミックス全2巻。1994年に3話まで書いたあと、『こちら葛飾区亀有公園前派出所』の連載終了後、2017年から再開。下町というと亀有や柴又というイメージかもしれないけれど、昔からの下町ということでは、この作品の舞台となった墨田区東向島(玉の井)の方が本格的な下町。というか、玉の井は私娼街だったところで、永井荷風や滝田ゆうを思い浮かべてしまうかも。でも、かつて東武浅草線玉の井駅だったのは、今では東武スカイツリーラインの東向島駅で、東武博物館もある。そんな場所での、廃業寸前の「熊の湯」という銭湯を中心とした作品。

主人公は日系ブラジル人三世の女性マリア。彼女は日本にやってきて、夫の実家である銭湯で働いている。夫の熊野熊五郎は銭湯を逃げ出し、金鉱探しで世界を放浪し、亡くなった前妻に似たマリアと結婚したが、その後もブラジルに残り、何をやってるんだか、という。ほかの登場人物は、熊五郎と前妻との間の息子、万年浪人の鷹織や熊五郎の父の虎五郎など。

マリアは熊の湯の手伝いをするというよりは、実質的経営者として活躍する。彼女は近所の高齢者をはじめとする人たちの「場」を守りたいと思っているし、そのためにはお客が増えなくてはなりたたない。そのため、さまざまなアイデアを実行していく。もっとも、マリアはブラジルでは優秀で豊富なビジネスのキャリアを持っており、それが生かされていく、という設定でもある。

東向島のあたりは、静かで古い住宅街だ。活気がある感じはしない。むしろ木造住宅が密になっている。路地で遊ぶ子供の姿も少ない。でも、そうした中でも人は生きている。そして、その中にビジネス経験の豊富なブラジル人女性を置くことで、マンガの中でだけであっても、地域を再生させようという取り組みがなされている。それは、破壊的な両津勘吉ではないし、だから勘吉に似たキャラクターの熊五郎はちょっと抑制されている。

ブラジルといえば、サンバというイメージがあるかもしれない。浅草ではサンバカーニバルが行われている。裸で入る銭湯の経営者には、サンバを踊る女性というのが、つながっている。本当に、消えゆく銭湯と老いていく下町に対するコントラスト、それも日本全国で見られる一方的な開発ではなく、下町の再生という点で、ほっとする作品になっている。

とはいえ、現実の銭湯の経営は厳しい。大島永遠と茶柱渋吉による『下町銭湯家族』(全4巻)は、その困難さに立ち向かう家族の物語だ。

リストラされて実家の銭湯に戻ってきた娘が、その銭湯が閉店を予定していることを知り、銭湯を再生させていくという物語。舞台は大田区のあたりで、このへんでは温泉(黒湯)が沸いており、それはセールスポイントになっているのだけれど、それでも銭湯の経営は厳しい。

黒湯について説明しておくと、南関東の地下には、数千万年前の生物の遺骸が堆積している。その一部は天然ガスとし

て産出しているし、あるいは水に溶けたものが黒湯になっている。海藻などが由来となっているので、肌にいいかもしれない。大田区には黒湯が出てくる銭湯は少なくないけれど、川崎市や横浜市から千葉県沿岸部にも黒湯の銭湯はある。今年3月末で閉店した世田谷区のそしがや温泉21も黒湯だったな。

銭湯の閉店を回避するため、さまざまな努力をする主人公。結果として、銭湯は守られるけれど、かわりに、というわけでもないけど、近所の別の銭湯が閉店することになる。

でも現実には、少ないながらも、若い世代が経営することで、閉店しなかった銭湯はいくつかある。京都にある「サウナの梅湯」はその代表的なケースで、内装を更新して暖色系の落ち着いた浴室をつくり、グッズの販売などにも力を入れている。ここで修業した兄弟が川口市の「喜楽湯」を経営しているし。錦糸町の「黄金湯」や荒川区尾久の「梅の湯」なんかもそう。葛飾区の「金町湯」は本当に先代が閉店を考えていたけど、4代目の兄妹が引き継ぎ、こちらもまた内装を一新して再開。ということで、リアルな話でもある。

もっとも、実際には圧倒的に多数の銭湯が閉店しているというのも事実。この30年の間に東京都内だけで銭湯の数はおよそ4分の1にまで減少している。とりわけ今年になって、ガス代高騰の影響もあって、閉店が多かった（実は、経営者が高齢化して、廃材を燃やす体力がなくなったことから、都市ガスに転換した銭湯は多い）。

小野美由紀の『メゾン刻の湯』は、同じ若者が主人公で、銭湯の経営の困難さも描いているけれど、もう少し違ったアプローチだ。

小野美由紀といえば、SF小説『ピュア』の方が知られているかもしれない。それと比較すると、銭湯を舞台にした青春群像小説はちょっと地味かな。メゾンとあるように、銭湯であると同時にアパートでもある。銭湯の従業員も住んでいるし、そうでない人も住んでいる。社会になじめず、いろいろな悩みや問題を抱えた若者が出会う場所として、仕事とともにある場所として、銭湯というのは悪くない舞台設定だった。結局のところ、刻の湯は経営再建できず、閉店してしまうし、登場人物たちはここから巣立っていくのだけれども。ちょっとウェットすぎるところもあるけれど、高齢者の社交場に終わらない銭湯という場所が描かれている。

そうそう、人が交わる場としての銭湯としては、大場鳩太郎の『異世界銭湯』という作品もある。異世界物というのは、いくらでもあって、銭湯という場所はその点ではあつかいやすいけど、一緒にお風呂に入るのはたいへんかな、とか。

有名すぎるけど、ヤマザキマリの『テルマエ・ロマエ』だと、古代ローマ人が日本の銭湯に入ってくるわけで、まあそれは驚くだろうな、とか。

視点を変えて、客の立場から銭湯を描いた作品も紹介しておきたい。

まず、久住昌之と釣巻和の『のの湯』（全3巻）がある。主人公は浅草で人力車の車夫をする女性。銭湯入り放題のアパートに住んでいて、他の住人（こちらも若い女性）との交流と、一緒に各地の銭湯に行くという話。銭湯が苦手だった帰国子女もだんだん銭湯になれていくし。ドラマ化もされていて、小柄な奈緒が人力車を引いていたっけ。

設定としては、『メゾン刻の湯』に近いけれども、主人公たちは銭湯の経営にかかわるわけじゃない。いろいろな想いを持ったまま、遠くの銭湯に足を延ばす。ちょっとした旅が、物語につながっていく。それだけなんだけど、銭湯を通じて主人公たちが成長していく話でもある。

　でもまあ、そんな難しいことを考えなくても、首都圏だけでもいろいろな銭湯があり、作品中で紹介されるので、それはそれで楽しい。昔ながらの銭湯もあれば、リニューアルした銭湯もある。鎌倉の銭湯にも栃木の銭湯にも足を運ぶのである。登場した銭湯のうち、釣巻和のおすすめは、千葉県船橋市のクアパレスだそうで、ラブホのような外観と内装で、これならローマ人も安心、という感じですが、スペックは普通の銭湯。

　一方、主人公を男性にしたのが、奥嶋ひろまさの『入浴ヤンキース』。こちらは主人公がヤンキーの高校生。リーゼントの松井竜哉と金髪の黒田大河はあちこちで喧嘩ばかりしているけれど、入浴中だけは人格が変わるという話。特に大河は入浴すると仏のような顔になる。だからどうしたって思うけど、銭湯の効能はすごい。こちらの作品でも、実在の銭湯がたくさん登場する。二人が東京中を歩くのは、かつて喧嘩でぼろ負けした相手を探してのことなんだけど。喧嘩の相手だって、裸になって一緒にお風呂に入ったら、なかよし、くらいで、平和でいいなあと思う。

　銭湯が舞台のドラマといえば、TBSのドラマ『時間ですよ』が思い浮かぶ。調べてみたら、続編というかリメイクというか、1990年まで制作されていて、森光子が不動の主役だったみたいだけど、ぼくの記憶にあるのは1974年から1975年まで放送された『時間ですよ　昭和元年』までだな。シリーズの開始は1965年だったけど、当時はモノクロで、ぼくは見た記憶はない。まあ、年齢的にもないよな。

　当時は、女湯の脱衣所のシーンもあって、今じゃありえないよな。まあでも、ここはそういうものもあった、くらいで、2本の映画の話に移る。

　中野量太監督・脚本の『湯を沸かすほどの熱い愛』。主演の双葉には宮沢りえ、そのダンナの一浩にオダギリジョーというキャスト。舞台として使用されたのは、外観は栃木県足利市にある花の湯、内部は当時廃業したばかりの文京区の月の湯。

　幸の湯を一緒に経営していた一浩が失踪したため、双葉は銭湯を休業させ、パン屋で働いていた。ある日、双葉は病院で検査を受けると、がんを宣告され、余命が2〜3か月と告げられる。そこで双葉は残していくものとして、いじめにあっていた娘の安澄を強く生きるように立ち直らせ、失踪した夫の一浩を探し出す。一浩は、愛人から押し付けられた連れ子の鮎子を育てていた。双葉のがんを知った一浩は、鮎子とともに幸の湯に戻り、銭湯を再開させる。

　その後、双葉は安澄と鮎子の2人を誘って、車で旅に出かける。双葉が連れて行ったのは、安澄の実の母親が働く海辺の食堂。そこで、安澄は双葉が実の母親ではないことを知る。

　安澄は双葉の勧めで手話を学んでいたが、それはじつは聾唖者だった双葉の母親と会話するためでもあった。

そして、双葉もまた、実の母親に捨てられた過去があり、子連れ探偵にその母親を探し出してもらうが、子供や孫に囲まれて幸せに暮らす実の母親と会うことはなかった。

　とまあ、そんなストーリー。テーマは家族だけれど、あちこち血はつながっていない。このあたりは、『いいゆだね!』と共通している。双葉のパワフルさは、マリアにも共通しているし、安澄を力づけるやり方は、鷹織を東大に合格させるところと同じだ。一浩も、失踪先で連れ子を押し付けられて育てているって、どれほどどんくさいくらいにいい人なんだよって思うけど、熊五郎も基本的にはいい人だ。個人的には、双葉が安澄に厳しくあたりすぎているんじゃないか、とも思うけど、そこには、もう守ってあげられないという双葉の想いがあるんだろうな。

　ただ、構造は似ているけれど、家族として内側に入っていく『湯を沸かすほどの熱い愛』に対して、『いいゆだね!』は家族が外に向かっていく、そこは大きな違いだ。

　それにしても、銭湯は多くは家族経営だし、チームワークが不可欠なところがある。同時に、つねに多くの人とかかわっていかなければならない。そのことが、さまざまな家族を描くのにいい舞台なんだろうな、と改めて思う。それは『時間ですよ』にも『下町銭湯家族』にも、それこそ『仮面ライダーリバイス』にも共通するところだ。

　家族の外に目を向けていくと、別の映画がある。鈴木雅之監督、小山薫堂脚本の『湯道』だ。東京で建築家として挫折し、故郷のまるきん温泉という銭湯に帰ってきた史朗、そこでは弟の悟朗が、住み込みで働く若い女性のいずみと、父親が亡くなったあとをついでいた。史朗は老朽化したまるきん温泉の土地を売却し、マンションにしようとする。とまあ、中心になるストーリーはけっこう安っぽい。でも、銭湯にはさまざまなお客が通ってくる。高齢者の夫婦、近くの食堂の夫婦、息子の出所を待つ母親。銭湯DJ、そして湯道を極めたいと思っている定年退職前の郵便配達夫。横糸となる、この人たちがよく描かれている。タイトルの湯道というのは、茶道や華道のように、入浴する作法などなのだけど、湯道の道場も出てきて、これがなかなか笑える。

　そうそう、スピンオフのいずみの前日譚を描いた『いいお湯でした』というマンガもあって、彼女もまた仕事に挫折する一方で銭湯に癒されてはまり、やがてまるきん温泉にたどりついて、そこで働くことになったという。

　ということで、湯道というのは、結局のところ、お湯に入ることの幸せということでしかない。でも、その幸せを求めて、たくさんのお客がやってくる。

　息子の出所を待つ母親(天童よしみ)の趣味は、まだ客のいない銭湯で歌うこと。一方息子(クリス・ハート)は、刑務所から出所して最初にまるきん温泉にやってくる。アフリカ系アメリカ人とのハーフである彼は、母親を捨てた父親に対して暴行した罪で服役していたのだ。開店直後、お湯につかった彼が歌うのは、「上を向いて歩こう」だ。壁の向こうで女湯につかる母親が、息子が出所したのを知り、一緒に歌う。この映画の中でも、たぶんいちばん心にくるシーンだ。

逆に、日本人女性と結婚しようとして、その女性の父親とともに銭湯にやってくる男性もいる。銭湯では外国人も交差する。実際に、有名な銭湯はよく外国人観光客がやってくるのだ。

銭湯というのは、ただ広いお風呂に入って、手足を伸ばして幸せな気持ちになって温まって帰る。それだけの場所だけれども、だからこそたくさんの人が交差する。その交差が、ボイラーの向こうで家族となり、あるいはお客は抱えているものをいったん脱ぎ捨てることができる。

銭湯における家族というのは、銭湯を経営するチームであって、血のつながりは関係ない。そんなことも感じることができる。

公衆浴場は、裸で渡る交差点。その裸の人たちを支えられるのは、家族としか言いようのないチームだ。

特別な物語の場所であると同時に、日常でもある。夕方の銭湯にいくと、女湯はやたらとにぎやかだ。お湯以上に、常連の高齢の女性たちがおしゃべりをしにきている。一方、男湯はというと、だいたいあまり会話をせずに、黙ってお湯を楽しむ高齢男性が多い。もっとも、男湯でも、きっかけがあると話しかけてくる男性はけっこういる。高齢の男性はシャイなのかな。

それはそれとして、現実の問題として、銭湯の減少は、高齢者のコミュニケーションの場の喪失でもある。

銭湯をめぐる物語以外でも、しばしばアクセントとして銭湯の場面が登場する物語は少なくない。裸でコミュニケーションしなければいけない銭湯は、確かに特別な場所だと思う。そこで人が交差すること、それは現実でも物語でも特別なところにある。

とまあ、そんな銭湯をめぐる作品を紹介してきたけれど、最後に、そうではない作品を1つ。麻生羽呂原作、吉田史朗作画の『野湯ガール』全3巻。主人公ヒバリが求めるのは、大自然の中にある、そうそう人が近づけない場所に湧き出る温泉だ。硫化水素が立ち込める中、ガスマスクをつけて入浴し、あるいは、海にもぐり海底に湧き出る温泉にも入る。そこにあるのは、たった一人で、裸になって自然といったいとなり、温まる、ただそれだけのことだ。でもそこにあるのは、銭湯とは異なり、自然と交差する人の姿だ。ぼくは銭湯も好きだけれども、ちょっと人間の世界と離れて自然の中に身を置くことにもあこがれる。

銭湯では裸で人と交わるけれど、野湯では裸で自然と交わる。そして幸福に温まる。そんなふうに温まれるほど、人は自由になれるのだと思う。

それに、銭湯、というか公衆浴場は、裸で渡る交差点なんだ。そして裸の人たちを支えられるのは、特定の誰かではなく、家族としか言いようのないチームなんだろうな。

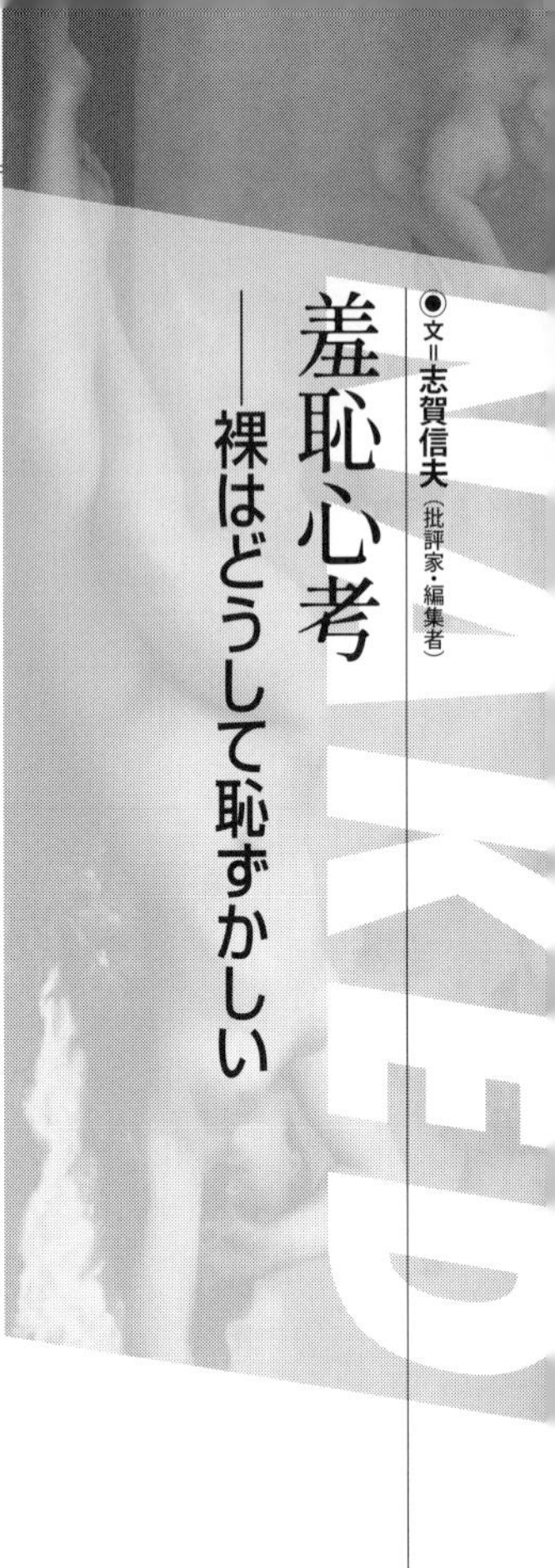

羞恥心考
——裸はどうして恥ずかしい

●文＝志賀信夫（批評家・編集者）

人はなぜ服を着るのか

「裸は自然だ」という考えは根強い。だが、それは本当だろうか。もちろん生まれたときは裸なのだから、そういってもいい。だがそれは、人間はなぜ服を着るのかということとも関わってくるだろう。

人はなぜ服を着るのだろうか。それには、三つの理由が考えられる。

一つは防寒である。四季のある日本を例にとれば、真夏はおそらく全裸でも過ごせるだろう。だが、真冬はそうはいかない。常に寒い国では、基本的に服を着てすごす。常に暑い国では、いまも全裸に近い状態ですごす人々がある。そのため、防寒に衣服は欠かせない。

二つめは羞恥心だ。身体のいずれかの部分を恥ずかしいとして隠すためだ。まずは性器だろう。次に女性は乳房だ。では、どうして性器や乳房が恥ずかしくて、顔や手足は恥ずかしくないのか。男性は乳房の露出が恥ずかしくないのはどうしてか。

三つめは装うためだ。きれいな服、個性的な服、衣装によって、自分を表現するためだ。自分の個性や特徴、美しさなどを衣装によって際立たせることができる。

これらを中心にすえて、考えてみよう。

一つめの「防寒」は実際的、実用的だ。寒くなったのに全裸でいれば、風邪をひき、病気になる。人間はいわゆる変温動物ではないので、体温を一定に保つ必要がある。そのために衣服は必要なのだ。ただ、常に全裸に近い状態で生活する国や地域では、裸が日常である。そうなると、羞恥心は育ちにくいのではないか。そして日本が「恥の文化」といわれるのは、四季があって、大気の温度が変化して、裸に近い状態から衣服を着こむ季節があり、その変化とともに裸体を隠す文化があるからなのだろうか。

二つめの「羞恥心」、これが問題である。有名なのは、アダムとイヴの神話である。イチジクの葉、もしくは葡萄の葉で股間を隠すところから、原罪が生まれ、性の欲望が顕在化したとする考え方だ。イチジクとその葉については、本誌№87で「無花果考―ヌードとフィーグ」として詳しく述べた。だが、その「原罪」はキリスト教の考え方であり、仏教や他の宗教にはないものだ。

ただ、猿から進化した人間が衣服を獲得したことは文化であり、衣服を着ない文化に対して、キリスト教を背景にした欧米の文化が入ることで、衣服を着るようになる。それは、歴史的変化であろう。このことによって羞恥心が生まれた、もしくは羞恥心という感情が高まったということは、よくいわれることだ。

もちろん羞恥心は元々あったという考えもある。だが普通に考えると、赤子は裸で生まれてきて、その時点では羞恥心は見受けられないので、羞恥心は後天的であり、文化的な獲得であるということは間違いない。

羞恥心の定義と歴史

羞恥心は、日本の辞書の定義では、以下のとおりだ。『広辞苑』では、羞恥心を「恥ずかし

★「カピトリーノのヴィーナス」伝プラクシテレスのローマ時代の模刻

いと感じる心」とし、「羞恥」を「恥かしく思う気持。はじらいの感情」とする。『日本国語大辞典』は、羞恥心を「はずかしく思う気持。はじらいの感情」とする。そして、『新明解国語辞典』では、「みんなが恥ずかしいと思う事を、その人としても恥ずかしいと思う心情」としている。つまり『新明解』では、他者が介在すること、羞恥心は社会的なものであることが明示される。

だが、フランスの有名なロベール辞典によると、「羞恥心」の定義は、次のようになっている。

「性的なことを行なったり考えたり、あるいはそのような事物を目撃したりした場合に、人が感じる恥、困惑の感情。そのような感情を感じる恒常的性向」。そしてさらに、「自分の品位が自らに禁じているように思われる事象の前で人の感じる困惑」とある。

つまり、この一つめは「性的なこと」に対する羞恥心。二つめは「自分が自らに禁じているもの」に対する羞恥心だ。

欧州の羞恥心の歴史については、フランスのジャン=クロード・ボローニュによる『羞恥の歴史—人はなぜ性器を隠すか』(一九八六年、筑摩書房、一九九四年)、ドイツのハンス・ペーター・デュルの『裸体とはじらいの文化史 文明化の過程の神話Ⅰ』一九八八年、法政大学出版局、一九九〇年)と『秘めごとの文化史 文明化の過程の神話Ⅱ』(一九九〇年、法政大学出版局、一九九四年)など、詳しい研究がいくつもある。そこでは、欧州文化が途上国の近代化に影響するという点について、議論がなされている。また、デュルは、性器などへの羞恥心を、「歴史的偶然ではなく、人間の本性に属するもの」とする。本稿では、欧州や、アフリカ、アジアの歴史を詳しくたどることはできないが、中野明『裸はいつから恥ずかしくなったか—日本人の羞恥心』(新潮選書、二〇一〇年)なども参考に、日本のことを中心に考えてみよう。

日本では江戸時代までは混浴であり、行水などに恥じらいも見せなかったという話がある。実際に歴史を辿ると、明治維新前後に欧州から外国人が入ってきて、混浴や行水に驚いて、「日本人は淫らである」といった非難をしたことで、混浴禁止令、裸禁止令などが施行され、それによって変わってきたことは事実である。それは欧州からのみではない。江戸時代、一七一九年、徳川吉宗のときに、朝鮮通信使が来日した際に、使節団の書記官の申《しん》維翰《ゆはん》が残した紀行文『海游録』では、「男女がともに裸で入浴して、白昼からなれあう」日本人は「禽獣」に等しいと述べている。朝鮮は、当時すでに儒教の影響が強かったためと考えられている。

羞恥心と性の意識

羞恥心を、性との関係で考えてみよう。裸は、性的な意識・視線で見ることによって、性的な対象となるが、その意識や視線がなければ、単なる身体だ。それは、例えば全裸の映像や舞台は、一〇分見ていれば慣れてしまうことでわかるだろう。それでも時折、性器などに目が行くが、最初に目にしたときの驚きや性的感情は、すでに薄れたり消えたりしていることが多い。つまり性は、それを意識することで生まれるものだ。もちろん無意識にも働きかけるだろう。だが、性器の役割や欲望との関係を知らなければ、性的欲望をかき立てられることもないはずだ。

これについては、小便と精液の関係に例えられるのではないかと思っている。どちらも生理的現象であり、小便や大便の排泄欲求が高まると小便が出て、性欲が高まったときに精液が出るが、同時に両方は出ない。小便の排泄欲求が高まると性欲は収まり、性欲が高まると排泄欲求は、ある程度抑えられる。

最近は内臓も第二の脳であるなど、さまざまな説があるが、基本は性欲を脳がコントロールしているとするなら、そのときに、脳のある部分が切り替わるわけだ。男性が男根で排泄と射精両方を行えるのは、その切り替えがあるからだろう。女性も女性器と尿道口は近接している。この近接も注目すべき点だろう。

つまり人間が生きていくうえで食事、消化、そして排泄という生命維持に必要不可欠な生理現象と、生殖という種の保存に必要な行為のための性欲とが、同じ器官、もしくは近接した器官によって切り替わるという点だ。人間以外の動物は、発情期のみに性欲が生じるが、人間はいつでも発情できる。だからこそ、この切り替えは、特に重要だろう。つまり男女ともに性欲と排泄欲は切り替わるといえるだろう。だが、女性の潮吹きはどうなのだろうか。これまで、潮は尿であるという説と、性的快楽で出るスキーン腺液という説があったが、近年の研究では、この二つが入り交じったものであるらしい。ということは、女性は絶頂のときには、性欲に排泄欲が混ざることがあるということになる。

女性でいえば、乳房の性感について同様のことがいえるのではないか。つまり、子どもに乳を飲ませるとき吸わせる感覚と、性的な快感で吸われる感覚は異なるということだ。そこでも生命維持と性感との間で、切り替えが行われる。つまり、意識的、無意識的であれ、生理的な感覚も脳で切り替えて、「性的」「非性的」を分けているのだろう。裸体に対するとらえ方も同様なのではないだろうか。

★中野明『裸はいつから恥ずかしくなったか—「裸体」の日本近代史』(ちくま文庫)

裸体禁止令

『裸はいつから恥ずかしくなったか—日本人の羞恥心』によれば、江戸時代までの日本で混浴や行水が当たり前だった状態に、西洋の視点が入ってきて、近代化が行われる際に、裸に対する羞恥心が醸成されたということだ。これは授乳についても同様だろう。日本では、しばらく前までは、人前での授乳も平気で行われていた。筆者の印象では昭和三〇年代くらいまでは、特に田舎では普通だった。だがその授乳する姿も、性的な意識で見れ

★下田の公衆浴場（「ペリー提督日本遠征記」1856年）

ば、乳房に欲望がかき立てられる。そして現在は、人前で授乳する人は希だろう。

　明治維新によって、西洋人が混浴に批判的だったことから、一八六九（明治二）年、「男女入込湯禁止令」、すなわち混浴禁止令が公布された。そして、二年後の一八七一年には「裸体禁止令」が出る。これは、裸体で働いたり風呂に出入りしたりすることは、外国では卑しむべき行為であるから、「国体」にも関わるとして禁止したものだ。そして、車夫なども半纏、股引、腹巻をすべきだとしている。

　さらに、その翌年の一八七二年には、「違式詿違《いしきかいい》条例」が出た。これでは、本誌No.92で「異性装」について書いたときにも触れたが、外国人の目を意識して、さまざまなものが禁止された。この条例は、一二条では混浴、二二条では裸体、二五条では男女相撲と蛇使い、五〇条では幼児の大小便まで禁じている。実際に厳しく取り締まられたようで、当時の錦絵などにその様子がたびたび描かれている。なお、一八七六年には、東京で、混浴営業で三〇人捕まり、裸で検挙された者は二〇九一人だという。つまり、往来での裸は、それほど一般的であったと考えられる。そして、この違違式詿違条例は東京だけでなく、地方にも浸透していったという。それでも、地方の温泉宿や海水浴などでは、混浴や裸が当たり前であったようだ。

　辞書の定義にもあるように、羞恥心は性的なものだけではない。一つは自らの行いを恥じるというものだ。これは、簡単なところでは失敗、ヘマといったものだ。例えば、道ばたで突然転ぶと、恥ずかしい。照れ隠しに笑ったりもする。それは、人に笑われることを先取りしているともいえる。もっと大きなこと

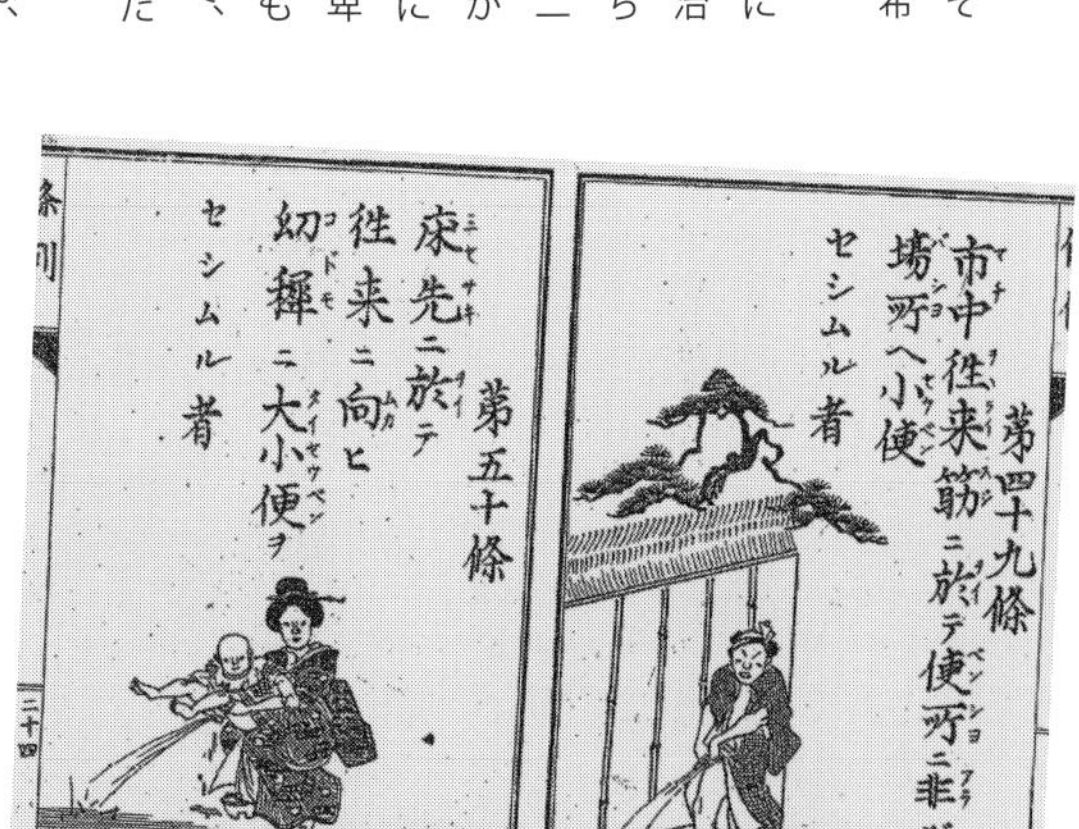

★細木藤七編『違式詿違条例』（1878年）

では、悪事、罪、犯罪などがある。所有欲、金銭欲、嫉妬、性欲などで罪を犯した後の後悔には、恥じる気持ちが含まれる。

ただ、この悪事や犯罪、失敗なども後天的なもの、社会的なものだろう。獲物を奪い合うのが当然の社会であれば、人のものを奪っても罪ではない。転んだときに、だれにも見られないとわかっていれば、恥ずかしがる必要はない。そして日本の裸体禁止令は、「羞恥心」をたてに、裸を罪としたものだ。つまり羞恥心というのは、社会との関わり、他人の視線との関わりで成立する感情なのだ。

衣服と羞恥心

服を着る理由の三つめの「装い」について考えてみよう。これは、衣服で自分をより美しく見せる、魅力的に見せるということだ。では、その美や魅力とは何か。他者、つまり異性や同性を惹きつける美や魅力を考えると、それは当然、性的魅力とも重なってくる。つまり、装うことは、自分の性的魅力をより際立たせることが、目的の一つだろう。性的魅力といっても、単純に身体を露出することだけではない。背が高く、スタイルがよいなどや、衣服の形、色などもそうだろう。例えば、赤など明るい色が人の視線を惹きつけることは、よく知られている。黒い衣服が肌の白さを強調するなど、さまざまだ。社会制度や慣習によって、黒はフォーマルという共通の印象もあるだろう。それも、相手に対して、憧れを抱くといった関心には、性的な要素が重なってくる。

衣服と羞恥心の関係でいえば、中世から一九世紀まで、フランスでは、女性の上半身の露出にはきわめて寛大で、乳房をすべて露出する型の服がしばしば流行したそうだ。そして逆に、女性がスカートから脚を露出させることは、二〇世紀前半までは絶対にあってはならないこととされていたという。また、男性は、一五世紀から一〇〇年間は、性器を誇張する股袋が流行し、これをつけないことは非礼とされたこともあるという。つまり、時代とともに、体のどこを露出すると恥ずかしいか、というのが変わってきている。

比較的最近でも、六〇年代にミニスカートが流行った後、ヒッピーファッションなどが登場したころに、七〇年代、ノーブラが流行ったことがある。そのときはTシャツからうっすら乳首が見えたりするのも、平気だった。つまりその当時は、ノーブラの「自由と解放」の意識と、見せる先端ファッションの意識が、羞恥心に勝ったということだろう。いまでは、ニプレスの発明もあって、その当時のままの恰

性的な意識が羞恥心を生む

★タブー破りの暗喩が散りばめられた
ジャン・オノレ・フラゴナール「ぶらんこ」(1767年頃)

好で歩いたら、日本では、ちょっと露出癖があると思われかねない。

つまり、どこを露出したら恥ずかしいかというのは、どこに性的な欲望を感じるかにかかってくるだろう。そのため、例えば足フェチの数が過半数を占めれば、だれも素足を見せなくなるかもしれない。このことも、性的な羞恥心は、性的な意識によって生じるということを示している。もし女性などの性的な意識と視線、つまり欲望が、男性の乳房に向かうようになると、男性も乳房を隠すことになるはずだ。

★胸が露出しているランバル公妃マリー・ルイーズの肖像画（ジョゼフ・デュプレシ画、18世紀）

性的な視線と意識

つまり、「裸は恥ずかしい」というのは、歴史的、文化的所産であり、かつ性的な意識ゆえに羞恥心が生み出されるからということができるだろう。性的な意識がなければ、性欲はかきたてられず、性愛、それとともに愛の生じる可能性も、大いに減少する。現代は、性愛よりプラトニックな愛が多いという説もある。だが、性愛、エロティシズムが多くの文学、美術、芸術作品を生んできた。性欲の減少は、芸術的欲望の減少につながるのだろうか。人々の関心の対象、すなわち欲望の対象が、より多様になってきたということもあるだろう。例えばドールと暮らす、ドールの「お迎え」などをドキュメンタリーで見ると、人間の愛情や人との生活、性愛や家庭なども不要とする人が増えているようにも思える。

また、草食系というレッテルや童貞の肯定、性的ハラスメントやそれにまつわる報道などを見ると、それらの影響で、性的なものに対する忌避感が、世の中により強まってきているのではないかと感じられる。美術館関係者は、展示にヌードがあると、苦情をいう人の数が近年増えてきていると口にする。そして二〇二一年の統計では、日本で男性の童貞率は二五%、一八〜三四歳の男性の「性体験なし」は、四四・二%、女性は四九・四%である。

だが、性行為をするかしないかは別にして、性的な意識、性欲が芸術や文化のみならず、労働や社会活動の動機となっている部分は、現在も大きいだろう。生殖に基づかない性愛、エロティシズムも含めて、性愛の重要性を改めて認識すべき時代ではないだろうか。羞恥心はそのために、少なくない働きをしてきたのだ。

ボローニュは『羞恥の歴史』の最後に、羞恥心の特徴を四つあげている。一は自然さ、二は公開性、三は動的な過程、四は必要性である。その意味するところは複雑だが、自然、公開性、動的、必要性と大胆に略していえば、現代も羞恥心の存在は重要であることがわかるだろう。私たちは、日常的に衣服を着ているが、身体の本体は裸体である。そして、人に見られると恥ずかしい。羞恥心を抱く。だが、水着のとき、あるいはファッションによっては、大胆に身体を見せる。この現在の状態と、おそらくずっと付き合っていく。そして、そこには性の意識が常にある。このように、自らの身体と性とは切り離せないのだ。

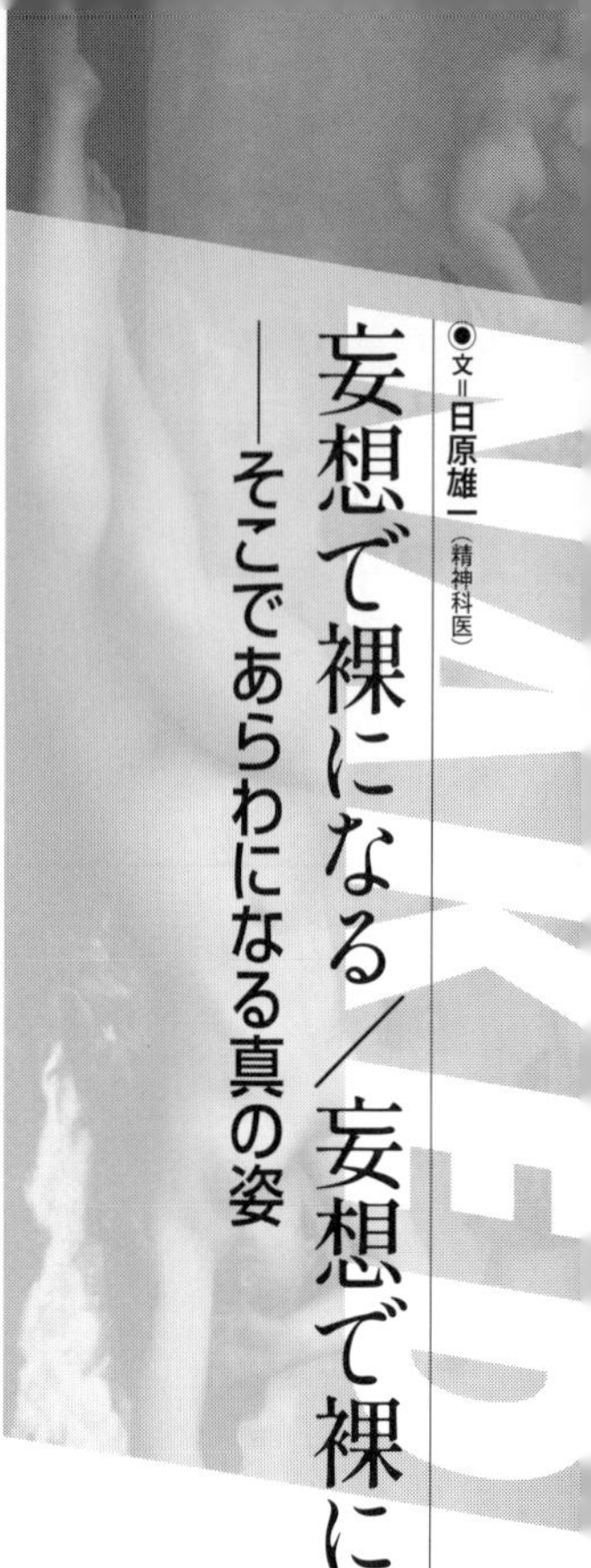

妄想で裸になる／妄想で裸にする
――そこであらわになる真の姿

◉文＝日原雄一（精神科医）

美少年が目の前にいる。自分のことを慕ってくれている美少年である。その少年は神木くん似だったり、羽生結弦似だったり、そのときによってさまざまである。

その美少年が何か言う。直接的なこともあれば、間接的な場合もある。とにかく、自分に好意をしめしてくれるようなことである。まあ仮に、「日原さん、好きです」だったとしよう。

何が「だったとしよう」だ、バカ。でもまあ、そんなのが私がよる寝床でしている妄想なのです。眠れないと、そこからどんどん妄想は俗欲にまみれて発展してきたりする。眠るどころじゃなくなる場合もある。今回の特集が『ネイキッド』だからって、そこまであけっぴろげに気持ち悪いことを書かなくてもいいんだ。ナニ、書こうとすればもっとあけすけの気持ち悪いこと書けるのです。

その相手が現実にいるイケメンくんである場合は、すくない。たいていは私の理想のなかの、非実在美少年である。ただし私の妄想では実在しているから、その美少年と戯れているあいだの、寝る前のひとときがいちばんたのしい。

現実にいる神木くんであったり、羽生くんであったりを直接的に妄想に出すことは、あまりない。「目の前にいる」ところにいたるまでに、かなり長い妄想が必要だからだ。だから「会いに行けるアイドル」が流行ってるんですかね。秋葉原だったり乃木坂だったり。いわゆる「地下アイドル」はもっと、こっちに降りてきてくれている。天上にいるべきアイドルが地下まで降りてきてくれているのである。ふだん地を這い血を吐きながら生きてるこっちとしては、それは夢中になっちまうでしょうよ。そんな同意を求められても困るでしょうが。

そういう点で、この本誌No.93でインタビューさせていただいた八田拳・みこいすさんは、生でその声を聴けるイベントに出てくれていたりするので、とってもありがたいのです。YouTubeも毎日の癒しになってます本当にありがとうございますって、冗談じゃなく涙ぐんでるんだ。

妄想で起こるギャップ萌え

そういうわけで妄想の世界は、ふだん隠している本性をあけっぴろげにできるから天国だし、逆にそれがバレるとたいへんなことになったりする。

はるな檸檬の『ZUCCA×ZUCA』は、宝塚の役者さんに恋して恋して恋してる全十巻である。コンビニで「花組キューティハニー娘役・天咲千華様に激似!!」ってだけの、ボーッとしてるコンビニ店員さんにドキドキして、あっためたパスタを立てて入れられても「うわーパスタグッチャグチャ…」「…もうこのグチャグチャすらカワイイ!!」ってなってる。

めっちゃわかる。たぶん自分もコンビニ店員さんが、神木くん似だったりしたらそうなるだろう。お釣りをもらう手すらふるえるだろう。お釣りをもらうために、サイフに小銭ピッタリあってもわざわざ千円札で支払うだろう。っていうか神木くんがコンビニのレジ店員だったら、きっとすっごい愛想いいんだろうなあ、店員のエプロン似合うんだろうなあとか妄想が広がりますね。丁寧に袋に詰めてくれて、それでパスタが縦でグッチャグチャになってるとか、ギャップがメッチャメチャかわいいんだ。おいらのこころもガッチャガチャ、オチャケもビールもガッチャガチャ、って北杜夫の浪曲『タンタンたぬき』みたいな気分である。

歌鳴リナ『ギャルにぱちゃんはせまられたい』でも、人気ティーンズモデルのniPAちゃんは、隣の席の地味な男子高校生で勝手に妄想してる。陰キャでメガネの冴えない男子・晃くんとちょっとしたことでケンカして、「アイツに手触られたし」「あんなキモい奴に触られて最悪なのに なんで変な気分になっちゃうの…」って妄想オナニーを始める。「よくも俺を地味メガネ扱いしやがったな!?」って晃くんに押したおされて、強引にキスされる。「すっげー濡れてるじゃん」って犯される妄想がとまらないところに、もちろん当人が入ってくる。もちろん本物の晃くんは、おちついたもんである。「こっち見るな——!!」って本を投げつけられても、自分のメガネが本に当たって落ちて、「メガネないと見れない」ってすましてる。

まさかこのマンガが、晃くんのハーレム展開になるとは。晃くんも晃くんでそのうちに、「俺だって男として頑張りたい時がある」って雄々しい表情をみせてきたりするからビビるのだ。にぱちゃんの妄想が先にそこを見抜いていたというわけだ。

妄想と夢で本性があらわに

見抜いたつもりで調子に乗って、自覚もなかった本性を暴いたり、その先の未来をつくってしまう場合もある。kobone『ひとのうわさも。』だ。ゲイと噂される陰キャ男子・野井くんと、友達になりたい隠れゲイの同級生・吉武くんの話。吉武くん、相手がゲイだと安心してすっかり仲良くなって、向こうのことが大好きになってしまってから、野井くんいわく、「おれノンケだよ」。野井くんがゲイだというのは、「野井くんの元カノさんが大スキなやつが怒りに任せて流した根も葉もないウワサ」だったのだそうだ。

なのに野井くん。吉武くんに告られて、「じゃいいよ 付き合お」ってオッケーしちゃうんだ。そしてそのまま行為までして。野井くん、ぜんぜんノンケじゃなかったと、自分でも意識してなかったセクシャリティが暴かれる。ウワサが真実をつくりだすこともあるんである。

ここまで書いて床について、夢をみた。ウズラの煮卵を食べる夢だ。小さな煮卵を丸のみにして、のどを詰まらせている。息がくるしい思いをしているなかで、目が覚めた。

フロイト式に分析すると、もちろん煮卵は少年のものを指す。卵は金玉、睾丸にも通ずるのだ。丸のみにしているわけだから、愛撫しているととれなくもないか。しかしくるしがっているわけだから、苦痛は快楽につきものだ、ということか。夢とい

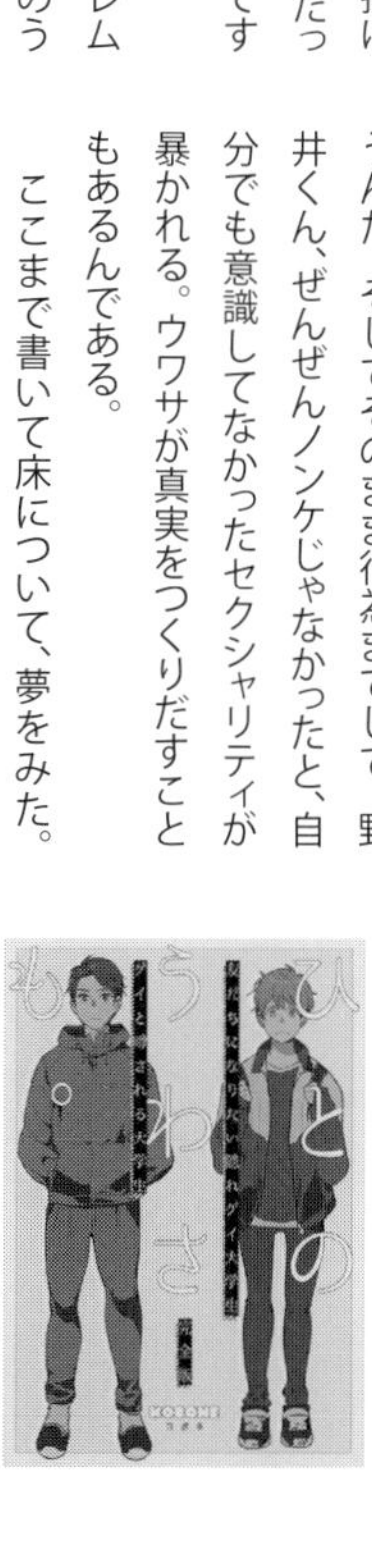

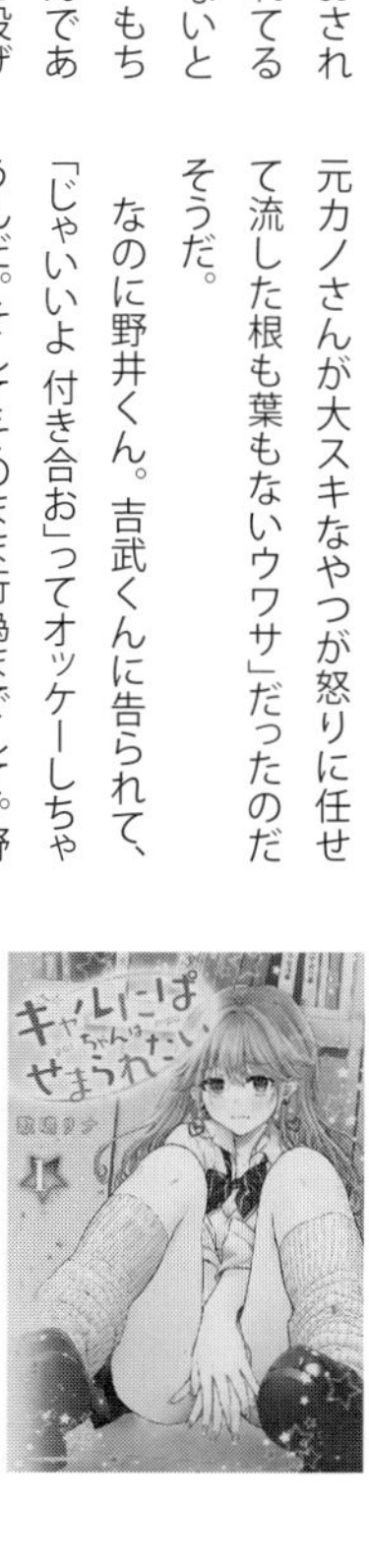

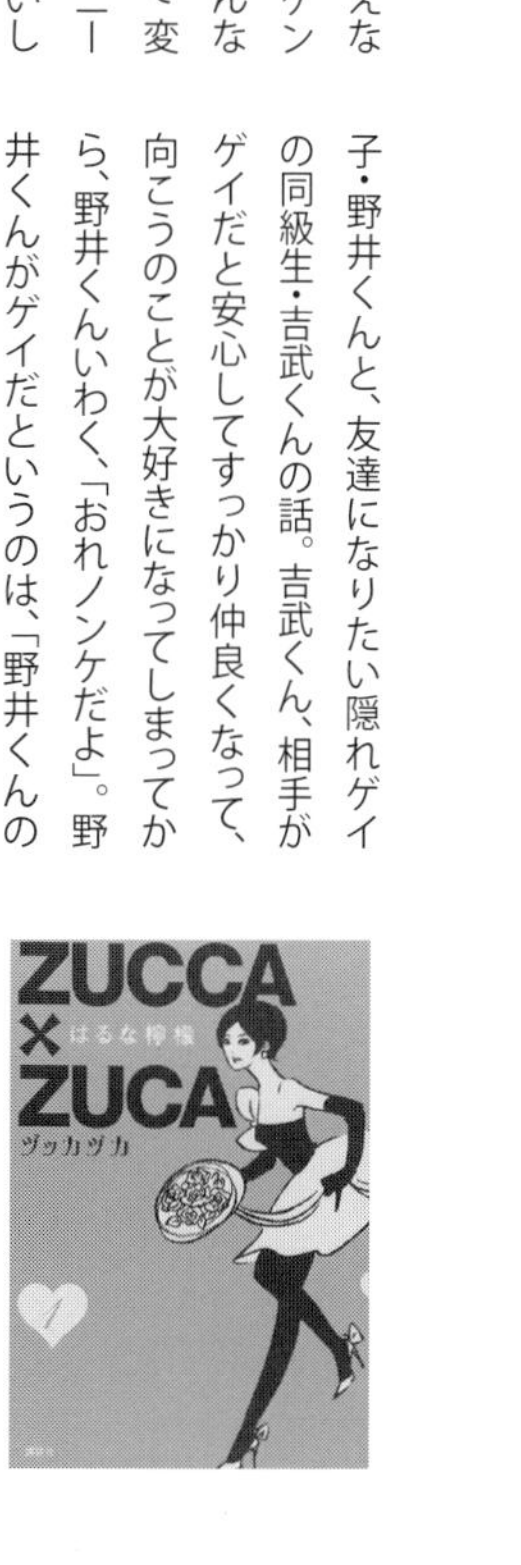

★（右から）
はるな檸檬「ZUCCA×ZUCA」
（講談社KCデラックス モーニング）
歌鳴リナ「ギャルにぱちゃんはせまられたい」
（講談社ヤンマガKCスペシャル）
kobone「ひとのうわさも。」（ナンバーナイン）

妄想や夢は、気づいていない部分を赤裸々にする

うものは、自分でも気づいてない部分を赤裸々にする。ホモでマゾで、って性癖ものすごいね。

夢と妄想は共通する部分が多くて。「将来の夢」をきかれて、妄想のようなことを答えるひともいる。私の夢はショタランドをつくることです。

弟子吉次郎『立川談志　鬼不動』は稀代の奇書だ。ラジオ・テレビのディレクターで、生前の談志家元とも、マネージャーの実弟とも交流があったという著者が、当時の思い出と、病床で著者が見た夢、「今までにない談志落語の集大成の夢」を描いた書だ。その夢で、晩年の談志が新宿の劇場で、新作落語の人情噺『鬼不動』をネタおろしする。

実際にこの『鬼不動』、新宿紀伊國屋ホールで立川らく次が演った。立川談志の孫弟子だ。その場にらく次の師匠・志らくも、談志長女の松岡ゆみこもいた。弟子吉次郎が見た夢が、夢を超えてしまうのは凄い。立川らく次は、いまの落語立川流の若手でいちばん上手い落語家なのです。

村祖俊一の短篇集『少女人形』所収の『恍惚幻想』では、行為の途中でいつも萎えて「若年性インポだ」と自分でもあきらめている青年・明くんがでてくる。「ねえ　おしまいにしない?」「私達もう終わってると思うの」って、付き合っていた女性からも別れを告げられる。

そんなとき、切れ目のとてつもない美少女が、夢の中に出てきて。山辺にいる少女は、いつも裸である。綺麗な目の彼女に、夢のなかで見つめられて。青年はそのときだけは射精してしまう。

夢見た少女をもとめていると、夢で見慣れた山の光景が目の前にあらわれて。見慣れた山の家には、「待ってたのよ」というその少女がいる。

でも、少女のもとに行こうとすると。「ダメ！ こないで」、「私にふれたら 私達はおしまいよ」と言う。「君を抱ければ死んだって……」と熱くなってる青年は、強引に少女と一緒になる。そして果たして、その代償を払うはめになるのだ。「翌日締め切ったアパートの一室で……男は衰弱死していた」。やっぱり青年の夢の中のできごとだったのか、それとも……。

あのね、さいきんの私、いろんなことが自業自得なのである。おかげでなかなか寝つけなくて、寝床で楽しい妄想にふけれずに、ガタガタふるえていたりする。考えてみればネイキッドな私、ずいぶん罪深いことをしてきながら三十三年間生きてきた。僕も勢いで書いてしまおう。毎夜寝床で思っている、あの妄想の少年を抱ければ、いいさ、死んだって！ 人間は死ぬ時に本性がでるというから、これが私のホントの性根である。腐りきった腐男子の私が、あの妄想の少年をもとめて、熱海の海岸散歩するのだ。そんな『ヴェニスに死す』と『金色夜叉』がごっちゃになった死にかたでもわるくない。妄想のなかではあの『白鳥の湖』のメロディが流れて、つかこうへいの舞台『熱海殺人事件』も混ざってぐちゃぐちゃになってるんだ。YouTubeに公式であがってる『熱海殺人事件　ザ・ロンゲストスプリング』バージョンの冒頭で、裸でだきあってるあの美少年もいいですね。

でも、そんな美少年を夢に出したいと思うけど、なかなかそうはうまくいかないのだ。

★（右から）
弟子吉次郎「立川談志 鬼不動」（河出書房新社）
村祖俊一「少女人形」（壱番館書房）

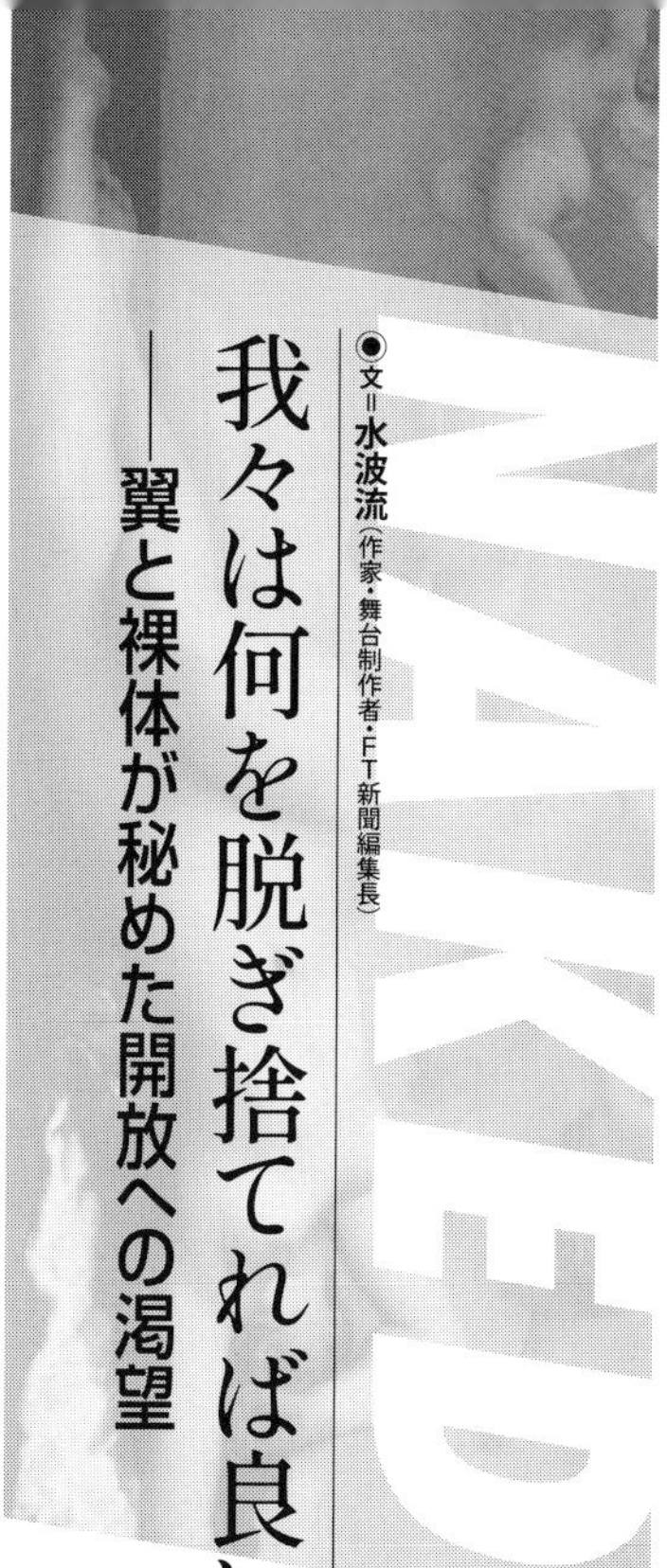

我々は何を脱ぎ捨てれば良いのか？

——翼と裸体が秘めた開放への渇望

◉文＝水波流（作家・舞台制作者・FT新聞編集長）

「NAKED」……それは全てを脱ぎ去り開け放たれた状態を指す概念。今回は束縛からの解放をテーマとする作品を取り上げながら、その概念について考察していきたい。開放的な表現と言えば、古来より「翼」は数多くの芸術作品のモチーフとされてきた。大空を飛翔する姿を想起させる大きく広げた翼は自由と解放のシンボルと見立てられる事が多いものだ。そして「NAKED」を言葉通り解釈すれば全てを脱ぎ去る＝「裸」になる事を指す。「裸体」もまた開放感を表すモチーフとされてきた事は改めて語るまでも無いだろう。「NAKED」を考える糸口として、まずは「翼」に加え物理的な「裸体」を題材とする表現からはじめてみよう。

翼に裸体と言われれば、まず誰しもが頭に浮かべるのは、ギリシア神話の弓矢を構えた愛くるしいキューピッドや、宗教画における天空に羽ばたく神々しい天使たちの姿などだろう。しかし裸体や翼が想起させるのは、果たしてそのように澱みない純白な開放感ばかりなのか。現代を生きる我々にとっては、天真爛漫になんの迷いもなく大空を自由に舞う……そんな真っ直ぐな気持ちよりも、葛藤やもどかしさ、劣等感……むしろそのようなものにこそ、より深く感情移入出来るのではないだろうか。社会、人間関係、自分自身……我々は絶えずなにかに抑圧されている。だからこそ、自由と解放をもたらしてくれる存在に憧れを抱くのかも知れない。

イギリスの現代画家、エイミー・ジャッドは神話や民間伝承からインスピレーションを得て『GLOWING CARESS』（2022）、『HALF MOON GODDESS』（2022）など、顔を翼で覆い隠した女性のヌードを題材とした作品を数多く描いている。彼女の作品から匂い立つのは「内に秘めた力強さ」や「生まれ変わろうとする躍動」だ。だが、そうした前向きな感情を与える一方で、隠された女性の顔からはどことなく落ち着かなさや不穏な雰囲気も感じ取れる。その言語化し難い二面性が彼女の作品の魅力でもあり、鑑賞者はそこに自身を投影するのかもしれない。ここでは翼は自由の象徴ではなく、「私」を隠す覆いや束縛としての姿を見せ、裸体は解放ではなく、守るものを持たない心細さを感じさせる。

またイタリアの現代画家、ロベルト・フェッリが描く、苦悶の表情を浮かべて何かを渇望する翼を持つ裸体の男女からは、抑圧されるからこそ生まれる自由への欲求を感じてならない。『L'incanto（魅惑［※以下、カッコ内の訳は筆者による］）』（2019）では血と蜘蛛の巣に汚れ、大きな翼を広げた囚われの身の天使が描かれている。手にした金色の輪からは囚人の鎖が彼の翼に縫い付けられ、乾いてこびりついた血の跡が痛々しい。そして輪を通してこちらを覗く天使の顔は白い

★エイミー・ジャッド『Glowing Caress』©2022 Amy Judd

エイミー・ジャッド（Amy Judd, 1980～）
女性と自然の関係を焦点とし、神話やフォークロア、歴史上の伝統的な物語からインスピレーションを得た超現実的な作品を制作している。タイトルはギリシャ・ローマの神々から中国の神話、またアイルランドやウェールズに伝わるゲール語の物語を連想させるものが多い。彼女の作風は、一目でそれとわかるものでありながら、テーマがはっきり分かれており、あるものは穏やかで平和的、あるものはシュールで見る人によっては不快になりそうなものである。人物の顔は常に隠されており、鑑賞者は自分自身の物語や所有権を投影することができる。

布で覆われ、そこには一筋の血の涙が流されている。果たしてその覆面は自分の意思で着けたものなのか、それとも何らかの罰なのか。白布の裏に隠された、うかがい知れぬ表情が我々の胸をざわつかせる。

彼の作品タイトルを並べてみるとそこに描かれる共通したモチーフが朧気ながら浮かびあがってくる。『L'ala nera o Il tocco dell'angelo（黒い翼または天使の手触り）』(2020)、『L'Angelo La Morte E Il Diavolo（天使と死、そして悪魔）』(2018)、『SOFFIO IMPURO（不純な息吹）』(2014)、『LUCIFERO（光を掲げる者）』(2013)——そこには清濁併せ呑む、光と闇が同居する複雑な感情が読み解けはしないだろうか。

彼の代表作のひとつである『RESURREZIONE（復活）』(2020)では題名通り、イエスの復活がモチーフとされているが、捻じ曲がり悲痛な叫びを上げる裸体の男女の上に、黒い翼を背にしたイエスと思しき男性が暗い表情で顔を伏

★ロベルト・フェッリ
（上）『L'incanto』©2019 Roberto Ferri
（下）『RESURREZIONE』©2020 Roberto Ferri

ロベルト・フェッリ（Roberto Ferri, 1978-）
イタリア、タラント生まれ。独学で絵画を学び始め、1999年にローマに移住してからは16世紀初頭から19世紀末までの古典絵画の研究を深める。特にカラヴァッジョをはじめとするバロック絵画に傾倒する。2006年、ローマ国立美術アカデミー（Accademia di Belle arti di Roma）を優秀な成績で卒業。2014年、ローマ法王フランシスコの公式肖像画を2点制作。2016年9月、ユヴァル・ノア・ハラリ『サピエンス全史』の日本語版表紙に作品を提供。2021年、詩聖ダンテ・アリギエーリ没後700年記念として作品を制作し、ローマのフィレンツェ宮殿で展示される。

せて座している。その力なく広げられた黒い翼からは強い束縛感こそが漂ってくるが、これもまた「開放」、そして「解放」への逆説的な切望だろう。また2011年に描かれた『ANGELO-CADUTO（堕ちたる天使）』と名付けられた作品でも、同様に黒い翼を持ち、何かを強く悔恨するように顔を伏せる男性の姿が描かれており、果たしてこの天使は如何にして堕ちる事と成りはてたのだろうかと我々に問いか

★アレクサンドル・カバネル『Fallen Angel』(1847)

けてくる。

堕天使をモチーフにした絵画の代表といえば、アレクサンドル・カバネル(Alexandre Cabanel, 1823-89)『Fallen Angel』(1847)があげられるが、こちらでは組んだ両手を前に顔は俯きつつも強い視線でその先を見つめる、神に背いた天使長ルシファーの姿が描かれている。その眼からは一筋の涙が流れているが、毅然とした表情からは悲しみや後悔といった傷心の感情では無く、純粋な怒り、報復や復讐といったギラついた渇望が感じられるところが、フェッリの描く堕天使と明らかに違う点だ。エドゥアール・シボー(Edouard Cibot, 1799-1877)もまた『Fallen Angels』(1833)という絵を残しているが、こちらは題名でもわかる通り二人の堕天使がモチーフだ。蛇をその裸体に纏わせながら凝視する視線のその先には、憎き神々や天使たちの姿が映っているのかも知れない。薮睨みの眼からは、カバネルの堕天使と同じく外へ向けたエネルギーが溢れんばかりである。

ここまで上げてきた数々の絵画に描かれる人物は皆、「翼」に加えて「裸体」という二つの自由の象徴を持ちつつも、何かに強く束縛されている。また古典作品では他者へぶつける不自由さや束縛への怒りが感じ取れるが、現代作品では不自由さを抱える自分自身への葛藤こそが、より強く伝わってくる。彼らを捕らえているのは一体何なのだろうか。

衣服を脱ぎ去り「裸体」になってみたところで、真の「開放」は彼らには訪れない。「NAKED」における全てを脱ぎ捨て裸になるという概念は、なにも物理的な「裸体」だけを意味するわけではないのだ。それでは彼らは何を脱ぎ去れば良いのだろうか。

アメリカのベストセラー作家であるシドニィ・シェルダン(1917-2007)の処女作『The Naked Face』(邦題『顔』あるいは『裸の顔』)の中で、主人公の精神分析医は、連続殺人事件の犯人像を分析する際にこのように語る。「人は皆、憎悪や畏怖を隠すための仮面をつけてい

★エドゥアール・シボー『Fallen Angels』(1833)

る。だが極度の緊張に晒される事で、その仮面は剥がれ、裸の顔(The Naked Face)が現れる」

確かに現代に生きる我々は周囲の抑圧から自らを守る仮面をつけて過ごしている。しかしその抑圧から解き放たれるには、むしろ自分の仮面、即ち自分が課した制約を自ら脱ぎ捨てねばならないのかも知れない。カバネルやシボーの描く堕天使のように他者に不満を転嫁しても、結局のところ真の「開放」を得る事は出来ないのだ。

ここでもうひとつ、翼と解放をモチーフとする物語に視線を移して考えてみたい。ドイツの児童文学作家、オトフリート・プロイスラー(1923-2013)の名作『クラバート』。本作の表紙に描かれているのは、翼を持つ異様な鴉人の姿だ。幻想の魔術師カレル・ゼマン監督によるアニメーション版や実写化された映画版では、人の姿を脱ぎ去って鴉と化すシーンが印象的である。また本作は何度か舞台化もされており、その際も艶のある濡羽めいた衣装を俳優たちが纏

★オトフリート・プロイスラー『クラバート』
（偕成社文庫）

い、飛ぶようにステージ上を舞う姿で演出されている。しかしこれらの「翼」もまた自由の翼と呼ぶには違和感が漂ってくる。なぜならば、本作は少年が黒い翼を得る代わりに自ら捨ててしまった自由を取り戻す物語だからだ。

物乞いの少年クラバートは、不思議な声に導かれ、コーゼル湿地の水車場を訪れる。そこで奇怪な風貌の親方から、粉引き職人として契約をすれば衣食住を保証した上に、そのほかの全ても教えてやろうと持ちかけられる。実はそこは黒魔法の学校で、クラバートは十一人の男たちと共に水車場で働き始める。クラバートは日々を過ごすうちに粉引きの技と魔法を覚え、職人として成長していく。魔法の力を身につけたクラバートは、人から鴉の姿に変化し、大空を飛翔する。愚鈍な商人や軍人を相手どり、魔法の力でやり込める生活に、親方は魔法さえあればどんな事でも可能になるのだ、と囁く。クラバートはようやく自分も自由と力を手に入れたのかと満ち足りた思いで日常を謳歌する。

自ら着込んだ固定概念という衣服を脱ぎ去り、生まれたままの新しい自分になる

しかしそれは本当の自由ではなかった。彼が手に入れた黒い翼は、自由と解放をもたらすものではなく、自身を闇の契約に結びつける鎖であった。一年の終わりの大晦日の晩、信頼していた職人頭が不審な死を遂げる。親方は毎年一人の職人を生け贄に捧げる事で生命と魔法の技を長らえさせていたのだ。新年とともに新たな少年を加え、また十二人になった水車場。クラバートは親方の元から逃れようとするが、自ら成した契約は絶対であり、他の職人たちも運命を受け入れたかのように諦め顔で頼りにはならない。そして迎えた二年目の大晦日。またもクラバートを助けてくれていた先輩職人が非業の死を遂げる。三年目、このままでは次に死ぬのは自分だと悟ったクラバートは親方と対決すべく密かに準備を始める……。

この物語でクラバートを解放するのは、一人の少女と、一人の親友の助力だ。クラバートは親友に心を開き、少女の選択に自らの生命を預ける。自分一人の力ではなく、他人を信頼する事こそ、自由を勝ち得るために必要だったのだ。魔法の力を捨て、暗黒の翼と決別する事によって、クラバートはようやく求め続けていた自由を手にし、物語は終わる。

そこに描かれるものは「束縛からの解放」だ。そしてそれは「NAKED」の持つ真の「開放」へ至る道でもある。ここまで絵画と物語を軸に考察してきたように、他者への苛立ちや自分自身への失望、我々はそうした重苦しい葛藤に纏わり付かれて長い人生を生きている。抑圧されてきた束縛から解放され自由を得るために必要なのは、大空を翔る翼ではない。ましてや脱ぎ捨てるべきは衣服では無いのだ。これまで纏ってきた自分を縛る重荷を脱ぎ捨て、ありのままとなって一歩踏み出す……自らの心を開け放つ勇気こそが人を真実の自由に誘う。これらの作品はそう我々に訴えかけてくれているような気がしてならない。

自ら着込んだ固定概念という衣服を脱ぎ去り、生まれたままの新しい自分になる……そんな精神性もまた「NAKED」という概念を表す一面なのだ。

私はイート
人の裸を見るのも
人に裸を見せるのも
苦手です
裸の解放感をテーマにした漫画を考えても
どうしても隠す方にばかり振ってしまって
めちゃくちゃ頭が痛い
Pc
そういえば夫がしばらく家にいないので…
全裸生活を体験して
レポートをしてみようと思います!!!
ばっ
パンツだけは許して
愛猫 テン(2)♀
猫の目でも少し恥ずかしい
かあああ
?
全裸生活レポート by eat
今は2月
暖房を点けても寒い…
ピッ
28℃強
さっそく風呂に逃げた
黒ソルトオススメ
30分後
ポカポカになりすぎて裸が丁度良い…
ふ〜

次は料理
オムライスを作ります
ソーセージも乗せたい
ケチャップが散っても安心
ブリュリュ
ピチャ
冷ァ
裸なら拭くだけ
問題はソーセージだつた
焼くと皮がはじけて汁が飛ぶ
熱ハァ
被弾した所はしばらく赤くなっていた
もぐもぐ
ヒリヒリ
ピンポーン
イートさーん お荷物でーす
!?
急な宅配!
あわあわ
階段から転びそうになって危なかった
ハァ
ど…どうも
ハァ
ノーブラ

えっちな本
裸は苦手ですが
描ける事に憧れはあるので
日々お勉強中です
えっちだ…
あと
ノーブラで宅配を受け取って思ったのは
乳が邪魔
ドキドキ
わ〜
ブルンブルン
走ると揺れるし
咄嗟の服選びが大変
※イートはEカップ
また突然
来客が来ても
いいように
服を用意しておこう
夜になり
また一段と
寒くなった
2回目の風呂
その際に
今日着ていた物を洗濯機へ
いつもより洗い物が少ないので 回すのは明日にしよう
晩ご飯は
昼間の火傷の事があるので
卵かけご飯とみそ汁で簡単に
夫がいないズボラ飯さいこー!!!

その後はフレンドと通話しながら日課のオンラインゲーム
はは
キャ
キャ
今私ほぼ全裸でゲームしているのを…
通話相手は知らない…ッ!
はっ
他人を意識すると今まで気にならなかった贅肉が気になって恥ずかしくなった
私やせるね?!
え
急にどうしたの?!
ぷに
服を着ていたらこんなに意識していなかっただろう
うっうっ
明日から頑張る!
今日は寝る!!
10分エクササイズの動画を見て運動をした気になってる
にゃん
テン~♡
最近ママのお腹に乗ってくるようになって
ゴロゴロ
嬉しいよ~
ゴロゴロ
よしよし
ブス

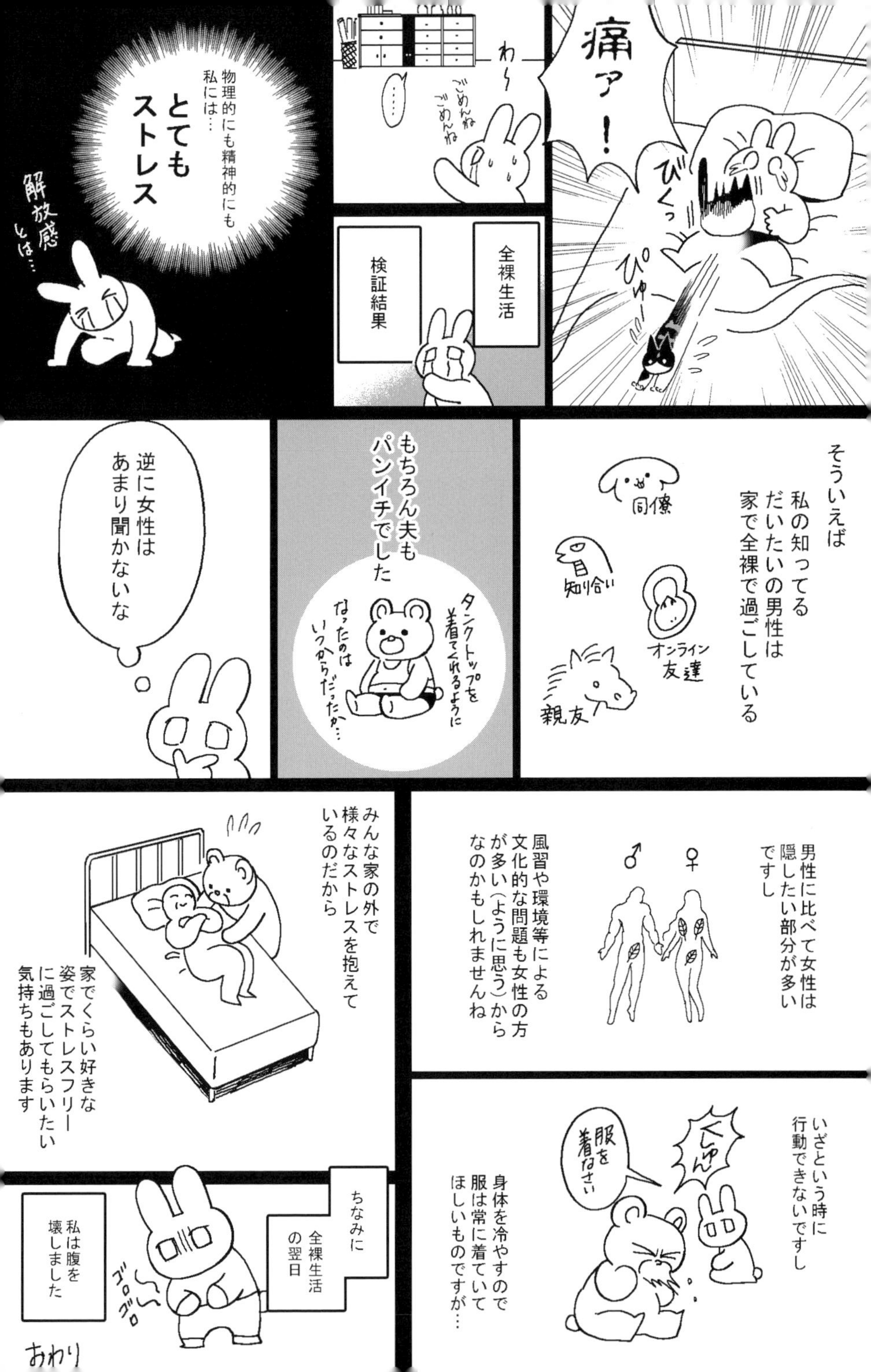

痛ァ！
びくっ
ぴゅー
わ〜
ごめんね ごめんね
……
全裸生活
検証結果
物理的にも精神的にも私には…
とてもストレス
解放感とは…
そういえば
私の知ってるだいたいの男性は家で全裸で過ごしている
同僚
知り合い
オンライン友達
親友
もちろん夫もパンイチでした
タンクトップを着てくれるようになったのはいつからだったか…
逆に女性はあまり聞かないな
男性に比べて女性は隠したい部分が多いですし
♂
♀
風習や環境等による文化的な問題も女性の方が多い（ように思う）からなのかもしれませんね
みんな家の外で様々なストレスを抱えているのだから
家でくらい好きな姿でストレスフリーに過ごしてもらいたい気持ちもあります
いざという時に行動できないですし
くしゅん
服を着なさい
身体を冷やすので服は常に着ていてほしいものですが…
ちなみに
全裸生活の翌日
ゴロゴロ
私は腹を壊しました
おわり

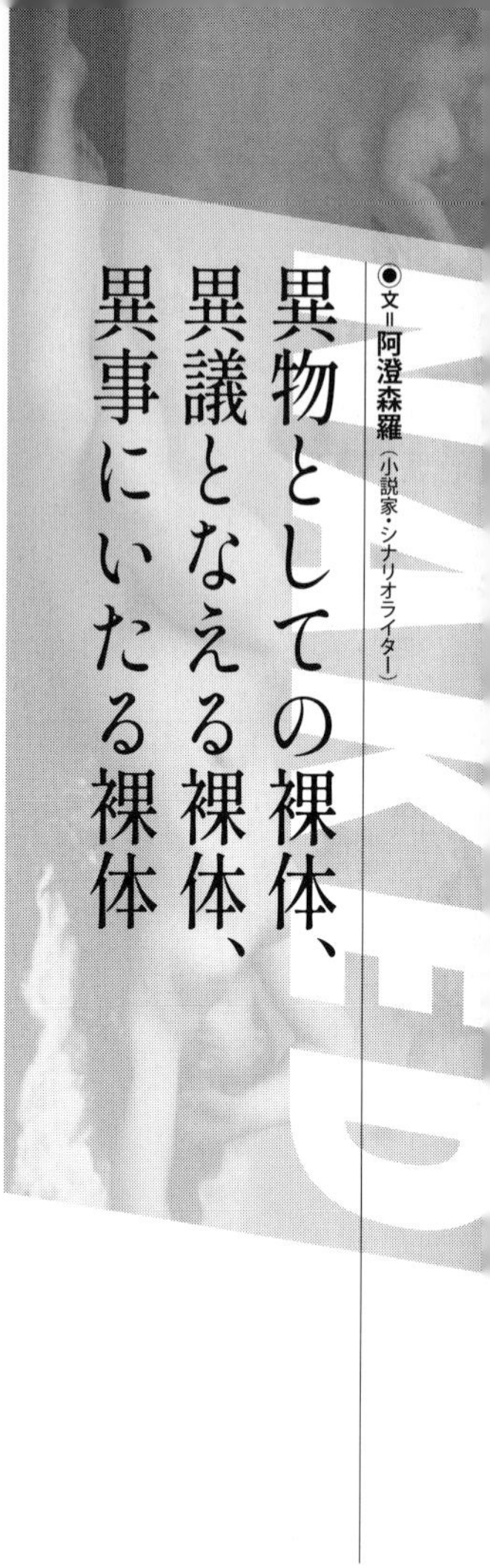

異物としての裸体、異議となえる裸体、異事にいたる裸体

●文=阿澄森羅（小説家・シナリオライター）

1

十数年ほど前、泥酔して公園で全裸になり、大騒ぎした挙句に公然猥褻の疑いで逮捕されたアイドルは、自分を取り押さえた警察官に向かって「裸だったら何が悪い」と絶叫した。事件を取り巻く状況のトンチキさもあって、このセリフはギャグのような扱いで定着しているが、問い掛けている内容は中々に深甚だ。一般常識とか公衆道徳とか軽犯罪法とかを抜きにして、屋外で裸になる行動を「悪」と糾弾できるだろうか。少なくとも、私には断言できる自信がない。とはいえ、性的な意図に基づいて裸体や性器を見せられたならば、不快や恐怖を喚起するのはわかる。推測や想像ではなく、実体験として。

若い頃の私はビデオ店で勤務しており、日常的に裸の画像や映像に触れていた。仕入れのためＡＶのジャケットやサンプルを延々とチェックする作業もあったので、完全に裸を見飽きていたと言っていい。そんなある日、アダルトコーナーで不審な動きをしている男を防犯カメラで発見。万引きだろうと判断した私は、背後に回って「困りますよ、お客さん」と声をかけた。驚いた様子で振り返った相手は、常連という程ではないが、月に一度くらい見かける中年男。いかにも仕事帰りな雰囲気のスーツ姿だったが、チャックからは黒ずんだ陰茎が丸ごと外出している。お互いに数秒固まった後で「何だそりゃ！」と私が怒鳴ると、男は「いやあの、違うんです」と謎めいた言い訳を残し、ブツを収納しながら走って逃げていった。

状況の意味不明さへの恐怖もあったが、それ以上に不快さが圧勝している記憶だ。それは日常に「陰茎丸出しのおっさん」という異物を混入されたことへの、本能的な反発が主成分だったように思える。人類学者メアリー・ダグラスの『汚穢と禁忌』には「穢れの感覚は、ものが本来あるべきところではなく、境界を超えて存在する時に生じる」とあるが、それに近い心の動きだ。こうした感情は、公の場での裸に対する断罪にも少なからず影響しているのではなかろうか。裸に飽きていた私でもこれなのだから、免疫がなければ尚更だ。

2

幕末に日本を訪れた欧米人が、混浴文化に嫌悪感を示した話は広く知られているが、その根拠として最も有名な『ペリー提督日本遠征記』では、銭湯の男女混浴と春画・春本の氾濫を並べて執拗に罵っている。この激越な反応は、前述の心情に通じるものではなかろうか。西洋にも公衆浴場の文化はあったが、ペストなどの伝染病の感染源と疑われたり、浴場に偽装した売春宿の横行があったりで廃れ、更には教会による思想の統制が「人前で肌を晒す行為」への強い拒絶を生じさせた結果、裸が「異常なもの」「悪しきもの」として扱われるのが当然となった感がある。16世

★ピーテル・パウル・ルーベンス『パリスの審判』(1639年頃)

紀の後半には、フランクフルトのマイン川で裸になって水浴びしていた8人の青年が逮捕され、一ヶ月の禁固刑を受けている。パリのセーヌ川を全裸で泳ぐ若い娘が現れた際には、あり得ない変事として大騒ぎになり、時のフランス王シャルル9世や廷臣たちも挙って見物に行ったという。

こうした例を見ると、宗教的な道徳が裸への忌避感を作り上げたかに思える。だが、キリスト教が弾圧対象だった帝政ローマ時代初期にも、裸を悪しきものとして扱うエピソードは散見される。プルタルコスの『モラリア(倫理論集)』に収録された『女の特性(烈女伝)』では、ミレトスの街に住む女性の間で自殺が大流行し、どんな対抗策を講じても止められない状態になったが、「自殺者の死体は裸にして埋葬前に市中を引き回して晒し者にする」との告知を出すと、ブームが瞬時に消滅したとの話が掲載されている。

更には、己の裸だけではなく他者の裸を晒す行為にも厳しかったようで、姦通の罪で死刑判決が下された女を処刑場に引き立てる途中、刑吏が衣服を脱がして市民の前で罪人の裸を晒したのを咎められ、刑吏も火炙りで処刑された、という倫理観が混乱する同時代の逸話も残っている。

ならば、古来から人には裸を厭う本能があったのでは――と思いきや、それが怪しくなる話もまた出てくる。15世紀のフランスでは、王侯が都市に入城する際のセレモニーとして、ギリシア神話や旧約聖書のエピソードを再現していた記録がある。国王に即位したルイ11世のパリ入城では、セイレーンの扮装をした3人の娘が登場。フィリップ美公(フェリペ1世)のアントワープ入場では『パリスの審判』を模して3人の女神が再現されたという。そして、これらを演じた娘はいずれも裸だったとされる。

曖昧すぎる基準に困惑は深まるばかりだが、欧米の文化や道徳に迎合すると決めた日本もまた、裸を巡るトラブルに振り回されることになる。

★黒田清輝『朝妝』(1892-93年)

3

幕府の倒された明治元(1868)年、横浜では男女混浴の禁止が公布される。同じ年に立小便禁止令が出されたのも含め、居留地の外国人の目を多分に意識しているのは想像に難くない。翌年には東京で乞食の追放令、その翌年には東京でも混浴の禁止、そのまた翌年には裸や露出度の高い格好での外出が禁じられる。そして明治5年、風紀紊乱につながる行動を取り締まる『違式詿違条例』が制定され、これまでに禁じた諸々に加えて、刺青や春画や見世物小屋など、海外から批判を受けそうな物事が片っ端から規制されていく。

付け焼刃の道徳心が「正しいもの」と定義された結果、これを有難がって過剰な規制を打ち出そうとする勢力も登場する。こうした動きを煽っていたのは、今と同じくマスコミだ。まずは明治15(1882)年頃、小学校や女紅場(女学校)で体育の授業が導入され始めるが、当時の新聞(東京日日と郵便報知。現在の毎日と報知の前身)は「女子にはしたない格好をさせ、男子同様の行動をさせるのは貞淑さを損なうと考え、娘を退学させる親が増えている(大意)」「嫁入り前に裁縫を覚えるのが目的なのに、何故に体操をするのかと退学者が続出(大意)」と煽り、その数年後に海水浴ブームが起これば、朝野新聞は「肌に密着した薄着で女性たちが泳いでいるが、多くの男女が入り乱れる場では何が起きるかわからない(大意)」と苦言を呈する。

その後、黒田清輝の『朝妝』を嚆矢とする、芸術作品における裸が問題になる頃には、報道も批判一辺倒ではなく、警察による過剰反応への危惧を述べるようになる。となると欧米での裸の扱いが寛容になり、それにメディアが呼応しているのかと思いきや、海外でも日本と同様の騒動は起き続けている。

1917年12月、パリの画廊でモディリアーニが初の個展を開催するが、初日から尋常でない大混雑となって警察が状況の確認に訪れる。そこで警官たちが展示された裸体画を猥褻物と判断し、翌日以降の展示の中止を命じた。判断理由は「陰毛が描かれていたから」。今となっては冗談のような話だが、裸をタブーとして扱う風潮は中々に根強かったようだ。

　しかし、騒動を巻き起こす原因になるというのは、裏を返せばそれだけ注目を集めて反応を得られるということでもある。なので、裸を表現手法として用いる動きは徐々に世間に浸透し、やがて一般化されていく。

4

以前、本誌№87『はだかモード』の記事でも書いたが、裸になる・裸を見せるという行動は、とにかく「強い」。有名な女優やアイドルがヌードを披露すれば、脱いだ事実だけで話題になる。バラエティ番組の益体もないゲームも、参加している芸人が全裸になれば笑いが取れる。コメディでの脱衣・露出ネタは古くから鉄板ギャグで、誰もが映画や漫画で何度も目にしているだろう。

　こうした「強さ」故に、裸はパフォーマンスの手段としても用いられた。街中を裸で走り回ったり、イベント会場に裸で乱入したりのストリーキングは、70年代前半の流行が終わった後も、散発的に発生しては世間を騒がせている。身近なところでは、小中と同級生の大原（ちょっと仮名）という男が、チビで小デブで勉強も運動も苦手な地味キャラだったのに、中学で「何かあるとすぐ裸になる」脱ぎ芸キャラとして開眼し、周囲から良くも悪くも一目置かれる存在となった、というのがある。

　後で滅茶苦茶に怒られるとわかっているのに、校長の長話の最中でも粗暴な体育教師の前でも平然と脱いでいた彼の蛮勇は、今にして思えば窮屈な学校生活への抗議運動だったのかもしれない。大原の真意はともかく、裸で注目を集

★アメデオ・モディリアーニ『赤い裸婦』（1917年）

★ストリーキング（1941年、ドイツ）

めてメッセージを発信する「ヌード・プロテスト」と呼ばれる行動は、かなりの頻度で発生している。

近年の事例としては、20年5月のジョージ・フロイドの死をきっかけに広まった抗議運動の中、7月19日のオレゴン州ポートランドで警官隊とデモ隊が睨み合う状況が発生するが、そこに覆面姿の裸の女性が現れてヨガのポーズやM字開脚を披露し、対処に困った警官隊が撤退して衝突が回避されたことで、メディアから『裸のアテナ（Naked Athena）』と名付けられた件などが有名だろう。

ただ、この手法にはどうしても悪目立ちの印象がついて回るので、世間の反応は否が多めの賛否両論となりがちだ。フェミニズム寄りの主張を中心に、社会問題や宗教問題に対するアグレッシブな抗議行動を行っていたウクライナの『FEMEN』は、トップレスで行うパフォーマンスの数々で知名度を高めたものの、過激さ最優先のスタンスは広範な支持を得られず、中心メンバーの離脱も相次いで、現在では影響力を著しく落としている。にしても、FEMENによる執拗な「プーチンを標的にした攻撃」は、当時（クリミア併合前）は売名目的と冷笑されていたが、今となっては冷水を浴びせられる気分だ。

公衆の場で裸を見せることを悪と糾弾できるのだろうか?

5

裸は強いが、その強さが主義主張をブレさせるので、社会や歴史を変えるような原動力にはなり得ない――と言いたいところだが、図らずも変えた例は幾つかある。

その中の一つに、昭和7（1932）年12月16日、東京の日本橋にあった白木屋百貨店で発生した、死者14人と重軽傷者多数を出した大火災がある。この火災から避難する際、和服姿の女性店員が腰巻のみのノーパンだったため、周囲に集まった野次馬から陰部を見られるのを

★白木屋百貨店の火災

恥じて、裾を押さえるために命綱を手放して死亡する状況が続発し、この件が日本女性にパンツ（当時の呼称はズロース）が普及するきっかけとなった、というものだ。

この説はかなり広まっているが、疑問を呈する向きも少なくない。井上章一『パンツが見える。羞恥心の現代史』（02年、朝日新聞社）では、当時の新聞雑誌や関係者の手記などを調査し、ゴシップ誌による憶測記事と、当時の白木屋幹部の責任逃れの発言などが核となって作り上げられた、根拠の薄い『伝説』だと断定している。井上は更に、この火事よりも数年遡る関東大震災の後にも、裾の乱れを気にして女性の避難が遅れた例が語られているのを引き、下着着用の啓蒙に災害が利用された可能性にも言及している。

より明確に変化の引鉄となった出来事としては、過熱する崇仏派と廃仏派の争いに巻き込まれた、日本最初の尼僧たちの遭遇した災難が『日本書紀』巻二十に記録されている。584年（敏達天皇13年）、日本に仏教を広めようとする蘇我馬子は、渡来人の仏教徒である司馬達等の11歳になる娘・嶋を得度させて善信尼を名乗らせ、弟子の禅蔵尼、恵善尼と共に出家させる。馬子は彼女たちを仏教振興の旗頭に据えようとするが、翌年に疫病が流行した際、廃仏派の物部守屋らが「疫病は異国の神を信奉したのが原因である」と天皇に奏上。それが認められた結果、守屋は仏殿や仏像を破壊して回り、善信尼ら三名を海石榴市へ連行すると、公衆の面前で全裸にして縛り上げた挙句に、鞭で打ったとされている。

この前代未聞の蛮行の後も疫病が収まらず、それどころか敏達天皇も守屋も疫病に罹患したので、人々は「仏像を壊した祟りではないか」と噂したという。この件による馬子と守屋の対立の激化が、二年後に起こる丁未の乱と崇仏派の勝利につながっているので、日本での仏教の隆盛は尼僧の裸が原因と言え――なくもない。

より大きなスケールで人々に影響を与えた裸には、第二次大戦中にナチスの強制収容所で行われた大量殺人の犠牲者の姿がある。痩せ衰えた裸体を晒して廃棄された、異常な人数の男女の死体を撮影した映像は、人間が際限なく残酷になれる事実と、差別と迫害の行き着く先を示した負の記念碑として、今も人々に衝撃を与え続けている。しかし、それを大幅に歪めているシロモノを、私は目にしたことがある。

残酷ドキュメンタリーがビデオ屋の隠れた人気商品だった頃、『デスキャンプ　絶滅収容所』という作品が世に出た。ナチの蛮行の記録としてはベタな構成で、内容に特筆すべき部分もないのだが、異常な点が一つあった。それはゲットーの劣悪な生活環境や、収容所で発見された死体を映す際、性器や陰毛が映るシーンにモザイク処理をしていた点だ。

この間抜けな一手間によって、人類史に残る悲劇が芸人の悪フザケと同列になっていたのは、呆れるのを通り越して空恐ろしさすら感じた。16年にも、かの有名な「ナパーム弾の少女」の写真（The Terror of War）をフェイスブックが児童ポルノと認定し、物議を醸した事件があった。冒頭の「裸だったら何が悪い」との問いは、こうした馬鹿馬鹿しさにこそ向けられるべきだろう。自由や解放の象徴としても用いられる「裸」が、不自由と不道徳の指標と化す前に。

★『デスキャンプ 絶滅収容所』

NAKED 感情も記憶も曖昧な境地でみせるかがやきを描く 結城唯善インタビュー

◉取材=日原雄一（精神科医）

小学校のころから、一緒にマンガを描いていた。つくった雑誌は『月刊チャンポン』。藤子・F・不二雄が『月刊チャンピオン』のパロディとして作中に出した雑誌の、さらにパクリである。四人でやっていて、そのひとり小川貴士くんは妻子持ち、そしてロウクリミヤは台湾がルーツで、いま中国語を学んでいる。巨体の女性を描いて、その界隈では人気らしい。

もうひとりの結城唯善《ただよし》氏ははやくから絵のコンクールで賞をとったりしていたから、中高時代から「画伯」と呼んでいた。まさかホントの画伯になるとは。「外光派」の画家として日展やなんかに絵をだしてたり、外光派って何だか知らないけど、銀座で個展もやって、若い男性がキラリと光る『花影』、若い女性の『耀影』なんてところ、実にいいんです。とりわけお父様をモデルにしたシリーズは、アルツハイマーになったことで以前の立派さを失っていき、いわば「素」になった姿を描き出して、とても評価されてる。今回の特集が『ネイキッド』ということで、こうした「素」が醸すきらめきを描く画伯に話を聞きたいと思い、インタビューをもちかけた。すると、リモートで、深夜零時くらいからやろうという。

★カラー図版→p.12

★(右頁)《星とり》2010年
(左)《冬の光》2014年

◎夕食も遅いし、ふだんこの時間は、四時五時くらいまで、絵を描いたり、論文書いたりしてる。

——え、どんな論文?

◎今は、黒田清輝の作品について。

——「黒田清輝」って、明治期のひとだよね? ってくらいの知識しかないんだけど、今ネットでググったら結城画伯の関連するページによく書かれてる「外光派」ってところにつながってくるけど。『湖畔』とか『舞妓』とかいいねえ。

◎そうでしょ。日本が明治期に西洋化していくなかで、黒田清輝は法律を学びにフランスに留学したんだけど、二年後には絵画に転向したのね。影はただ黒で描けばいいってものじゃないんだ、その影によっていろいろあるんだってことを言って、観察と個性の重要性を説いた。型にはまるな、とも。

僕の師匠にあたる藤森兼明先生から、たどっていくと黒田につきあたるということもある。養父は黒田清綱っていう政治家・軍人で、歌人でもあった。

——画伯の場合だと、お父様がいくつのときの子だっけ。

◎五十九だね。

——僕が画伯んちに初めて行ったのは小学三年生くらいのときだけど、おだやかで優しくて、物静かで、夕方になると相撲を観ていらしたイメージがあるけど(笑)。画伯にとってお父様は、どういう存在だった?

◎やっぱり、早くから父はアルツハイマー病で、それこそ小学校のおわりくらいのときから。中学高校は寮生活だったし……。だから、じっくり話し合ったりしたとか、そういう

——おひさしぶりです。っていうか、こんな時間にとは、どんな生活スタイルなんだよ。

◎夜型?(笑)。自分のなかでは、これがフツーなんだよね。

——高校や大学の美術の先生もしながら、なんでこんな遅くに(笑)。

★《影とひかり》2015年

思い出は少ないけど、やっぱり優しくて、おだやかで。相撲好き（笑）

――画伯のホームページのエッセイをよむと、いいなあっておもうよ。たとえば『影とひかり』という作品について書いた文章を読むと――

「十月初頭が締め切りのその年の日展への出品画には、父の立ち姿を描いておきたいと考えて、年の初めから取材を重ねていた」。

「その時も、父に壁の前に立ってもらい色々な方向からデッサンをしていた。その日は曇りで、雪を呼びそうな湿気を帯びた寒風が時々吹いていた。父は愛用のトレンチコートに濃緑のマフラーを巻いた装いで、手をしきりに擦り合わせていた。その動きは父の癖だった。踊り場といっても、外にある非常階段に面した場所なので、半分は屋外のようになっている。自然光が差し込むので、モデルをしてもらうのには都合が良かった。不意に、重い雲が晴れ、あたたかな強い一条の陽光が差した。今まで天井の陰の半室内で風の冷たさを凌いでいた父は、その光の方へのっそりと歩んでいった」。

そうした時間はお父様にとっても、特別な時間だったろうと思うよ。生きてるうちにお父様を描き続けてこられたのは、何より親孝行だとおもってね。

画伯の以前のインタビューで、「高齢の父に道化師のイメージを重ねた寓意的な作品で、第96回光風会展および第42回日展に年度最年少入選、光風会展では奨励賞を受賞した」って紹介されてたものがあったけど。

◎それは『独り芝居―結城忠雄の像』という作品（12頁参照）。この絵を描くにあたって、強烈に印象に残っていた絵があって。フランスのアントワーヌ・ヴァトーの代表作『道化師』って作品が心に残っていて。これがまたすばら

★アントワーヌ・ヴァトー《道化師》1718-19頃

しい顔をしていて。

——（ネットで検索して）ほお、この顔かぁ。

◎いい表情だよね。笑っているんだか、悲しいんだか、なんとも言えないこの表情が。この絵がずっと頭にあるなかで、病気の父親というものと道化師をダブルイメージにさせたところもあった。

——確かに、じっと見ると表情がね。

◎なんとも言えない、目が合うか合わないか。この一瞬の表情。

——道化師っていうとね、画伯は小学校ではクラスの人気者で、みんなを笑わせて達者な道化師みたいにやってたけど、仏像が好きだったり、お地蔵さんの絵を学芸会の台本の表紙に描いたり、なんだこいつってイメージだったんだけど（笑）。

◎そういうものが身近にあって好きだったからかな（笑）。百人一首が好きだったのもそう。昔は坊主めくりばっかりしていたけど。

——「おっぺけぺー」とか、画伯が言い出してね。こっちはオッペケペー節なんてしらないから、クラスじゃ「ターボー語」って呼ばれてて。小学三年くらいのころ、川端康成が好きって言ってて。なに言ってんだと思ったり（笑）。

◎なんか恥ずかしいな（笑）。あまり昔の記憶はないんだけど、やっぱりそれも身近に転がってたからかな……。

——やっぱりそれは、お父様が樋口一葉の日記を出版したりしてた出版社、アドレエーの社長でもあったからだろうね。樋口一葉はなに読んでたのよ。

◎最初読んだのは『たけくらべ』じゃないかな。川端康成の『雪国』も小さいころに読んだけど、とにかく難しいし、ただ、断片的なシーンの情景の綺麗さが強く印象に残った。で、中高くらいでまた読むと、なるほどなって。

——同じ家でも、うちの父親は北杜夫だったけどね。で、僕自身いまも北杜夫、好きだけど。

◎それこそいま描いてる作品が、樋口一葉の作品からインスパイアされていたりする。

——そうなんだ！ なんてタイトル？

◎『闇桜』。

——すごいな……樋口一葉そんなのも書いてるんだ。

◎あと、僕は子どものころ、東京の本郷で育ったってことは大きかった気がする。上野の美術館もよく行っていたし。

——弥生美術館、竹久夢二美術館とか、いろいろあるしね。一緒に弥生美術館の内藤ルネ展行ったのおぼえてるよ。まえは神保町に画伯のアトリエがあって、神保町で偶然会ったことも。

◎いまも行くよ、神保町。

——画伯の神保町のアトリエでさ、藤子・F先生のこと話したり。小学校、中学校のころ一緒に出してた『月刊チャンポン』もF先生のパクリだったけど、まさに内容はチャンポン、ごった混ぜで。あれ手元に残ってないんだよねー。ロウクリミヤくんと三人でやってて、いちばん最後に入ってきた小川くんが、なんかけっこう持ってるらしい

★（上）《幽光》2022年
（下）《耀影》2022年

（笑）。小川くんは結婚して、子どもいて。

◎小川くん、子どもいるの!? そっかあ、じゃあ「もう子どもじゃないってことだな……」。

――あ、それいい！『劇画・オバQ』のラストでQ太郎が正太に言ったセリフだね。

◎『劇画・オバQ』も『ある日……』も、ラストがすごいんだよね。F先生の作品は、最後のコマがすごい綺麗。『みどりの守り神』とか『流血鬼』とか。『老年期の終り』のラストのコマの絵が一番好きだなあ。

――僕は藤子・A先生がすごいだいすきなんだけど、やっぱりF先生なんだよねえ。謎シンクロの話するけど、俺ね、いま住んでるとこ藤子・F・不二雄ミュージアムの近くなのよ（笑）。

◎それはすごい（笑）。なんか不思議なシンクロってあるよね。育った環境とか小さいころから見てきたもの、好きだったものとはずっとつながりがあって、それで今の自分が形成されてるんだって気づくことがある。だから、いま描いてるものもつながってるとおもう。

　自分のなかでは、美とはなにかということはやっぱりひとつ大きな課題としてあって、父親を描いた作品と、昨今の若い女性を描いているものは、一見かけ離れて思われるかもしれないけど、自分のなかではあんまり区別してはいないんだよね。

　関係性も含めて、ビジュアルイメージから得た、霊感みたいなものから絵をつくっていきたいところがあるんだけど、自分がそうなってきたときにもう父はいなくて、絵にしたいという女性や男性がまわりにいたから、最近はそうした人たちをモデルに描いている。だから、自分の美意識のなかではそれらはシームレスなところがある。

――ほおー。

◎父は、自分にとって父ではあるけど、だからどうってそれだけではなくて、或る種の造形的な魅力が、自分にとってはかけがえないイメージだから。女性や、男性に対しても。

　でも父にはわかりやすい、老年の儚さみたいなものも感じられるよね。

★(上)《昏光》2022年
(下)《花影》2020年

結城唯善(ゆうき ただよし)
1990年、東京都生まれ。2010年、大学在学中に第96回光風会展に《独り芝居―結城忠雄の像》を出品し初入選、光風奨励賞を受賞。同年、《星とり》が第42回日展に初入選。2014年、武蔵野美術大学大学院を修了。22年、《幽光》が第57回昭和会展に入選、同年第108回光風会展出品作《昏光》がSOMPO美術館賞を受賞。他に受賞入選多数。現在、日展会友、光風会会員、文化ファッション大学院大学非常勤講師。

父は病気で、感情も記憶も曖昧になっていって、だけど、そうしたなかで一瞬みせる曖昧なかがやき、霊感を感じさせられる瞬間があって、それを描きながら追いかけていく。自分にとっては現実そのものなんだけど、みんなにしたらそうじゃないものを、自分の美意識で描くことは、絵でしかできないことじゃないかと思う。黒田清輝の絵だったり、先人たちのさまざまな思考や、和歌も文学、マンガなんかも、複合的に積みかさなって、いまの自分の美意識が育まれたとおもうから、自分自身の発見ではなくて、現実のなかで出会ったそういうさまざまな一瞬に潜む夢みたいな部分をかたちにしたいとおもってる。

だから、アルツハイマーの父がもっていた或る種の強烈なイメージや、若い女性の儚さは、自分のなかではシームレスに感じる。そこにある、うつろってしまう一瞬のきらめきみたいなものを追いかけることが、自分にとって美を考えること、絵を描くことだといえるかな。

――そうしてとらえられた儚さのイメージが、剥き出しになった「素」を垣間見させるのかもしれないね。

きょうは遅くにありがとう、午前二時一〇分だってさ。画伯ももう寝なよ。

◎たぶんこれから五時くらいまで描く!

――いいなあ、俺もほんとは夜型なんだけど、ロングスリーパーだから、寝ないとしぬからさ。

◎そうだよね。絵描いてるときは元気だけど、終わったらぐったりしちゃう(笑)。さいきんは、通勤の電車とかどこでもすぐねれるようになってきた。大人になったんだよね。

エゴン・シーレの歪なエロスと、ネイキッドな偏愛的美学

●文＝並木誠（アートライター）

エゴン・シーレ（1890-1918）は、オーストリア、トゥルン生まれの画家。アドルフ・ヒトラーが合格を果たせなかったウィーン美術アカデミー出身。ウィーン分離派の領袖クリムトに始まり、象徴主義（ヤン・トーロップ）やゴッホ、表現主義（ムンク、ココシュカ）の影響を通して、独特なエロティックな裸体画や幻想的な風景画等を描き、20世紀初頭のウィーンの代表的画家として知られる。

1909年に美術アカデミーを中退すると「新芸術集団」をアントン・ペシュカやハンス・マスマン等と結成、ピスコ画廊で最初の展覧会を開催し、コレクターの耳目を集める。12年には未成年の少女誘拐などの疑いで逮捕され、約3週間の拘束の後3日間の禁固刑に処せられるが、15年にベルリン分離派の「ウィーン・クンストシャウ展」に参加するなど次第に国

★図版はいずれもエゴン・シーレの作品
（この頁）「座っている男性のヌード」（1910）

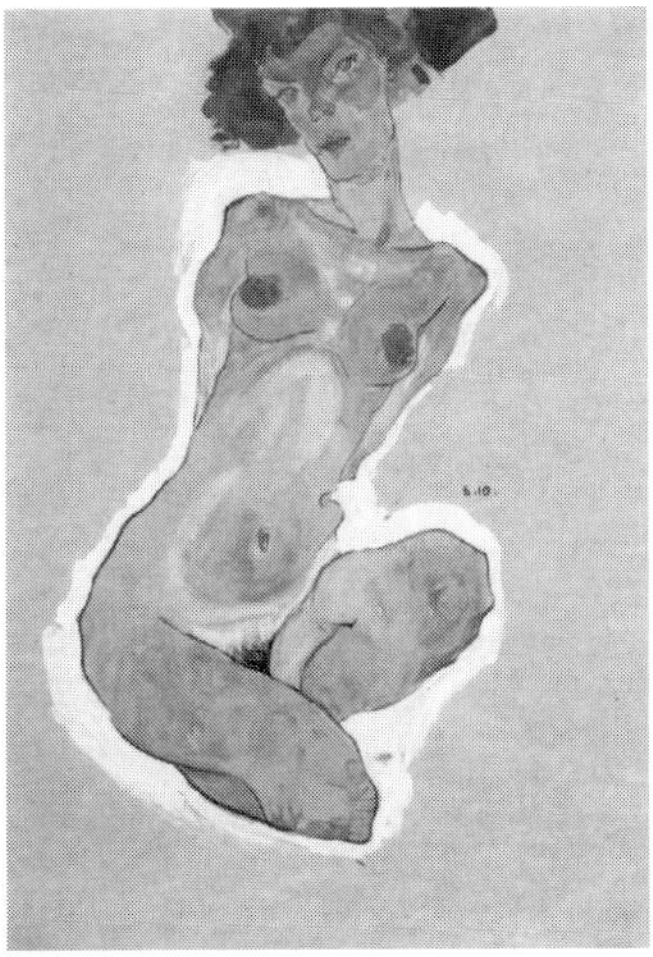

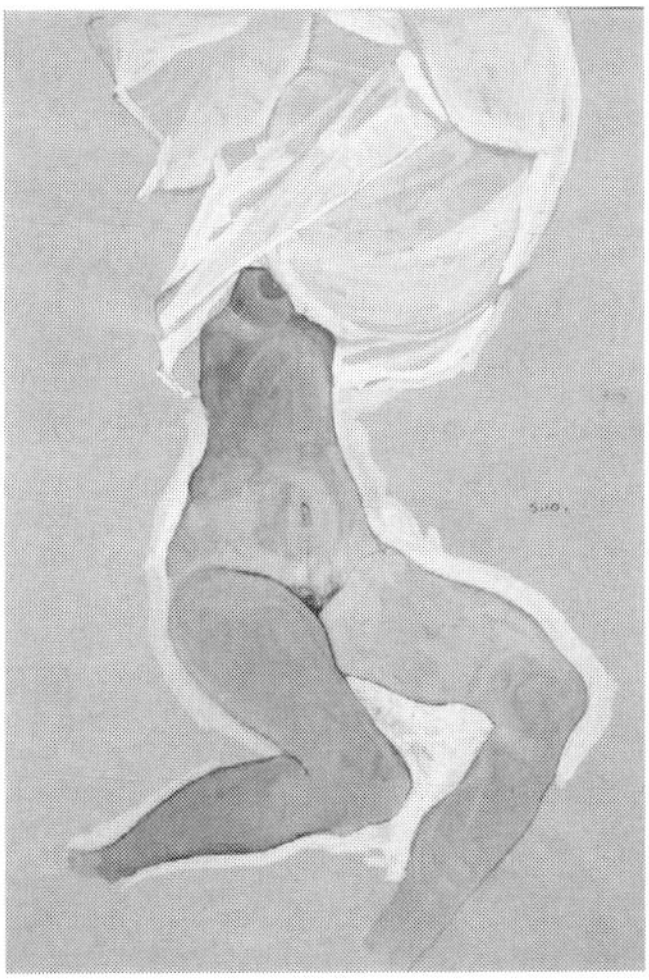

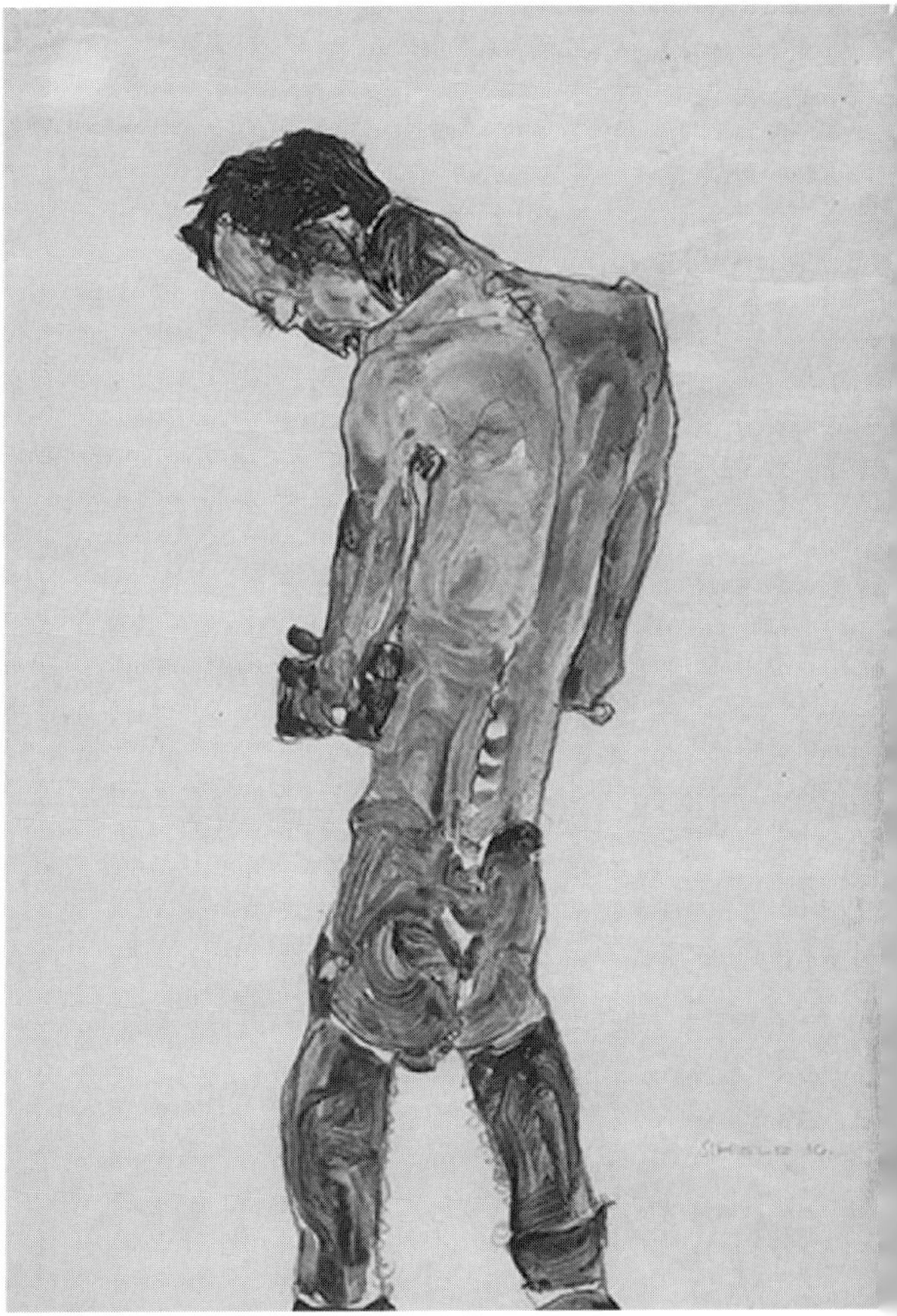

際的名声を高めていった。そして第一次世界大戦で従軍を経験した後、18年の第49回分離派展に油彩や水彩画を数多く出品、大きな成功を収める。

しかし同年、スペイン風邪により子供を身籠ったまま妻のエーディットを亡くし、シーレ自身も3日後に急逝する。享年28歳。シーレの父アドルフと母マリーの間の最初の2人の子供は死産であり、3人目のエルヴィラも10歳の時、髄膜炎で死亡。父親もシーレ14歳の時に死ぬなど、シーレの家族には、常に死の陰が渦巻いている。

シーレのラディカルな裸体画の数々は、剥き出しの生と性のアレゴリーである。エロティックで情動的で、『背を向けて立つ裸体の男』(1910)などのカタレプシー(緊張病)的な身振りは、のちの土方巽の暗黒舞踏にも通ずる(実際、土方のノーテイションである『舞踊譜』にはエゴン・シーレの図版が見られる)。こうした肉体の本質に肉薄するシーレの視座は、同時代の建築家アドルフ・ロースが唱えた「装飾は罪悪」という削ぎ落とされた裸形の精神美学と共鳴し、そこには、

★(右)「背を向けて立つ裸体の男」(1910)
(左上)「しゃがむ裸婦」(1910)
(左下)「頭の上にシャツをはだけて座っている裸婦」(1910)

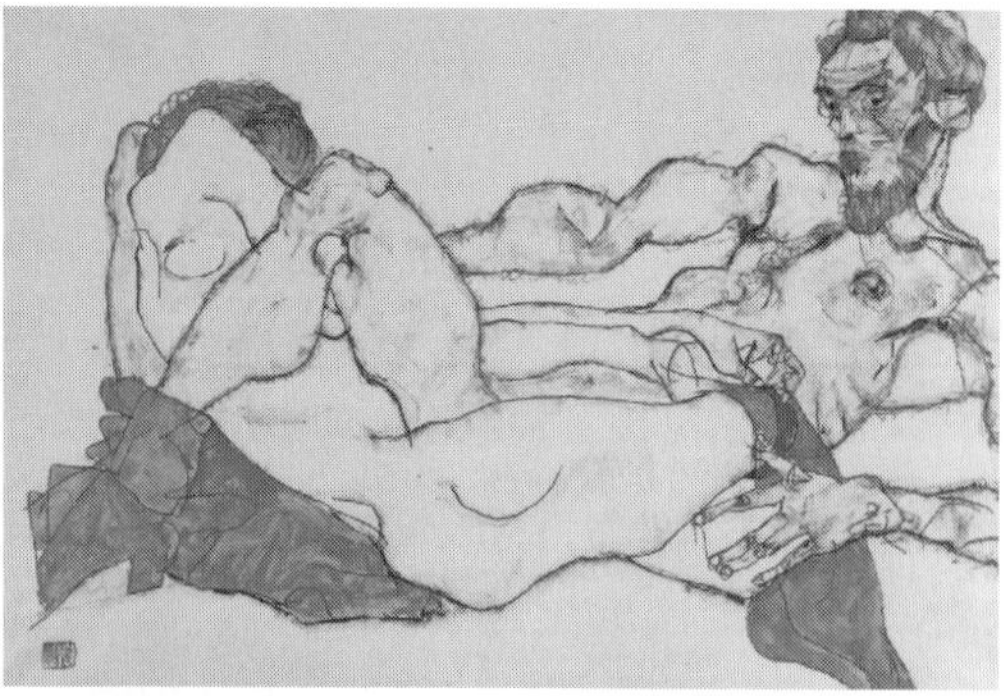

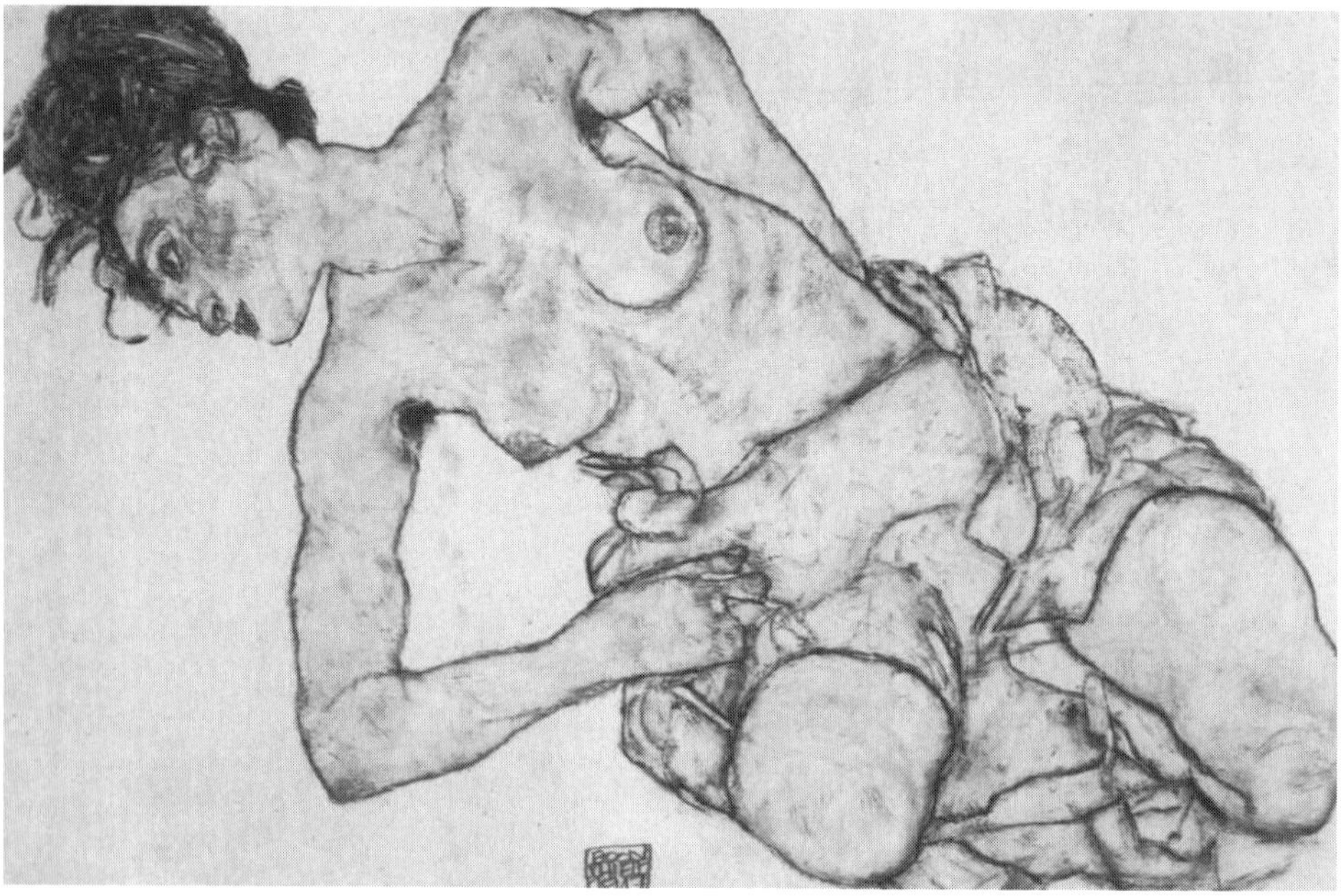

敬愛する父親を壮絶な麻痺を伴う梅毒で亡くした悲しみや、表現主義的で即物的で野性的なエロティシズムがたぎっている。

美術史家ケネス・クラークによると、裸体には「ヌード」と「ネイキッド」がある。前者はギリシア・ローマ芸術や古典絵画に見られる理想美的な裸体で、後者は、エロティックな剥き出しのまさに現実的な裸体である。

モデルの娼婦などと関係を持ったシーレの猥雑でエロティックな裸体画は、ネイキッドの範疇だ。これは、ウィーン世紀末から第一次世界大戦の勃発、オーストリア=ハンガリー二重帝国終焉の揺籃期が産み落とした歪な欲望をも映す。ブルジョア的、キリスト教的な性道徳への疑念とその抑圧や、精神分析のフロイト的な『快楽原則の彼岸』であるエロスとタナトスのアンビバレンツな発見なども背景にあろう。

シーレが描く歌舞伎の見得切のような誇張されたポーズには、彼の蔵書であった北斎の画集や写楽の大首絵などジャポニズムの影響が伺える。また、ロッテ・プリッツエルの創作人形

★（右上）「座っている裸婦」（1914）
（左上）「愛好家」（1913）
（下）「ひざまずく裸婦」（1917）

シーレの猥雑な裸体画は当時の時代の歪な欲望をも映す

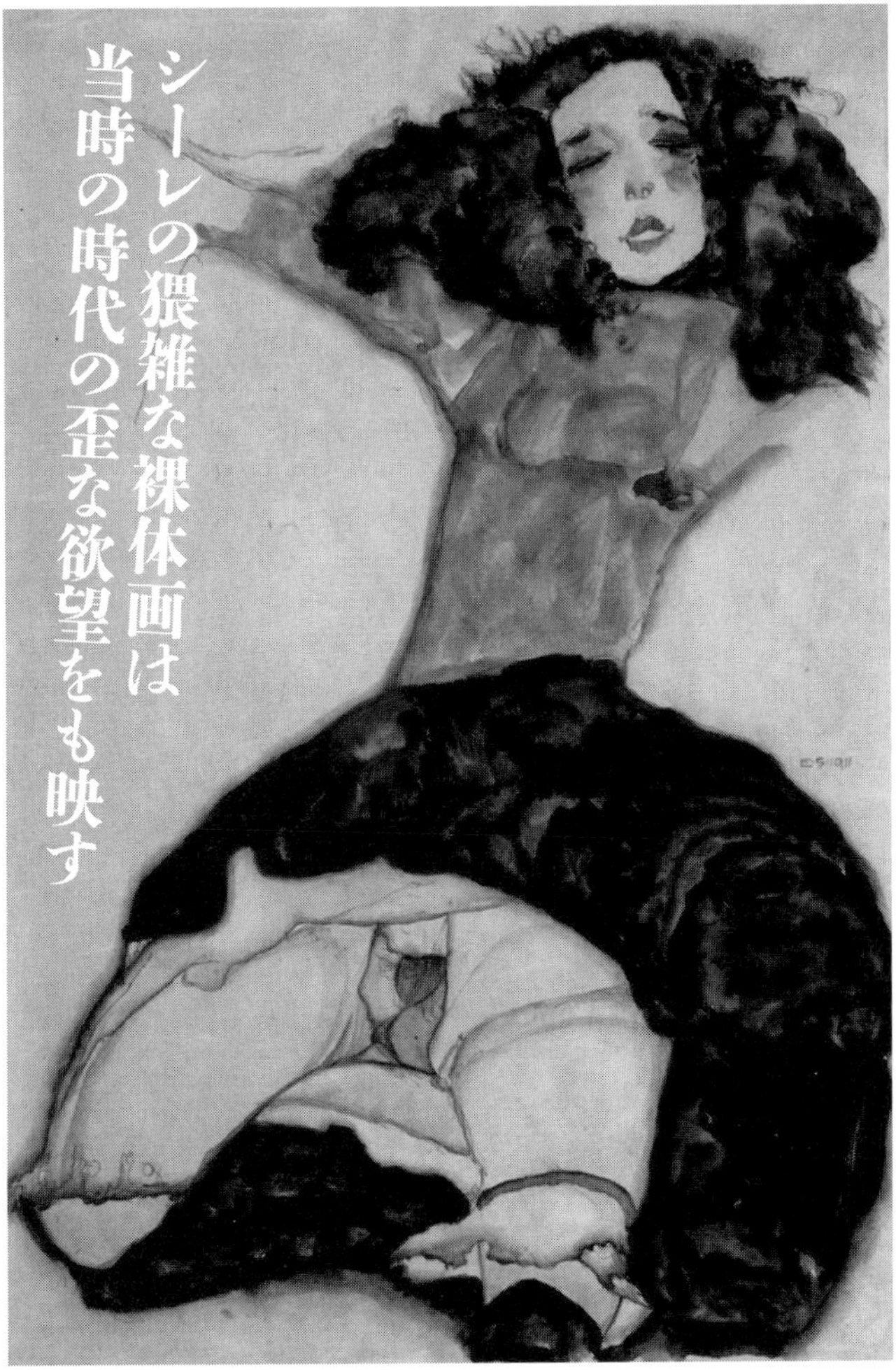

やパントマイムの役者であるエルビン・オーゼンの身振り、18世紀フランスの神経学者ジャン=マルタン・シャルコーのヒステリー患者の写真——女性が後方に反り返るヒステリー・アーチなどの身振りが参照された。

短い28年の生涯で実に200枚以上の自画像を描いたエゴン・シーレは、病的ともいえるナルシズムと自らのレゾンテートル（存在事由）への切実な希求があり、茶褐色で乾いたような肌の裸体《ネイキッド》への偏愛的美学には、歪なエロスの中で培われた他者への触覚的な共鳴と共感が窺える。そしてその先には、死の境地が広がっている。ラテン語のホモ・サケルは、「聖なる人」と「呪われた人」とのダブルミーニングだが、孤高なる天才、エゴン・シーレの裸体《ネイキッド》の作品には、まさにそれに似たデモーニッシュな危険な香りが漂っているのである。

●参考文献
『エゴン・シーレ展カタログ』（東京新聞、1991）
『ユリイカ　2023年2月号　エゴン・シーレ　戦争と疫禍の時代に』（青土社、2023）
『レオポルド美術館　エゴン・シーレ展　ウィーンが生んだ若き天才』（朝日新聞社、2023）

★（右上）「レズビアン」（1914）
（右下）「抱き合う二人の女性」（1911）
（左）「スカートをめくった黒髪の少女」（1911）

ダークサイド通信 no.10

Countdown

最合のぼる　文・写真

カウントダウンが始まる

15　16　17　18　19　20

私はヌード専門のデッサンモデルをしている。主な仕事場は美術系の予備校だ。たまにカルチャーセンターの教室に呼ばれることもある。仕事に出向く時、下着は付けない。素肌に跡が付かないように、服もなるべくゆったりとした物を着用する。必ず携帯するのはタイマー、スリッパ、ガウン、それと立ち位置に印を付けるためのマスキングテープ。帰りの下着も必需品だ。大体十五分から二十分ポーズを取り、十分休憩。二時間から長くて三時間。同一ポーズの時もあるし、要望次第で休憩毎に変えることもある。時給は着衣のモデルより五割増しだが、毎日仕事が入る訳ではないので大した収入にはならない。デッサンモデルの仕事を選んだ理由は自分でもよくわからないが、何となく出来そうだと思ったからかもしれない。ヌードを選んだのは、服を考えるのが面倒だったからだ。

現場に着くと教室の講師と軽く打合せをし、すぐに仕事に取りかかる。服を脱ぎ、ガウンだけを羽織る。すでに準備をしている生徒たちの間を抜けて指定された場所でポーズを確認する。少し離れた場所でガウンを脱ぎ、その上に置いたタイマーのスタートボタンを押す——用意されている椅子やソファに腰掛けたり寝そべる時もあれば、立ちポーズのこともある。私はどんなポーズの時でも、ほとんどのデッサン教室に置かれている石膏像のひとつに視線を固定する。そして普段よりも少し遅い呼吸を心掛ける。静まり返った教室の中、木炭や鉛筆が紙の上を滑る音だけが聞こえる。生徒たちは私の全身を隅々まで捉える。髪の生え際、目元の泣きぼくろ、少し荒れている唇、首の筋、鎖骨の窪み、皮膚感、肉付き、多めの陰毛、左足の曲がった小指、自分でさえ気づかない肉のたるみや皺があるかもしれない。彼らにとって私の

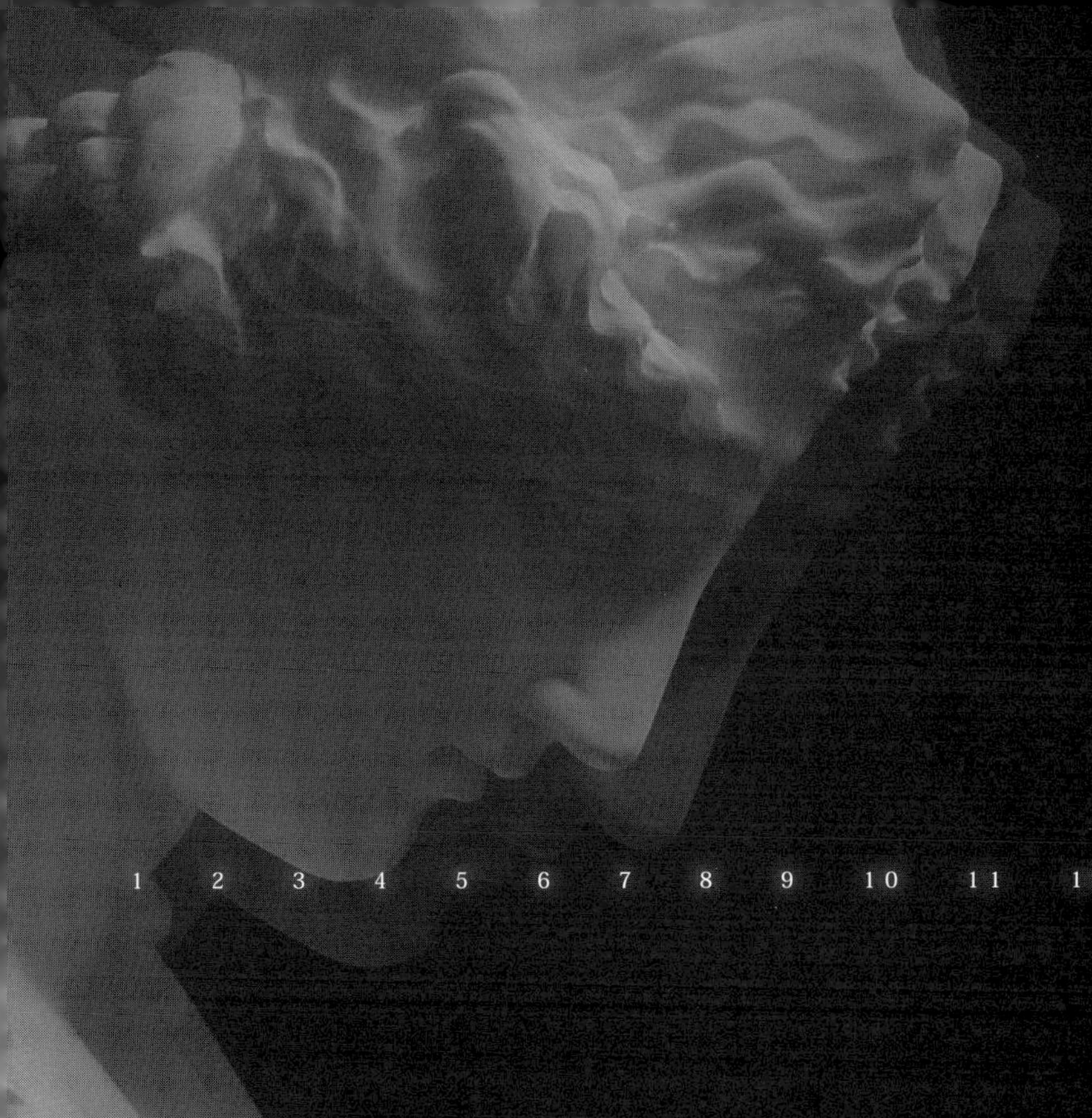

ない肉のたるみや皺があるかもしれない。彼らにとって私の体は単なる対象物だ。造作に対しての好みは多少あるかもしれないが、それ以上の感情は持ち得ない。開始から数分、無機質にしては熱のこもった視線に晒されていると、私はいつも奇妙な感覚に陥る。この教室に来た時の、すっかり脱いでしまった衣服を身に付けているように感じるのだ。布地の肌触りと服の間から立ち上る自分の身体の匂いが鮮明に蘇る。私は見つめている石膏像に問いかける。私は今、本当に裸なのかと。しかし石膏像が答えるはずもなく、デッサンに集中する彼らは寄って集って見えない衣服を奪い取っていく。私が彼らと視線を合わせないのと同様、石膏像と私の視線も決して交わることはない。この石膏像のモデルとなった人物も、芸術家の前でポーズを取ることがあったのだろうか。私は視線を動かさずにその白く滑らかな石肌を観察する。ふと、自分の身体の匂いが強くなったような気がした。それもそのはず、彼らは衣服だけでは飽き足らず、私の皮膚を剥がしにかかっていた。薄皮を取られても痛みはさほど感じない。しかし喉が渇き、全身に薄らと汗が滲む。彼らは剥ぎ取った皮膚をガウンのようにくるくると丸めると、今度は脂肪を削ぎ始めた。ぶよぶよとした黄色い塊が足元に落ちていく。脂肪の間からピンク色の肉が見え始めた時、内側から胃を突き上げるように、何かが蠢いた。奴だ。奴が警告している。足元に拳大の肉塊が落ち、再び胃が突き上げられる。二度目の警告。全身から冷や汗が吹き出し、恐怖心に支配されそうになる。肉を削がれてなお視線を動かせない中、端整な顔で沈黙を続けていた石膏像に、苦悶の表情が浮かんだ。身体を千切れるほどに捩り、今にも断末魔の叫びを——タイマーの軽やかな音が鳴り響いた。

表情を貼り付け

常に平然と

無関心の振りを続け

当たり障りなく

装ってやり過ごす

しかし増幅する悪意

しかし加速する狂気

鎌首をもたげる

押し殺して

押し止めて

奴は、息を潜めて

時を待つ

怪物は、時を待っている

カウントダウンが始まる

対話のような自問自答 19 20

溶け出す時間 17 18

美術教室の匂い 15 16

素肌にガウンを纏うと、緩やかに体温が上がり強ばっていた身体が溶けていく。普通に生活をしていたら二十分もの間、全く動かずに過ごすことはないだろう。この仕事を始めた頃は、とてつもなく長い時間に感じた。全身が強ばり、終了のタイマーが鳴ってもすぐには動き出せないほどだった。そんな拷問のような時間も、回を重ねるごとにある程度上手くやり過ごせるようになった。とにかくポーズを取っている間は自分の表面、つまり外側を止めることに意識を集中すればいい。ところで、休憩時間に教室の生徒が声をかけてくることがある。親切のつもりらしいが、話相手になることは仕事に含まれていない。気のない返事をしていると、大抵の者は愛想笑いだけを残して消えて行く。自分の時間を阻害された私は当然憤慨しているが、休憩が終わればそんな素振りは微塵も見せず、再び表情を貼り付けてポーズを取る。私は私の中に深く深く沈んで行く——小学三年生の頃、美術の先生に頼まれてモデルをしたことがある。放課後の美術教室。授業の時とは違って静まり返っていた。先生に言われるままに服を脱いだ。体育の着替えの時とは全く違う感じがした。甘酸っぱい牛乳のような自分の身体の匂いが鼻についた。下着だけになると先生はイーゼルの側で自分の目の前に絵筆をかざし、縦にしたり横にしたりして考えていた。少しして、下着も取るように言われた。風呂に入るわけでもないのに、真っ裸になった。先生が持って来た丸椅子に私は座った。座面は冷たく、鳥肌が立った。動かないようにと言われが、丸椅子の脚は緩んでいて、少し重心がずれるとグラリと傾く。ふらつく私の頭を先生は両手で掴み、私の目を覗き込んで言った。何でも良いからどこか一点を見つめていなさいと。先生の瞳は灰色で、着古したセーターからはパイプ煙草の匂いがした。

先 生 の 瞳 は 灰 色 で 、 着 古 し た セ ー

ヴィーナスでもアリアスでもなく
ダビデでもモリエールでもなく
苦痛の伝染、絶望の浸透
私が選んだのは、恐ろしい怪物
脱ぎ捨てた西日の最果て
その時が近づく
だから、私は
私の中の怪物は

数ある石膏像の中から私が選んだのは、眉間を寄せて喘いでいる男の胸像だった。あばら骨の浮いた身体を捩り、何かから必死に逃れようとしているように見えた。彼の痛みや苦しみを想像した。裸の私は彼を見つめた。次第に自分の身体が熱を帯び、痺れるような力が漲ってきた。ふいに内股が温かくなった。私は、おしっこを漏らし——タイマーが鳴った。

十分休憩。

ガウンを脱いだ私は、用意された長椅子に寝そべる。
合成皮革が身体の熱を奪う。
私が選んだのは、蛇の怪物に絞め殺される男だった。
蘇る苦悶、感じる予兆、明らかに動き出している。

十分休憩。

ガウンを脱いだ私は、背筋を伸ばして起立する。
ブラインド越しの陽射しが身体を温める。
私が選んだのは、尿を垂れ流すことだった。
燻る羞恥、感じる確信、もう制御することはできない。

十分休憩。

私はガウンを脱ごうとしました。
ガウンの襟の間から、自分の裸体が見えました。
誰かが裸になれと言ったのでしょうか。
誰かに言われて裸になったのでしょうか。
私はまだ裸になっていません。
本当の裸には、なっていないのです。
だから、私は

1　2　3　4　5

何かにぶつかった。
石膏像が床に砕ける。
悲鳴や怒声が聞こえる。
振り返らずに走り抜ける。

素足で非常階段を駆け上がる。

屋上へのドアは簡単に開いた。

脱げかけたガウンが風に吹き飛ばされる。
全身で大気を受け止める。
もう止めることは出来ない。
だから、私は

0

怪物は、身体を突き破って飛び出してきた。

私は 自由だ

1　2　3　4

END

『暗黒メルヘン絵本シリーズ ZERO 王女様とメルヘン泥棒』六月発売＆原画展開催決定！
最合のぼる（写真、文、構成）×黒木こずゑ、たま、鳥居椿、須川まきこ、深瀬優子（絵）
既刊のシリーズ全五巻もアトリエサードより好評発売中!!

R E V I E W

★ドミニク・アングル「トルコ風呂」(1863)

人は裸でしか愛しあえないし、裸でしか生まれない

Naked

ジャン=フィリップ・トゥーサン

Edward Gauvin訳, Dalkey Archive Press

★前号の特集で取り上げた、マリー4部作の最後の作品。前号では原稿を書くまでに本が届かなかったので、紹介できなかったけど、今回の特集にぴったりの本なので、あらためて。

マリー4部作というのは、『愛しあう』『逃げる』『マリーについての本当の話』って続く作品で、なぜか4作目だけ邦訳されていない。フランス語は読めないので、今回は英訳で読んだ。原題は〝Nue〟、日本語版の訳者の野崎歓の仮題だと『はだかのひと』だけど、ここは英訳のタイトルで。

どんな話か簡単に。『愛しあう』の舞台は日本。〝ぼく〟とマリーは別離を前提に日本に来る。デザイナーであるマリーの個展を品川で開催するのにかこつけて。でもぼくは京都まで逃げてしまう。そのあと品川に戻ってきて、マリーと再会。『逃げる』で〝ぼく〟は中国に逃げている。いろいろトラブルの末に、マリーから父親の葬儀があるという連絡を受け、イタリアのエルバ島に向かい、マリーをなぐさめる。『マリーについて…』では、マリーの不倫相手がマリーの部屋で急死し、〝ぼく〟に助けを求める。死んだのは金持ちで馬主のジャン=クリストフ。死者は家族に引き取られ、マリーは離れざるを得ない。〝ぼく〟とマリーはマリーの父親が住んでいたエルバ島で夏を友人として過ごす。そこで馬小屋の火事に見舞われる。火事から避難した〝ぼく〟とマリーは愛しあう。

『Naked』は、二人がエルバ島からパリに戻るシーンから始まる。そこから二人は別々の自宅に向かう。その後、〝ぼく〟はマリーを待つが、何の連絡もない。

思い出されるのは、エルバ島でマリーが全裸で泳ぐ姿。そして、かつて品川のマリーの個展におけるパーティで、マリーの好みではないキザ男のジャン=クリストフがマリーに近づいていくのを、会場に入れずに窓から眺めていたことを思い出す。〝ぼく〟は7年前に、泣いているマリーの美しさに出会って好きになった。好きなのは裸の=等身大のマリーであり、成功したデザイナーというわけではないのに。

冬が近づき、ようやくマリーから連絡がある。エルバ島で父の世話をしていたマウリツィオ老人が亡くなったので、一緒に葬儀に行って欲しいということだ。エルバ島に行くと、チョコレート工場の火事に見舞われ、父親の家はマウリツィオの次男が勝手に人に使わせているし、葬儀では場所を間違えて別の人の参列に加わってしまう。ずっと冷たい雨が降っていて最悪の天気の中で、〝ぼく〟はマリーから妊娠していることを告げられる。葬儀への参列は口実で、マリーはそのことを伝えたかった。

『Naked』の後半は、火事で島に立ち込めるチョコレートの匂い、墓地の降る冷たい雨、落ち着いた情熱で彩られた、美しいシーンの中にある。夏の陽炎のようなエルバ島での問いが、冬の答えとなる。別離から始まるラブストーリーは、3人の死から新たな誕生に向けて進む。人は裸でしか愛しあえないし、裸でしか生まれない。(本橋牛乳)

理性の服を脱ぎ捨て、裸のままのイメージを描き出す

アンドレ・ブルトン
シュルレアリスム宣言・溶ける魚
巖谷國士訳、岩波文庫、780円

★シュルレアリスムの絵画や文学に触れるなら、その理解の一助にぜひ本書を読むべき。そうでなくとも、シュルレアリスム以降の時代に生きる私たちを取り囲む芸術は、大なり小なりこの芸術様式と無関係ではいられず、本書は、表現一般への親しみと理解に資する。

我々が何か文章を書く際、通常は全体の構成を考え、適切な語彙を選び、てにをはのミスはないかなど、相当に理性を働かせる。だが、このようなある種の合理主義的態度を脱し、想像力に限界を設けず、現実主義的な表現を超えることをブルトンは目指す。自由奔放な想像ができた幼児期や、狂気の想像力、フロイト的観点から見た夢が評価される。こうして、現実生活に適応するための理性の服を脱ぎ捨てた、無加工で裸のままのイメージ群を描き出そうとするのだ。

この理念を実践し、思い浮かぶ言葉をすばやく書きつける自動記述によって出来上がったのが本書後半の「溶ける魚」である（「宣言」は当初その序文として書かれた）。合理主義的精神では生み出せない新鮮で斬新なイメージが多数飛び交う。（市川純）

キリスト教社会における裸体を描くための約束事

池上英洋
官能美術史 ヌードが語る名画の謎
ちくま学芸文庫、950円

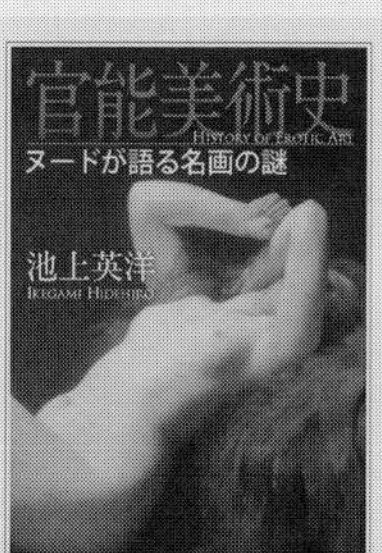

★西洋美術史には、裸体の人間を描いた絵画あるいは象った彫刻が無数にある。だが、それが性的な表現に厳しいキリスト教世界においてなぜ可能だったのか。実際、特に教会権力が強かった中世では裸体を描く機会が限られたようだが、それ以前、古代ギリシアやローマにおいては人間の肉体の美しさをたたえる彫刻が多数残され、あからさまな場面を食器に描くこともあった。ルネサンスになって改めて古代文化が評価され、裸体を描いた作品が活況を呈することになる。

ただ、そこにはお約束があり、神話をテーマにする必要があった。たとえば、肢体をエロティックにさらす裸婦であっても、それが一般人ではなくヴィーナスであることを示さねばならなかったのだ。また、あまり表現が行き過ぎると撤去されたり、公に展示することが憚られたりしたようである。

それにしても、歴代の芸術家は神話をヴェールにして幻想的に、また官能的に、そして大胆に裸体を描いてきた。その迫力を伝える本書の印刷技術も素晴らしく、大変に美しい多数のカラー図版を文庫本で楽しめる。（市川純）

蛇の存在が強調する裸の自分でいる女性の姿

ヴォンダ・マッキンタイア
夢の蛇

友枝康子訳、サンリオSF文庫／ハヤカワ文庫（いずれも品切）

★アーシュラ・K・ル＝グウィンのエッセイ集『私と言葉たち』には多数の書評が収録されている。そんな中に、ヴォンダ・マッキンタイアの『夢の蛇』もあった。というわけで、未読のまま本棚に差し込まれていたサンリオSF文庫を取り出したのであった。

ル＝グウィンによれば、このヒューゴー賞とネヴュラ賞の両方を受賞した長編が増刷されないのは、3つの理由があるのではないか、ということだ。それは、蛇とセックスと作者の性別だという。そして、そんな理由で増刷されないのは、不合理ということだ。

蛇に対しては多くの人が蛇恐怖症を持っており、しかもヒロインの名前がスネークで、蛇を身体にはわせている。そういうことに耐えられないのではないか、ということ。まあ、人によっては『メタルギアソリッド』のスネークを思い出してしまって、それはそれでギャップがあるかもしれない。でも、蛇であることは重要だとも思う。エデンの園でイブは、蛇にそそのかされてリンゴを食べることで、裸でいることを恥ずかしく思うようになった。それは、この作品において、裸の自分でいる女性の姿というものが、強調されていることにもつながっている。

セックスについては、ル＝グウィンの言葉だと、高い倫理観を持ち、抑制されていない、ということだ。それに、治療師は蛇の毒に対する抗体を持つようになる過程で、だいたい不妊になる。スネークは最初の章で、遊牧民の少年を助けたときに、3匹の蛇のうち夢の蛇が殺されてしまう。それが旅のきっかけになるのだが、その出発にあたって、遊牧民の青年アルヴィンは、いずれスネークを探しに行くという。スネークとアルヴィンの再会というロマンスがあるにもかかわらず、旅の途中でスネークは、年下のガブリエルともセックスをする。ガブリエルはかつて、少女を妊娠させてしまったことがあり、それ以来セックスができなかったのだけれど、スネークは彼の心をほどく。若くていい男とセックスしたいんだからいいんじゃないか、というくらいに。でも、ル＝グウィンはセックスについてもう一つのことを見出す。メリデス、ジェッシ、アレックスの3人が1つのカップルであることを。メリデスの性別は明確ではない。でも、本書の終盤では、夢の蛇は3匹が1つのカップルとなって生殖していることを知る。元々、マッキンタイアは遺伝学を専攻しており、なにげに生物学と生殖に関する設定はしっかりしている。それもあって、セックスに対する固定観念を持っていない。

女性作家の手による作品だから、増刷されなかった、ということもル＝グウィンは指摘する。でも、その意味でいけば、フェミニズムSFとしての一つの成果でもあった。女性SFについては、サンリオSF文庫版で、山田和子が作品解説という枠を超えてたっぷりと書いている。その上で、ル＝グウィンやケイト・ウィルヘルムよりは一回りも下の世代となるマッキンタイアだからこそ、この時点でこそ物足りなさを感じさせる一方で、ためらわずに裸の女性を描くことができたのではないか。（本橋牛乳）

野生の少女の愛を得るために「人間」を脱ぎ捨てる

★怪獣映画「ゴジラ」の原作者としても著名な香山滋の幻想短編「蜥蜴の島」は、『宝石』昭和二十三年一月号に発表、現在は、日下三蔵編『海鰻荘奇談』（河出書房新社、二〇一七年）で読むことができる。

「蜥蜴の島」は、アルフォンゾ・ロス・パニ侯爵のもとに届いた、未知の女性フローレンス・ロートンからの書簡に記載された内容をめぐる物語だ。同性愛《レズビアン》志向のある学者、フローレンスが、チモール島の西にある小珊瑚島に住む、ムカシトカゲに近い学会未知の原始的な蜥蜴に魅せられ、研究目的で島に定住していた折、蜥蜴とともに暮らす美しい少女マルガリータに出合い、彼女の虜になっていくという筋立てである。「蜥蜴の島」は、香山滋の風俗小説に取り上げられることが多い同性愛《レズビアン》のモチーフと香山滋作品に通底する、原始回帰志向が、博物学的興趣のもと力業でまとめあげられた幻想的かつ耽美的な作品である。

香山滋
蜥蜴の島

『香山滋傑作選　海鰻荘奇談』（河出文庫）所収、820円

主人公、フローレンスは、男性を愛することができない美貌の動物学者として描かれ、もとから歪な「個」として作中に設定されている。「蜥蜴の島」で特徴的なのは、蜥蜴と同様の暮らし・生き様をみせる野生児、マルガリータの愛を得るために、フローレンスが「人間」から「蜥蜴」への変身を実行するところにある。言い方を変えれば、人間の姿をした蜥蜴になることを目指すのだ。「妾は一切火を用いることを止めました。一切衣服を用いることも止めました。（略）言葉を発せず、表情を作らず、思索を捨て、追憶を擲ち、ひたすらに精神状態を虚無に保ちつづける一方、自らメスを取って大半の血液を流出させ、これに代えて悪魔蜥蜴の漿血を輸血した」。フローレンスは自分自身の肉体改造を実践し、ついに、マルガリータと相思相愛の仲となり、「爬虫類の魂と肉体とを持って情痴の生活を続ける」ことになった。

「蜥蜴の島」で、フローレンスは「人間」を脱ぎ捨て、人ならざる存在に変容することで、人間の身では獲得し得なかった境地に至ることになる。こうした原始回帰志向は「蜥蜴の島」に限らず、様々な作品で反復される主題であるが、特徴的なのは、同性愛《レズビアン》の主題と関連させて耽美的な幻想譚として描かれているところにある。また、後期香山滋作品に登場する、妖精や魔女と同列の描写がマルガリータになされていることも印象的だ。「悪魔蜥蜴と同じ体質を持つ、美しい、この魔の女！」と表現されるマルガリータは、続く作品「キキモラ」や「魔婦の足跡」に登場する非日常的存在の原型《プロトタイプ》の一人ともいえるだろう。

「蜥蜴の島」は、香山が晩年、宗教の代わりとなったと振り返る、自然科学の該博な知識・素養を活かし、終生、離れることがなかった原始回帰志向が、女性主人公の蜥蜴人間への変身という形で具体化された、この世ならぬ場を追い求めた物語でもある。（黒田誠）

容赦なくすべてを晒し傷つき傷つけた私小説

車谷長吉
漂流物・武蔵丸
中公文庫、900円

★車谷長吉は冷蔵庫のイカを丸呑みにして窒息死したそうである。あまりにその人らしい死にざまに、感嘆したことがある。

車谷長吉は自身の書くものを、「反時代的毒虫としての私小説」と言う。その傑作集である本書には、上智大学での講演録『私の小説論』も入ってる。いわく、「小説は、小説を書くことによって、まず一番に作者みずからが傷つかなければなりません。血を流さなければなりません」。「私は自分の骨身に沁みた言葉だけで、書いて来ました。いつ命を失ってもよい、そういう精神で小説を書いて来ました。生きるか死ぬか、自分の命と小説とを引き換えにする覚悟で書いて来ました」。自らと自らの周囲のひとを巻き込み傷つけ、ついには『凡庸な私小説作家廃業宣言』にも至る。

本書にも載ってる『抜髪』は、「あのな、ええことおせちゃる」と始まる。母親の言葉である。「言葉ほど恐ろしいものはあらへんで。どななことでも、いずれ自分が言うた通りになって、自分に返って来るで」と言う母は、こう息子を責めたてる。「何、小説は人が人であることの不気味さを書くもんやて。ぇッ。そななこと書かれたら、どもならんがな。あんたはあわてふためくがな。あんたは容赦なく書いとうやないか。一かけらも手加減を加えんと、書いとうやないか。かばい手なしに、書いとうやないか。血ィ流して、書いとんやないか。血みどろや。恐ろしいやないか。あんたは甲斐性なしの癖に、することは恐ろしい。」、「あン中に書かれた人で、まだ生きとう人じょうにおるんやでな。これからも生きて行かんならんのやでな。あんたは一切容赦なしに書いとうやないか。情け容赦なく書いとうやないか。骨身に沁みとうやないか」、「その火の粉は全部、うちやうちの弟の上に降って来んねんやでな」……。

先の講演で車谷長吉は、こんなことも述べている。「小説を書くことも、人の陰口、悪口を容赦なく言うところからはじまります。悪口を言い合っている時ほど、話が盛り上がる時はありません。だんだんに言葉は大袈裟になり、嘘が混じって来る。その『嘘』こそが、創作のはじまりです」。

あることないこと、悪口と嘘を、自分の命と引き換えにする覚悟で書かれた『鹽壺の匙』、『漂流物』、『狂』……。車谷長吉の作品は好きなものが多い。その中で、ほんのり温かい『武蔵丸』が、ここに収録されていて嬉しかった。公園で拾ったカブトムシ・武蔵丸との物語である。

私も、面白い文章を書くためには鬼にならなければならないとおもっていた。拙い文章だけれど、いざとなれば自分の漫文と心中する気で、この『トーキングヘッズ叢書』に載せていただいている文章も書いているつもりだ。でも、いざとなったら割とぐらついてる自分も見えて情けないのだ。生のイカよりも、美少年のイカくさいペニスにしゃぶりつきたい。え。まさかこんな下ネタで、この本のレビューを〆ることになるとは。（日原雄一）

マブイたちにより気付かされる「素の自分」の願望

★風車祭（カジマヤー）とは、数えで九十七歳を迎えたお年寄りを祝う沖縄のお祭りである。筆者が現在住んでいる石垣島でもこの風習は残されており、当日には祭りの主役であるお年寄りたちを乗せたオープンカーが小さな集落の中を走り回ったりする。だがこの作品のように、ひとりの老婆が九十七歳を迎えたからといって、鼓笛隊や仮装した男女が千人にもおよぶ行列を作り、盛大なパレードを行うなどという話は聞いたことがない。これはいったい、どういうことなのか？

『風車祭』（一九九七年）は『シャングリ・ラ』（二〇〇五年）や『テンペスト』（二〇〇八年）など数多くの著作で知られる、池上永一によるファンタジー小説だ。主人公は沖縄県の石垣島に住む、武志という高校生の少年。ある日、彼は翌年に風車祭を控えたフジという老婆の気まぐれでピシャーマと名乗る少女の幽霊と邂逅し、恋に落ちてしまう。しかしその拍子に大事な魂であるマブイ（後述）を落としてしまったからさあ大変。マブイを落としたままの状態が続けば一年で死んでしまうと島の司祭たちから脅されながら、武志はピシャーマとの恋に自身のマブイ探しにと奔走するのだが……。

池上永一
風車祭
角川文庫、上巻760円、下巻720円

マブイとはなにか。マブイは沖縄の方言で、生きている人だけがもつ「魂」のことだ。沖縄では驚いたりショックを受けたりした拍子にマブイが身体から離れてしまうこともあるとされ、これを「マブイを落とす」という。通常、落ちたマブイはその場に留まっているだけなので、拾ってやればそれで済むのだが、この話に登場する「マブイ」はなぜか落とし主のコピー（分身）として本人の知らないところで好き勝手に行動し始めるから手が付けられない。すなわち、武志のマブイは幼馴染みの睦子やピシャーマのことを見境なく口説き落として襲おうとし、睦子もまた自身のマブイが見知らぬ中年男とラブホテルから出てくる場面を目撃されたことで、高校のクラスメートからあらぬ噂を立てられてしまう。

けれどもそれらの行いは本体の欲望と切り離されるものではなく、あくまで理性や世間体を取っ払った場合に本人がどう行動するのかをシミュレーションした「本当の姿」。マブイたちの行動に振り回されるうちに、武志や睦子もまた「素の自分」だけがもつ特別な願望に気付いていく。そこに作中、一貫して長寿への執着心だけを語り続ける（自らの欲望について自覚しつくした）フジとそのマブイ（彼女のマブイだけは唯一、本体とそっくりの行動を取り続ける）も加わり、物語はいよいよ混迷の度合いを深めていくことになる。

そして物語の最後に明かされる、あまりにも盛大すぎる「風車祭」の謎。そこで読者ははじめて〝マジックリアリズム〟という（現実とのズレを含んでいても、あたかもそれが本当のことであるかのように錯覚させられてしまう）「魔法」にかけられていたことに気付くだろう。自らの故郷を舞台とした「自伝的」な作品でありながらその中にフィクションの罠を仕掛ける、この作者はやはり相当にしたたかだ。（梟木）

時間の流れのなかに生きるからだのベールを剥がす

小川洋子 からだの美

文藝春秋、1600円

★裸は人の心を捉えて離さない。息を殺して誰かのからだを見つめてしまう瞬間、そこには裸の秘密が隠されている。

小川洋子の『からだの美』は、2020年9月号から21年12月号にかけて『文藝春秋』に連載されていた16篇の随筆をまとめて単行本化したものだ。この本には、外野手の肩、棋士の中指、バレリーナの爪先、フィギュアスケーターの首、力士のふくらはぎ、文楽人形遣いの腕、ボート選手の太ももなど、からだのパーツに向けたまなざしが写しとられる。上に挙げた一つ一つのからだのパーツは、一篇一篇の随筆のタイトルでもある。「職業」＋「身体パーツ」を題としているところに、この本における「からだ」というモノへの捉え方が表れている。単なる物質的、可視的な肉の存在ではなく、精神的であり、からだの持ち主の人生と切り離し得ないという見方。

さまざまな職業を生きるからだの特定のパーツについて、小川洋子らしい精緻で幻想的、ときに壮大な眼差しが綴られる。それぞれの職業も、取り上げられたパーツの動きも違う故に、イメージはさまざまな方向に発展していくけれど、すべての項目に共通しているのは、時間の存在という普遍性。外野手が球を投げ、棋士が将棋を打ち、バレリーナとフィギュアスケーターが踊り、力士が闘い、文楽人形遣いが人形を繰り、ボート選手が水上を行くように、人が生き、からだが動くことで〝からだの美〟は生まれる。からだが〝動く〟ことで時間の流れが生まれる。そして、〝時間が流れる〟ところには、からだの有限性が表れる。身体パーツの動きに深く潜っていくことにより、刻の流れ、人の有限性、ひいては生命の死生までもを表現し得る。

小川洋子はこの随筆で、プロフェッショナルの一挙手一投足から、時間の流れという〝世界の理〟のひとつを紐解いて見せた。理に宿るものは調和であり、調和が現れるところには美がある。小川洋子がからだのパーツひとつひとつに秘匿されたベールを剥ぎ取り、あらわにした〝美〟。裸とは衣服を取り去った状態ではなく、生きたからだの纏うベールを剥がし、からだに宿る美を顕現すること。

単なる肉体の裸では、この美を表出することはできない。例えば、人生や過去について何も知らない者の無機質で抽象的な裸は、なんの感情も想起させることができず、性的な魅力すら欠くだろう。「人」＋「身体パーツ」ではなく、「職業」＋「身体パーツ」だからこそ、からだの秘密を暴き、裸にすることが叶う。時間の流れのなかに生きるからだ、運命を纏うからだ、熱情を帯びたからだは、ベールを剥がされたとき、無機質で虚無な裸ではなく、調和の美を顕す。からだの生きる瑞々しい時間の移ろいが、人を裸にする魔法をかける。そして、その裸を見つめる者の視線もまた、同じ時間の流れの檻のなかに捉えられているからこそ、裸は人の心を捉えて離さない。（安永桃瀬）

中世英文学の代表作を裸体と艶笑譚で裏返す

カンタベリー物語

ピエル・パオロ・パゾリーニ監督

★あっけらかんとしたエロティシズムに満ち満ちた映画で、裸体の登場や股間の露出にも事欠かない。宗教的な規範に縛られた抹香臭いイメージの強い中世イングランドの内実を、生活感豊かに捉え返している。中世社会は同性愛を認めなかったが、アナル・セックスのモチーフ等を持ち込むことで裏返し、生を肯定する艶笑譚へと仕上げている。後のナンスプロイテーション映画に与えた影響も絶大だ。

詩人・小説家にして映画監督であり、五十三年の性と生を駆け抜けたピエル・パオロ・パゾリーニ。『カンタベリー物語』（一九七二年）は、そのフィルモグラフィーのなかでも異色とされる〈生の三部作〉の二作目だ。一作目は『デカメロン』（一九七一年）、三作目は『千夜一夜物語』（一九七四年）で、映画館の特集等ではこれらが一挙に上映されることがままあり、私も池袋新文芸坐で、学生時代にまとめて鑑賞したものである。

一四世紀に成立したジェフリー・チョーサーの原作は、「四月、そのあまい驟雨が／三月の乾きを根元まで潤し、草木の葉脈をすっかり浸すと／樹液の生殖力で花が開く」（共同新訳版『カンタベリ物語』、悠書館、邦訳二〇二一年）で始まる総序歌が著名だが、ここでの「樹液の生殖力で花開く」ヴィジョンを、そのまま人の性の交わりに置き換えたかのような奔放な解釈が映画版の特徴だろうか。

チョーサーは、詩人ペトラルカによる翻訳を介してボッカチオから影響を受けており、『カンタベリー物語』も『デカメロン』同様、枠物語の体裁を取っている（映像化されたのは、二五話中の八話ぶんだが）。南方的な明るさを軸にする原作の『デカメロン』は、黒死病から避難した宿で人々が持ちネタを話し合うという体裁を取っている。対して北方性の昏さを湛えた『カンタベリー物語』は、旅籠において巡礼者たちが物語を披露するというもので、そこまで黒死病の脅威が強調されてはいないが、さりとて死の影は随所に差し込んでいる。こうした対比が興味深い。

しかも、映画では冒頭からパゾリーニ自身がチョーサーに扮して現れ、下品なギャグも厭わないうえ、ラストは地獄へ行った托鉢僧人を扱うが、そこでは悪魔と尻、放屁のモチーフが反復される。つまり枠物語の大枠が、ラブレーばりのグロテスク・リアリズムによっていることが明示されているのだ。

四方田犬彦の信じがたいほど浩瀚な研究書『パゾリーニ』（作品社、二〇二二年）によれば、本作を含む〈生の三部作〉は、商業主義に迎合したポルノグラフィーと十把一絡げにされるか、晩年のパゾリーニ自身が拒絶し撤回を明言したため、作品ごとの個別性が充分に解釈されてきたとは言い難いという。日本語で読める、よりハンディな批評としては、兼子利光『パゾリーニの生と〈死〉』（ミッドナイト・プレス、二〇一八年）も〈生の三部作〉への解説が充実しており、一読をお薦めしたい。（岡和田晃）

雨の中でこそ、女性は纏うものを脱ぎ捨てられるのか

塚本晋也監督
六月の蛇

★人間はなぜ衣服を〝纏う〟のか。

聖書はそれを、蛇が人間を唆したためと説明している。すなわち禁断の果実である知恵の木の実を食べたことで、アダムとイヴは互いに裸でいることを恥ずかしく思うようになり、イチヂクの葉で陰部を隠すようになったのだと。それはもしかしたら人間が衣服を獲得して次の段階へ進むための通過儀礼だったかもしれないが、〝纏う〟ことによって人の目から永久に隠されてしまったものもある。塚本晋也の『六月の蛇』(二〇〇二年)では、ひとりの女性が身も心も「裸になる」ことによって、自らも自覚していなかった秘められた欲望の存在に気付いていく。

主人公は「りん子」(黒沢あすか)という名の、電話相談室に務めるカウンセラーの女性。彼女は夫である重彦(神足裕司)とのセックスレスに悩まされながらも、平穏といっていい日常を送っていた。そんなある日、りん子の元患者である「飴口」(塚本晋也)という男から彼女が雨の日に部屋でオナニーしている様子を盗撮した写真が送られてくる。飴口は写真のフィルムと引き換えに、屋外で露出や自慰行為をするようりん子に迫るのだが……。

塚本晋也は肉体と精神の変容による個人の意識の改革(および社会の枷からの解放)を継続的な主題とし続けてきた作家だ。氏の代表作として知られる『鉄男』(一九八九年)では平凡なサラリーマンの男性が〝やつ〟(塚本晋也)の企みによって全身を金属に変えられていくが、本作でもまた飴口という男の出現によって、りん子の肉体と精神は大きな変容を迫られることになる。ただしそれは、必ずしも強制的な操作や支配の結果を意味しない。作中でも説明されている通り、飴口はただりん子が「本当はそうしたかった」ことを後押ししただけであり、その意味では彼もまた『鉄男』の〝やつ〟と同じように)主人公の「心の声」の代弁者にすぎなかったといえる。〝蛇〟は飴口ではなく、りん子の中にこそある。

そんな本作において、印象深く多用されることになるのが「雨」のモチーフだ。六月の街に降りしきる雨、洪水のような激しさで雨水が伝っていく排水溝、そしてりん子による雨の中での自慰行為……。社会のルールや慣習、性的なタブーに至るまで、雨がすべてを洗い落としていく。あるいは雨の中でこそ、はじめて女性は纏うものを脱ぎ捨てて〝素〟になれるのか。

ショートカットに黒縁の眼鏡というりん子のスタイルは、必ずしも官能的なタイプの女性のものではない。恐らくそれは、監督の意図したところではあっただろう。しかし物語の終盤、自らの願望を自覚した彼女は〝纏っていたもの〟を文字通りすべて脱ぎ捨て、エロスの化身のような〝パーフェクトりん子〟(命名筆者)に覚醒する。そのとき操作と支配の主体となっているのは飴口や夫の重彦ではなく、もはや彼女のほうだ。抑圧から解放された女性が男たちを破滅に導きながらも軽やかに再生していく道筋を、この映画は確かに示している。(梟木)

社会から解放された女性たちの末路

園子温監督
恋の罪

★二〇二二年に自作の出演者へのセクハラ・性行為強要疑惑で告発されて以来、すっかり作品が語られる機会がなくなってしまった園子温である。もちろん報道が一部でも事実であるならば、被害者の女性には真摯に謝罪して貰いたいし、業界へのカムバックはその上で果たして頂きたい。しかし陳腐な言い回しにはなってしまうが、それでも作品そのものに罪はない。というわけで園子温監督作から『恋の罪』（二〇一一年）を取り上げる。

ある大雨の夜。ラブホテル街にある無人のアパートで女の死体が発見される。女は陰部をずたずたに切り裂かれた上で二体のマネキンに身体のパーツを接合されるという、残忍な方法で殺されていた。事件を担当する女刑事の和子（水野美紀）は捜査を進めるうちに、売れっ子小説家の妻でありながら娼婦として夜の街に立っていたいずみ（神楽坂恵）という女性の存在に行き当たる。

女刑事を主人公とした事件パートが終わると、物語は次にいずみという女性の過去に何があったかについて語り始める。いずみは小説家の夫（津田寛治）に貞淑な妻として仕えながらも、夫婦間のセックスレスに悩み、若い身体を持て余していた。ある日、スーパーでソーセージ販売員の仕事をしていたいずみは、モデル事務所の社長を名乗る女性に騙され、AVに出演させられてしまう。さらに自暴自棄になっていたところ美津子（富樫真）というミステリアスな娼婦の女性に拾われたことで、いずみは本格的に夜の世界へと足を踏み入れていくことになるのだが……。

この映画の中でいずみを娼婦の世界へと導いていく役目を果たすのは、すべて女性たちだ。それは性産業が必ずしも男性ばかりでなく、女性の需要によっても支えられているというメッセージでもあるのだろう。だがいずみは最初こそ抵抗の素振りを見せながらも、次第に見知らぬ男とのセックスに快感を覚える自身の存在に気付いていく。自らの肉体が魅力的なものであることを自覚したいずみが全裸で鏡の前に立ち、ソーセージ売り場での口上を述べながら次々とポーズを取っていくシーンは、本作のハイライトだ。

にも関わらず、本作で描かれる魅力的な女性たちがどこまで行っても「買われる性」であり「犯される性」であり、そして「殺される性」であったことは指摘しておかねばならない。それを昨今の報道から想像される監督本人の女性観と結びつけて考えることは控えるが、園子温の作品では社会から解放された女性たちがあっさりと命を奪われてしまうことが（男性の場合と比べて）多かった。あるいはそれが、未だに男性が「買う性」として上位に立つ社会の現実なのか。

だが女性が「殺される性」であるということは、同時に「生き残る性」ということでもある。本作でもまた、ある女性は無残に殺されてしまうが、ある女性は悲惨ともいえる境遇に身を落としながらも物語の終わりまで生き残る。まるで暴力のように降り注ぐ雨を全身で受け止めながら、女たちは今日もその街で生きている。（梟木）

森下くるみという在り方
——『すべては「裸になる」から始まって』をめぐって

●文＝八本正幸（小説家・怪獣映画研究家）

★（右）『恋身女子校生パティ ノーマル・ヴァージョン』DVD
（左）『すべては「裸になる」から始まって』（英知出版）

　森下くるみという名前に初めて接したのは『恋身女子校生パティ』（二〇〇〇年）という河崎実監督、佛田洋特撮監督による特撮ビデオだった。この作品にはノーマル・ヴァージョンとアダルト・ヴァージョンがあり、ノーマル・ヴァージョンの方にはいわゆるカラミのシーンはなく、特撮ドラマとして楽しむことが出来る。もちろん、監督があの「バカ映画の巨匠」なだけに、内容的には脱力感あふれる怪作だが、一度でも特撮作品に出演した女優さんを「特撮ヒロイン」として終生愛でるのが特撮ファンの美徳でもあるので、彼女のこともももちろん、特撮ヒロインのひとりとして胸に刻んだ。

　そんな彼女がAV女優でもあることは知っていたので、自然とその分野のビデオも観るようになる。出演作品が多いので、すべてを観たわけではないのが、TOHJIRO監督によるドラマものなどは、抒情的な味わいもあり、見応えがあった。このTOHJIRO監督が、あの自主映画の名篇『ゴンドラ』（一九八七年）を撮った伊藤智生監督と同一人物であることを知ったのは、ごく最近のことになる。

　数多くのAV女優の中で、森下くるみは突出した魅力を持っていた。容姿の美しさや、どんな種類の作品にも果敢に挑む姿勢だけではなく、ブログでのファンへの丹念な対応にも好感が持てた。ラウル・セルヴェなどのアート系のアニメーションや、『ピンク・フラミンゴ』（一九七二年）などのカルト映画が好きという趣味にも、独特のセンスがあった。

　ブログだけでなく、手紙を出せば、時間はかかったけれど、ちゃんと返事をくれたし、サイン会に行けば、ちゃんと僕のことを憶えていてくれて、同人誌やSNSで使用している「猫神博士」というペンネームを添え書きしてくれた。早稲田大学の学園祭にゲスト・パネラーとして参加した時も、応援がてら観に行ったりしたものだ。

　こういう言い方をすると語弊があるかも知れないけれど、彼女には高い知性を感じたし、しっかりと常識をわきまえた言動が出来る人だった。だからこそ、そんな人が何故、AV女優という、裸を晒して、SEXそのものの行為を不特定多数の人間に見せる職業に就いているかが不思議だった。

　その疑問に答えてくれたのが、二〇〇七年に上梓された『すべては「裸になる」から始まって』（英知出版）という彼女の最初の著書となる、自伝的なエッセイだった。その「はじめに」で、彼女はこう書いている。

　「荒療治ですが、裸を晒すということは、一度自分をリセットするのに打ってつけでした」と。そして「子どもの頃から磨いてきた人間不信、ありとあらゆる

もっともエロに縁遠かった、秋田の素朴な少女が、
いつしか伝説のAVクィーンになった。
AV業界の伝説・森下くるみ
メーカーの枠を超えた奇跡のコラボレーション。
2011.12.19 ON SALE
10枚組1448分収録
KDD-003
COLOR DOLBY DIGITAL
森下くるみ
KURUMI MORISHITA
LAST LEGEND
森下くるみAV引退記念［プレミアムBOX］
くるみちゃん、本当に長い間ありがとう!! 僕達は絶対忘れない、君の事!

★森下くるみAV引退記念プレミアムBOX「LAST LEGEND」ポスター

「裸を晒すということは、一度自分をリセットするのに打ってつけでした」

コンプレックス、感情が正しく出ない歪み、目いっぱい力の入った肩、底が抜けてどこまでも深くなっていった寂しさ。（中略）変わっていくには、その弱さ一つ一つに向き合わなきゃいけない。苦しみもがいても、自力で消化していくという作業に徹しないと」と畳みかけて来る。

本稿を書くにあたって久しぶりに読み直してみて、あらためて心に刺さった。

人にもよるだろうけれど、裸を晒すということには、それ相応の覚悟が要るものだろう。その覚悟の在り方を、彼女はしっかりと示してくれた。こういうAV女優は、やはり稀有な存在である。

さらに彼女は、「『ザーメン浴びるなんて汚くて異常』って思う人もいるだろうけれど、でもね、いびつでもいいんだよ。受け止めるという行為は偉大だ。それだけ。あたしは、自分の感覚と見たものをどこまでも信じよう、と思った。歪んでてもいい、というのが許される世界に、たくさん美しいものがあるのだということを」とアダルトビデオとその現場を肯定して見せる。

確かに、アダルトビデオとは、観る者の欲望に呼応するものであり、それを観るという行為はそのまま、自分自身の欲望と対峙するということである。だからそれは、自らの裸の心を晒すことでもあるわけで、だからやっぱり、恥ずかしいのだ。

森下くるみの文章には、読む者の心をも裸にしてしまうような効果ある。

その後、彼女は僕が気がつかないうちにAV業界を引退し、文筆業を続けながら、結婚をし、出産をした。

いちばん最近彼女に会ったのは、伊藤監督の『ゴンドラ』のリヴァイヴァル上映会（二〇一七年）だったから、もう六年も前になる。

二〇一八年には、AV人権倫理機構を通じて出演作品の販売・配信停止を申請し、AV女優としての全出演作品の販売・インターネット配信の停止がなされた。

こうして、二度目の大きなリセットを敢行した彼女が、今後、どんな世界を見せてくれるのか、興味は尽きないが、たとえばそのまま静かにフェイドアウトして、メディアとは関わりのない世界で幸せに暮らしていくとしたら、それはそれで素敵なことじゃないか！

ビートルズ「LET IT BE...NAKED」は、裸に剥かれたのか

●文＝橋本純（小説家）

音楽における真の裸は音源と言うことになる。しかし、生の音源をプレスしたり配信することは一部の例外を除き、ない。いわゆるライブ盤も単音源で構成されることは稀だ。ではNAKEDと名付けられたビートルズの"Let It Be...NAKED"は何が裸なのであろう。

ここで説いておかねばならないのは、これとは別に"Let It Be"というビートルズのオリジナルアルバム（以下、無冠版と表記）が存在するということだ。同題のドキュメンタリー映画のために撮影で行われた世に言うGet BackセッションとAppleスタジオでの録音を元に製作されたサウンドトラックアルバムで、録音の順番ではAbby Roadより前になるが、発売順ではビートルズ最後のオリジナルアルバムとなったものだ。

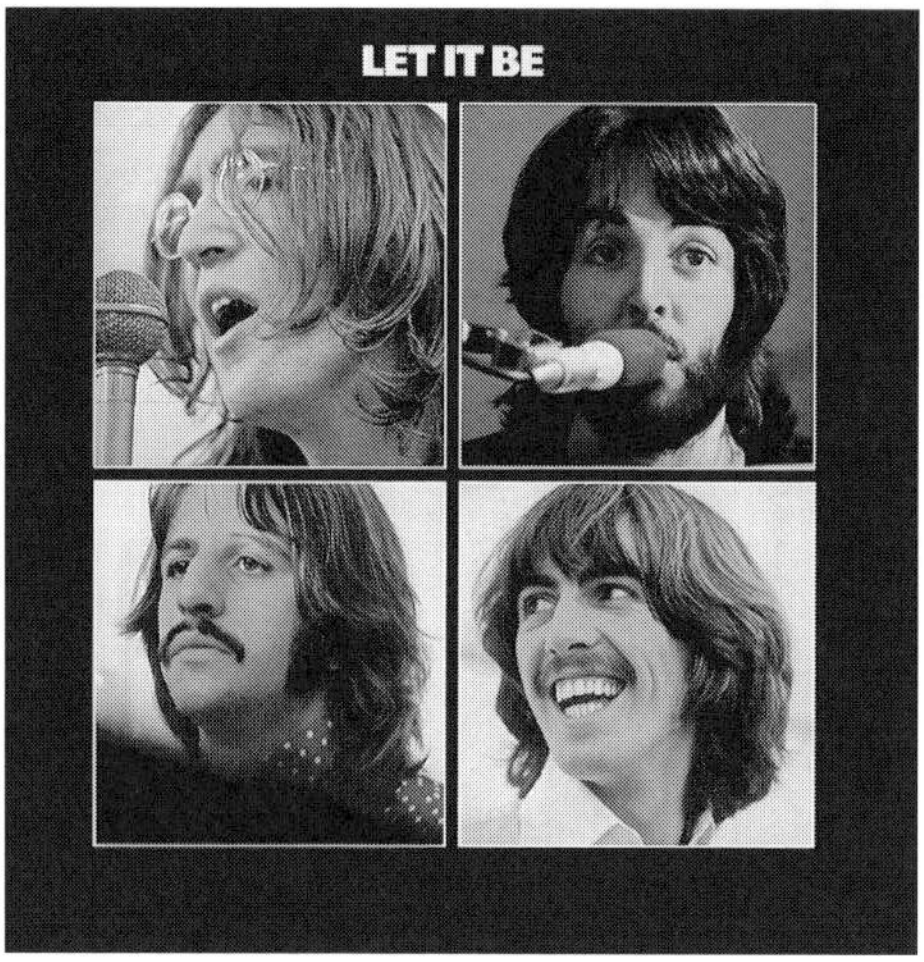

ファンであれば周知であろうが、この無冠版をメンバーのポール・マッカートニーは酷く貶していた。プロデューサーによる音作りが、ポールの意図に反していたからである。

ビートルズは1966年を最後にライブ活動を休止しており、それ以降のアルバムはスタジオ録音のみで作られてきた。その真骨頂は、納得いくまで行うミキシングにあり、それが新たなビートルズサウンドとして世界に認知された。

しかし、Let It Beの音源の多くは、即興セッションで記録されたもの。そのクオリティは長年のブランクゆえかビートルズの看板にふさわしいものではなかった。無冠版発売が最後になったのは、当初このセッションで作ろうとしたアルバムが音源の不足、主にミキシング素材の不備でとん挫したことに由来する。

最後のスタジオ録音アルバムAbby Roadの発売後、ビートルズはポールの離脱によって空中分解した。しかし、レコード会社は契約であと一枚のアルバムを発売する権利を持っていた。そこでGet Backセッションの素材に注目し、製作したのが無冠版だった。

プロデューサーは、それまでビートルズの楽曲を手掛けてきたジョージ・マーティンの手を離れ、音作りはフィル・スペクターに一任された。この時すでにポールは他のメンバーを訴えるという行為に出ており、それがつまり、彼にとって不満足なアルバムが出来上がる素地になった。スペクターは

ポールに一切の許可を得ることなくアルバムの制作を進めたのだ。

　彼は弦楽器や管楽器などのオーバーダブ、コーラスの付け加えなどかなり大胆に曲のアレンジを変えた。出来上がったのは、ビートルズの名を冠したスペクターの作品に外ならなかった。

　ファンはこのアルバムのオリジナルに近いリミックスを長年願っていた。それが叶ったのがNAKEDなのだが、それは素直にスペクターの覆いを取り払ったアルバムとは言えない代物になった。

　NAKEDを企画したのはポールである。彼はGet Backセッションでの演奏こそ映画のサウンドトラックとして相応しいと主張していたし、そもそも世に広まったLong and winding Roadのミキシングに強い不満を持っていて、Let It Beすべての楽曲についてミキシングを見直し完璧版を作りたいと思ったのだ。

　この願いにリンゴ・スターとオノ・ヨーコ、そして当時すでに死の床にあったジョージ・ハリスンも同意し製作はスタートした。

　しかしポール自身は、ミキシングにはタッチしなかった。

　これこそが、私がNAKEDの意味を問いたい理由となる。

　作業は、Appleスタジオのコンポーザーとミキサーに委ねられた。

　その基本は、Get Backセッションを忠実に再現し、サウンドトラックとして完全版を目指すというものだった。

　だが、そもそも素材のクォリティに問題があることは前述した。細かいテイクの説明は省くが、アルバムタイトルであるLet It Beの間奏ギターソロだけでも4種類が存在していることが知られている。ミキサーたちは、その4テイクの中で真っ先に無冠版で使用したものを切ったが、これには二つの理由がある。そのテイクはジョージが一人で後録りした上に、ギターがセッションで使用したフェンダー製ではなくレスポール製だったというものだ。

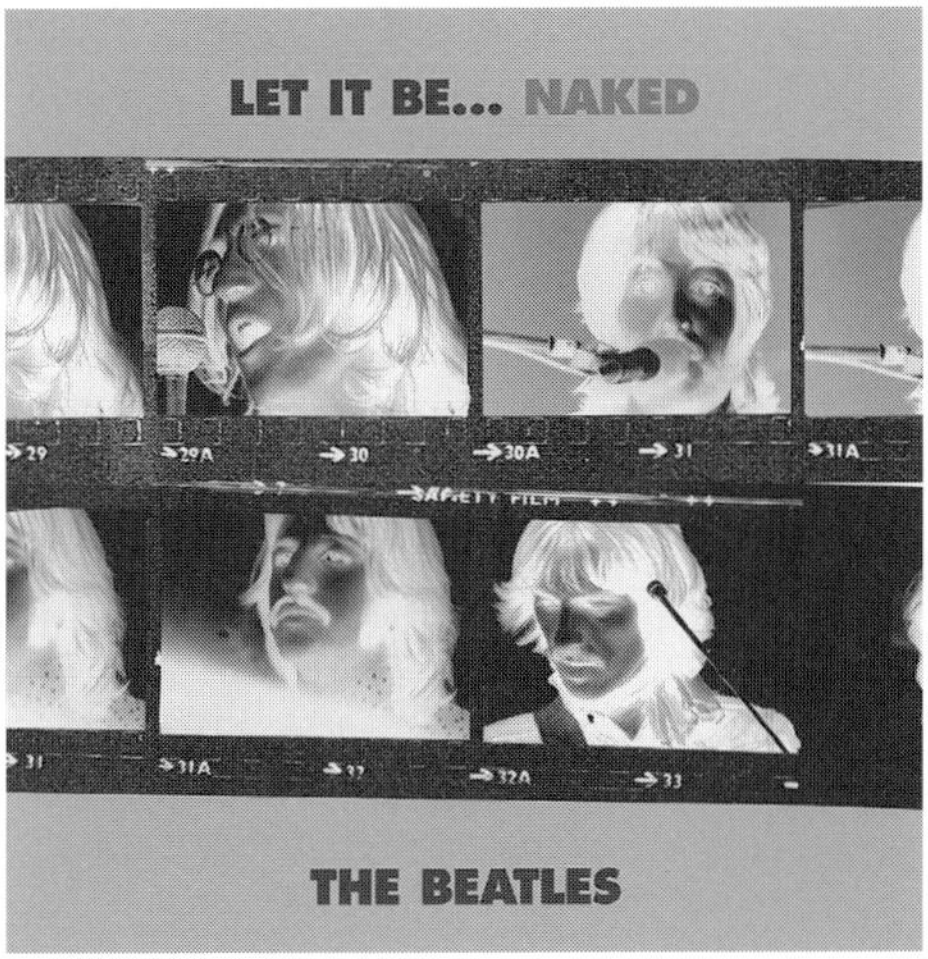

　無論、スペクターが上塗りっしていった余分な音は消された。それこそがポールの望みなのだから、この作業は行われて当然だったろう。

　しかしミキサーたちは、完璧なアルバムを作ろうと独自に模索を始めていたようだ。彼らは、オリジナルに含まれていたセリフをカットし、さらにはTwo of usではジョンの演奏ミスをデジタル修正した。これがオリジナルアルバムを完成させるという意図なのかと思いきや、映画の中で演奏されながら無冠版で使用されなかったDon't let me downを加えることもおこない、サウンドトラックとオリジナルの間を揺れ動くような作業を重ねた。

　ポールが作業に参加しなかったがゆえの揺らぎとも取れるが、実際のところは違うと推理している。

　コンポーザーたちは、剥き出しのビートルズを創造しようとしたに違いないのだ。

　しかしそこに現れたのは、裸のLet It Beなどではなかった。おそらくに、フィル・スペクターに着こまされたぜい肉を削ぐだけでは満足せず、夢見ていたビートルズの姿を再生（もう存在しないがゆえに正に再生だ）させるため、手元にある素材を文字通り骨子として、裸のLet It Beというアルバムを塑像として作り上げたのだろう。

　そこに我々が見たのは芸術的な意味の裸体であり、決して猥雑なる裸ではなかった。つまりこのアルバムは、着こまされたNAKEDだったのだ。

★喜多川歌麿「鮑取り」(19世紀)
／右頁は3枚セットの右部分、左頁はその中央部分

TH
FLEA
MARKET

裸者と死者、そして自由

釣崎清隆

原点は「裸」だった。高校生のころから自主映画を撮ってきた僕が職を得たのはＡＶ業界だった。九〇年代前半とはそんな時代だった。日本のエロは力強く、希望に満ちていた。自由であった。究極の過激表現が追求された。しかしある意味でまことに不自由であった。局部の「ケシ」が頑固な汚れのようにこびり付き続け、現在もそのままである。信じがたいことに当事者たちもそれを問題視していなかった。僕は絶望し、表現の自由を求めて、死体写真を撮りに日本を出た。

真の自由がほしい、自由でありたいと思うなら、まず自らが先入観や魂の呪縛から解放されなければならない。これが実に難しいことで、ただ森羅万象を平等に見ることで達成されるわけではない。ある差別意識が必要なのである。なにもニーチェのように孤立せよとはいわないが、あらゆる支配から精神的に自由であるためには、まずものを知らなければならないし、その上で現実を見極めるセンスがどうしても必要になる。

僕は本源的に田舎者であって、魂の呪縛から逃れられていないし、逃れるつもりもない。かといって自分の料簡を狭くしているつもりもない。

不自由が楽ちんな性分というわけではないのだが、物理的に自由であることが面白いとも思わない。ものを知れば知るほど考えが偏狭になっていくし、僕は目的の達成のためには手段を選ぶし、なるべく楽ちんをしている。つくづく自由人には体力が必要だ。

二〇〇六年秋、私はフランスでのアンソロジー写真集二冊の出版に合わせて、パリのギャラリー・ケノリー・キムで個展を開くことになった。地下の展示スペースが広大で、カタコンブのような内装になっている。僕の作品の展示にうってつけのギャラリーだ。

期間は九月二十八日から十月二十六日まで。勘のいい読者には、せっかくの死体写真展をなぜハロウィンまで引き延ばせなかったのか、と疑問に思われるかもしれない。

ハロウィンに合わせて個展を開く先約があったのである。そのアーティストはなんと、ポストパンクの女王、リディア・ランチであった。実に僕は彼女の熱烈なファンだ。彼女は毎年ハロウィンに合わせてケノリー・キムで展示しているのだった。

リディアは僕の仕事に興味津々のようで、僕の個展の最終日に間に合わせるかたちで、居住するバルセロナから予定を前倒ししてパリに来訪した。

リディアは、なんと表現したらよいか、少女のような旺盛な好奇心と純粋さ、それでいて自信に満ち、期待に違わぬ「暗黒の女王」ぶりであった。僕が同伴して死体写真を観覧してまわり、二人きりで質疑応答した時間は実に貴重で幸せなものだった。

それで僕の個展の後、リディアが何を展示するのかというと、セルフポートレートだった。僕はまずその攻めの姿勢に素直に感動した。彼女が今でも日夜アートと格闘し続けているバリバリのクリエイターと知って身が引きしまる思いだった。

後日、リディアとカフェでデートをした。キリン一番搾りが飲める店だった。彼女からモンテ・カザッツァのメールアドレスを書き付けた紙きれをもらった時、地獄の門が開いたような気がした。

二〇〇八年の冬、ロッテルダム国際映画祭に『ジャンクフィルム　釣崎清隆残酷短編集』を引っ提げて参加した。その七年前にモントリオール世界映画祭に選出された『死化粧師オロスコ』との連続性が評価されたものだった。

上映後のＱ＆Ａで、ある米国人の客から「死というものは退屈だと思うが、なぜそんなテーマを選ぶのか」と、挑発的な質問を受けた。だいたい面白ければ何でもいいという感覚が馴染まない田舎者の俺が、「死が退屈」といういかにも都市のインテリ好みな論調に対する答えを用意していないはずがない。こう答えた――「アルカイダの情報戦略をあげるまでもなく、死者のイメージは忌々しいグローバリズムと戦う上でこれ以上ない言語、表現手段です」

愚かな米国人はともかく、日本の知識人もグローバリズムをいまだに信奉し、オサマ・ビンラディンは地獄に堕ちると信じている。

僕が言いたいのは、己の正義で他人を罰しようとする厚顔無恥、その不自由さのことである。一般的な制限付きの自由は宗教でも得られると思うが、完全な自由は机上の空論だろうし、もし実現したとしても危険にすぎる。

しかしそれでも〝自由〟を美徳とは考えるべきだろう。夢に力を与えるのが自由だ。夢を見続けるだけで終わるのはそこに自由がないからだろう。

二〇一一年の夏、身体改造アーティストのルーカス・スピラがキュレーターを務めるボーダーライン・ビエンナーレに、同年三月に起こった東日本大震災をテーマにした展示のため招聘された。これは、権威ある国際芸術祭としてのリヨン・ビエンナーレの向こうを張る企画であり、IT長者のティエリー・アーマンが創設したオルタナティブ芸術祭であった。

その会場であるリヨン郊外の広大な敷地に建つ古城、ドミール・ドゥ・カオスは、ティエリー・アーマンのアトリエであり、古今東西の過激派のスローガンや壁画で塗りたくられ、誇大妄想を病んだアナキストの仕業としか思えぬ、鋼鉄のバリケードであった。

その「カオス」は、大震災を経験して国難と向き合っていた僕には、類型的で陳腐に見えもしたのだった。

僕の展示は震災の写真と映像である。僕は死体写真以外をプリントする気がしないので、「死体以外の写真も展示したい」と言うルーカスに、煮るなり焼くなり好きにしろ、と言わんばかりにすべてのネガを前もって郵送していた。映像に関しては、すでに編集を始めていた映画『ウェイストランド』の意欲的なプロトタイプを電送していた。

そして身一つで揚々とリヨンへ赴いたわけだが、私は現地でこの上ない悲劇に見舞われることになる。

写真の展示は野外だったのだが、夏の日差しによってプリントが著しく変形してしまい、簡単なフックでは固定できず、作品が地面に落下してしまう。落下したものを対策して固定し直す。また落ちる。対策し直す。見るも無残であった。しかもパフォーマンスアートが繰り広げられる夜のプライムタイムに、僕の作品はライトアップされなかった。失念していたということだが、電源の問題でライトアップは現実的に困難だった。

『ウェイストランド』のプロトタイプは、開場前から野外のモニターに全編二十分の冒頭五分が繰り返し流れていた。それを予告編だと思っていた僕は担当スタッフに「本編はいつ上映するの?」と聞いたら、彼は青ざめた。ダウンロードのミスで冒頭の五分しか取り込めなかったらしい。こんなネット環境で、IT長者の館が聞いて呆れる。そもそも、内容を確認すれば違和感に気付かなかったのだろうか。僕は多少フランス人のセンスを信用していた面があったのだが、ラテンはラテンなのか。

とにかく惨めなものであった。ワインを浴びに浴びて悪酔いした僕は「グアンタナモ」と名付けられたコンテナの宿泊所のベッドにゲロをお見舞いした。

映像担当スタッフはすっかり恐縮して、なんとか僕の機嫌をとろうとしたのか、敷地内の秘密の地下室へ案内してくれた。厳重に管理された狭い入口の中を覗けば、アナログで薄汚い外見とは打って変わって、近未来のような壮大なデジタル無菌空間であった。キューブリックの白い部屋を見る思いであった。

ドミール・ドゥ・カオスは、見た目の鋼鉄のバリケードと対をなすようなハイテクのセキュリティ・システムで守護された砦であった。そしてその実態は、地下に秘密の超巨大サーバーを擁する、異次元と見まがうばかりのインテリジェンス空間で、なおかつ表面上のアナーキズムが伊達じゃない存在証明であった。

ここはかのウィキリークスやアノニマスのバックアップサーバーを請け負う政治的ハッカー細胞の一つでもあるという実質的な情報戦争の最前線であったのだ。

最前線とはこんなものだろうか。そうではないはずだった。僕がそれまで見てきた世界の辺境、エッジと比べて、この洗練されなさは何だろう? 左翼の俗悪は何だろう? とにかく現在、世界を支配している思想はかくのごときである。

僕は虚しくなる。生者の不自由さに。死者の自由さに。

movie

加納星也

カノウナ・メ
——可能な限り、この眼で探求いたします

第51回 異次元の映画少子化対策

さて、ここ数年にわたって自粛を余儀なくされてきた、この映画の状況ではあるが、ようやく新年度。街に人々の姿も戻ってきた。ちらほら、インバウンドの皆さんの顔を観ることもでき、ガラパゴスなこの国も重い甲羅から首を伸ばし、世界の状況を知る機会も増えてきた。

むろん、今は実際に外に出かけなくとも、インターネット経由でそれこそ無数の映像作品に触れることも可能だ。

でも、ここでいう「映画」は全く違う。実際に映画館のスクリーンに映し出された映像を、こちらが実際に見て体験し考えたことの覚書のようなものだ。映画を観る行為は、本当に手間がかかる。しかも、その映画について語りだそうものなら、上映時間の何倍もの時間が物理的にかかる。

ともあれ、今回は旧年度に公開された映画と新年度に公開予定の映画をできるだけ本数を多く語ってみようと思う。この中で、もしピンときたら実際に映画館で見れたらラッキー！ だが、見られなくてもネット検索して視聴にたどりついたり、万が一、当たらなかったら、頭の片隅にでもタイトルとか置いてもらって、後に、ああ、これか?とか思い出してほしい。

■人生は深く多様だ！
『アダマン号に乗って』(2023)

Golden Bear 73rd
本年度
ベルリン国際映画祭
金熊賞〈最高賞〉受賞
パリ、セーヌ川に浮かぶ
船のデイケアセンター
今日もここにはいろんな人たちがやってきます
アダマン号に
乗って
Sur l'Adamant
優しい眼差しで現代社会を見つめ続ける
ドキュメンタリーの名匠
ニコラ・フィリベール監督最新作
日仏共同制作

ニコラ・フィリベール監督の『アダマン号に乗って』は、セーヌ川に浮かぶデイケア・センター木造船「アダマン号」の日常を丸ごと撮ったドキュメンタリー。そこではパリ在住の精神疾患のある人々が、アートや音楽、映画、身体表現などの文化活動を通して社会とのつながりを持てるよう、サポートする活動を行っている。

冒頭、いきなり何の説明もなく、この船のバー・スペースにある白熱のライブから始まり度肝を抜かれる。これが監督の視点だ。いわゆるドキュメンタリー映画でいわれる「ダイレクト・シネマ」は、ナレーションのような解説は全くなく、撮影対象にダイレクトに迫る。

しかも、しばらくこの映画を観ていても、誰が職員で誰が患者なのか、全く見極めが出来ない。むしろ多様な顔の表情と感情と思考法を持つ患者の魅力にハマったら最後、一気に鑑賞者から、この船の一員となる。

2023年の第73回ベルリン国際映画祭コンペティション部門の最高賞、金熊賞を受賞して、日本の配給会社ロングライドが共同制作。

パリにいるアートの知人と話したが、この映画も施設の事もあまり知られていない。このデイケア・センターは、パリ中央精神医療センターグループの一部で、施設内には複数のユニットが存在して、中には、映画や演劇関係では有名なピーター・ブルック作品「マルキ・ド・サドの演出のもとにシャラントン精神病院患者によって演じられたジャン=ポール・マラー・サドの迫害と暗殺」に出てくるシャラントン精神病院の流れをくむユニットもあるそうだから、非常に興味深い。

まさしく既成のシステムに収まらな

い人間の感情と生きる様がダイレクトに描かれた作品だ。表現者や関係者には必見の映画。4月28日から全国公開。

■ただ、ただ見聞きし、記録すること
『セールスマン』(1968)
『グレイ・ガーデンズ』(1976)

メイルズ兄弟チームのドキュメンタリー映画『セールスマン』『グレイ・ガーデンズ』。

前者はアメリカ中を車で聖書を売り歩くセールスマンチームを、後者はケネディ大統領の元夫人ジャクリーンの叔母と、その娘を描く。

『セールスマン』は、アメリカのベストセラーど真ん中の豪華カラー版『聖書』を手に、ボストンからフロリダまで車の営業チームを組織し出張。各教会にあるアンケートからの顧客リストをもとに、あの手この手で売りまくる。その営業テクニックは、それこそ、氷上生活者に氷を売りまくる。営業のブラック基本ルール。そのメンバーにいる一人の敬虔な信奉者の苦悩も同時に描く。

営業トークなのか？ 実は本心の信仰の表れか？ 私たちに判断できない。観る者は彼らと共に出張し、貧しい自宅に押しかけ、皆で聖書を売り込むという布教行為を、ただただ体験しなくてはならない。

『グレイ・ガーデンズ』は、退去勧告が出ているボロボロの屋敷に住み着く親子？の日常を、メイルズ兄弟が訪ねて、その姿をただ撮り、録音する。かつて親子はショービズの世界を目指した過去があり、過去の栄光の自慢話、自身の歌声やダンスをこれでもかと披露する。ほぼ寝たきりの母親は半裸でバルコニーで日光浴するは、娘は髪の毛のない頭にスカーフを巻き、上下逆のトンデモ・ドレスで彼らを歓待する。

メイルズ兄弟は、主に兄が撮影、弟が録音を担当。その大量のフィルムを編集を担当する二人のスタッフからなるチーム。

1960年代にはじまるダイレクト・シネマの代表的な監督で、ロック・ファンなら、コンサート中に殺人事件が起きてしまった『ローリング・ストーンズ・イン・ギミー・シェルター』を制作したといえば、思い当たるだろうか？ 考えてみれば、まだMTVがない時代。ロックをとらえたドキュメンタリーこそ、ダイレクト・シネマそのものであったのだ。

■丸ごとの現実を観る
『インディアナ州モンロヴィア』(2018)

ダイレクト・シネマといえば、大御所のフレデリック・ワイズマン。今年93歳になる彼の最新作『ボストン市庁舎』(2020)の前に撮られた作品。彼はイエール大学で法学を学んだあと弁護士になり、軍隊生活を経験後、弁護士として働きながらボストン大学やハーバード大学で教鞭をとったという異色の経歴。その作品タイトルは、対象となる団体、組織、地名などの名称のみで、そこに付随する予備知識や付加されるイメージを一切含めない。それは、彼のドキュメンタリー映画に対する指針を見事に表している。

そのタイトルを軽く挙げてみても、収容所の名前である『チチカット・ホーリーズ』から始まり、『高校』『法と秩序』『病院』。そして、『モデル』『ストア』『競馬場』と実にそっけない。その後、少し派手になり『コメディ・フランセーズ』

『ダンス（パリ・オペラ座のすべて）』『クレージー・ホース』とエンタメ界を撮ってはいるが、内容はスターの内幕の話ではなく、それをとりまく劇場システムだったり、社会的な背景だったりする。

そこで、この『インディアナ州モンロヴィア』も、タイトルそのもの、インディアナ州の農業の町が題材。

映画はまず、この映画の舞台である牧歌的な農場の風景ショットから始まる。何の変哲もないアメリカの風景が固定ショットでそっけなく紹介される。そこからは市の会合や、そこでおきた出来事、催事などの断片的な場面が続く。それにしても、変哲のないローカルな日常だ。

そこからカメラアイは、徐々に風景の裏側にある特別な風景を浮かび上がらせてくる。それはこの地区に根づくフリーメイソンの組織とその儀礼、高校にはびこるローカリズム、そして、銃砲店でのやり取りから浮かび上がる銃社会の現実、教会での牧師の演説から見る宗教観など。

実はこの地区は、2016年の大統領選挙において重要な役割を果たしていた。インディアナ州は人口が他の州に比べ非常に多く、ここで得た票は影響力が高い。つまりドナルド・トランプの保守的な人気の波及に大きく貢献した土地なのだ。

この映画は、その結果を踏まえて制作されているのだが、決してその現実をただ批評的に語っているわけではない。むしろ適正に判断するための材料を映像として提示しているのだ。

彼が描いたのは「古き善きアメリカ人」のプロフィール。誰しも、この牧歌的な生活の中でキリスト教を信奉し、善き隣人としてこのコミュニティを維持し続けているのだ。

通常のフィクション・ドラマと違い、ここでは、そのコミュニティから排除された人たちの姿は全く映らない。映るのは農村で豊かな作物と家畜に囲まれ、恰幅良く太った人々の姿だけだ。対比的にモンタージュされるのは、豊富な肥料で育てられ農場のコンテナに積まれる豚だったり、目の前に広がるトウモロコシ畑から収穫され工場からトラックの荷台に降り注ぐ無数のコーンの山だったりする。それは、現実にある何でもない点景だ。それが、僅かな違和感のあるインサートショットや長回しの映像の角に見え隠れする。母校出身のスポーツ選手について長々と自慢話をする教師と足を組んで聞いている退屈そうな少女の姿や、亡くなった善き伴侶についてのエピソードを語り天国と信仰の大事さを説く牧師と、その演説に一語一語反応する善き市民だったり。

フレデリック・ワイズマンはかつて来日したとき、映画のアフタートークでこう語った。

「撮影するに当たって、その撮影の題材に対する予備知識はできるだけ持たない。予めこういった視点から撮るかという事を排除する。私の撮影方法は昔から変わっていない。私は同時録音のマイクを持ち、興味をそそられたものにひたすらマイクを向ける。それに引っ張られるようにカメラマンがそこにある状況を集中的に撮る。その後、何がそこに映っているのか、フィルムを観ながら長い間徹底的に考える。その過程の中で自分が撮ろうと思っていた題材の組織や社会構造などが浮かび上がってくる」と。

彼はこの時、既に高齢だったが、映画に出てくる恰幅の良い典型的なアメリカ人とは全く違う、やせて小柄の知性的な男性で、身振り手振りでウィットに飛んだエピソードを披露した。

■あの狂乱の時代を読み直し

『バビロン』(2022)

あの『ラ・ラ・ランド』(2016)のデイミアン・チャゼル監督・脚本の3時間を超える大作。当世一のハリウッドスターを演じるのがブラッド・ピット、新進のセクシー女優を演じるのがマーゴット・ロビーとあれば、皆さんもそれなりに期待を高めるかもしれない。しかし、それを見事に裏切る近年まれにみるトンデモ大作だ。

開幕から、象を車で輸送する映画制作を夢見るメキシコ出身の青年（ディエゴ・カルバ）の外したエピソードから始まり、華麗で豪華だが裏側はオージーで糞なパーティ、ドラッグとジャズ音楽が渦巻く世界。

彼と、野望に満ちたマーゴット・ロビー演じる《野生児》との恋愛物語だと言えるかもだが、それは『ラ・ラ・ランド』の全く裏のB面。

かつてアンダーグランドの実験映画作家でカルト的な存在だったケネス・アンガーの著作に『ハリウッド・バビロン』というのがある。これは、1900年代から50年代にわたるハリウッドの映画業界における有名俳優のスキャンダル・エピソード集。1965年に出版されたが販売が差し止められ、10年間は日の目を見なかった。

この悪名高い著作から監督はインスピレーションを受けているのは間違いない。ハリウッドの陰キャラ部分の「魔都」の読み直しの魅力を図っていると確信できる。

本作では、無声映画からトーキーに至る映画界のバックステージを描いている―と紹介すれば、思い当たるのがジーン・ケリーの『雨に唄えば』。この作品をモチーフにしたものも多いが、最近のアメリカ映画で躍進目覚ましい作家たちは、どうやら、こうした映画の魔力の塔について優れた怪作を創造している。

ポール・アンダーソンはこれに先立ち、1970～80年代の米ポルノ業界に生きるロサンゼルス郊外の業界人の葛藤を描いた群像劇『ブギー・ナイツ』（1997）を発表しているし、暗黒街との麻薬などの逸話には、本作とそっくりなエピソードが多々ある。

また、クエンティン・タンティーノ監督の『ワンス・アポン・ア・タイム・イン・ハリウッド』（2019）も、有名なマンソンによるシャロンテート事件の「パルプフィクション」的な読み直しともいえる。

この辺の映画は、やはり日本では一般娯楽映画とはお世辞には言えず、『ラ・ラ・ランド』の恋愛物語の続きを夢見る鑑賞者には、長時間にわたる悪魔の地獄めぐりを強いることになるであろう。

怖いもの見たさ！ 映画版の禁書『ハリウッド・バビロン』はハマると癖になる。

☆ ☆ ☆

といったところで、今回は、できるだけ多くの映画について語ろうと思っていたが、悪魔の迷路を語ったところで、こころざし半ばどころか入口でもう出口を示さなくてはならなくなった。

大急ぎで、これから語りたい映画についてタイトルだけ示しておこう。

『逆転のトライアングル』『サポート・ザ・ガール』『アナザー・ミュージック』『恋人はアンバー』『シティ・オブ・ゴッド』『アフター・ヤン』『彼女のいない部屋』『コロンバス』『アムステルダム』『ドント・ウォーリー・ダーリン』『ノートルダム炎の大聖堂』『イニシェリン島の精霊』『シャドウ・プレイ【完全版】』『うつろいの時をまとう』『トウモロー・モーンング』『ピンククラウド』『独裁者の時』『子どもの瞳を見つめて』『MEN 同じ顔の男たち』『ネバー・ゴーイング・バック』『ラム』『ザリガニの鳴くところ』『ワース 命の値段』『パトニー・スウォーブ』『リコリス・ピザ』『WANDA／ワンダ』『あのこと』。

と、とりとめなく語ってきたのだが、今回タイトルを観た人が「異次元の笑止か？大作」、通称「エブエブ」と間違って、少子化する映画館にも足を運んでいただける事を期待して、新年度のご挨拶といたします。

新・バリは映画の宝島

友成純一

才人サソンコ
——荒唐無稽な格闘技アクションも小洒落た現代劇も、なんでも御座れ（前）

これがインドネシア伝統の格闘技ヒーロー！

前々号で紹介した問題作「モルッカの光」「プラハからの手紙」を見る限り、アンガ・ドゥイマス・サソンコ Angga Dwimas Sasongko、こんな問題作ばかり撮っている人に思われるかも知れないが、さにあらず、破茶滅茶な格闘技アクションも撮れば、お洒落で楽しいドラマ物も撮っている。リリ・リザやイファ・イスファンシャもそうだったが、インドネシアの個性派監督たち、主張の強い〝国際映画祭向け〟作品と自国マーケットで成果を上げるエンタメ作品を撮り分けることによって、映画界に自分の位置を築いているようだ。

インドネシア映画界はここ数年、リバイバル付いていると何度も書いてきた。ウィロ・サブレン物も復活。一八年八月三十日に封切られた「ウィロ・サブレン」がそれ。天下の二十世紀フォックスが製作に携わり、端から国際マーケットに向けて作られた超大作で、全三作を予定。その監督に指名されたのが、アンガ・ドゥイマス・サソンコ。

半世紀に渡って莫大なエピソードが書き継がれて来た。特定の話をピックアップするのは難しい。何も知らない観客でも楽しめるよう、初期のエピソードに焦点を絞りつつ、主だったキャラクターを可能な限りたくさん登場させ、かつウィロ・サブレン世界がどんな物で面白さや如何に——それを見て取れるように、新作では新しくお話を作り直している。

時代は十六世紀。日本で言うなら徳川幕府とも呼ぶべきマトラム王国が、ジャワの覇権を確立する直前、日本で言うなら戦国時代に相当する時期のジャワが舞台である。マヘサという悪党が郎党を率いて村を襲撃、村人を皆殺しにする。まだ幼い少年ウィラも目の前で、マヘサ本人の手で両親を殺され、家を焼かれる。ウィラ自身も炎に投げ込まれるところを、その場に居合わせたシント・グンデンという白髪のちっこい婆さんに助けられる。シント・グンデンは、格闘家たちの間で知られた格闘の達人だった。

シントお婆は少年ウィラと共に山に篭り、それから十七年、ウィラに格闘技を仕込みつつ育て上げて行く。十七年が経った時、彼に使命を授ける。村を全滅させたマヘサは実はシントの弟子だったのだが、技に奢って裏切り悪の道に走った。こいつを倒せと。ただし、目的が両親の復讐であってはならない。あくまで世を糾し道理を通し、人々を救うこと、そして自分自身を高めること。免許皆伝の証に、名を〝ウィラ・サクサナ〟から〝ウィロ・サブレン〟に改め、斧を授けた。それが〈竜斧212〉、必殺の武器である。

ウィロ・サブレンの〝サブレン〟は、ジャワ語で〝オツムがちょっと弱い〟を意味し、ウィロ・サブレンとは〈〝間抜け〟あるいは〝能足りん〟のウィロ〉という意味である。シントに授かった技は猿の動きに似ており、すばしこくて滑稽である。かつウィロはいつも戯けていて、冗談を言ったり人を揶揄うのが大好きで、ヘラヘラ笑ってばかりいる。〝サブレン〟の呼び名がぴったりなのだ。

〝212〟というのは、この宇宙の、世界の、人間の真実。光と闇、は正反対だが、しかし光なくして闇はなく、闇なくして光はない。昼と夜があって、一日となる。天と地、この両極があって世界が成り立つ。生と死、高いと低い、富裕と貧乏……男と女がいて、人間となる。人体でいうなら、上と下の二つの唇があって、口となる。手と足は二つずつだが、合わさって一つの胴に。ついでに、男の金玉は二つでチン棒は一つ——二つは一つ、一つは二つ、これは世の理（ことわり）なり——故に〝212〟。

それの証である〝竜斧212〟を持つウィロの胸と掌には、〝212〟が浮き上がることとなった。ウィロが必殺技を決めた相手の額には、まるで焼印で押したみたいに〝212〟マークが刻印される。

ウィロはマヘサを倒すための遍歴の旅に出る。そのためにはまず、居場所を探さねばならない。ある旅籠で一番安い食べ物を貪っている時に、見るからに悪党ヅラをした数人の男たちがやって来た。

そして一番高くて美味しい料理を頼んだ。羨望の目で眺めるウィロを尻目に、一同が誰かを待ち伏せしているらしい会話をするのだが、その中にマヘサの名が出た。ウィロの耳がダンボになる。そこに、美しい女剣士とその弟が、五人の手下と共に入って来る。この美女剣士と弟こそが、悪党どもの狙いだった。さっそく凄まじい、かつ笑える格闘となる。格闘の末、いったんは逃げ出した美女剣士と弟だが、逃げ切れずに捕まってしまう。

美女剣士と弟のカップルは、実はパジャジャラン王国の王女と王子だった。国情を把握するためにお忍びで修行と遍歴の旅に出ていたのだが、これこそ好機と悪党どもに誘拐されたのだった。この襲撃を指揮したのはカリングンディルという剣の名士で、そのボスこそマヘサだった。マヘサは造反分子と組んで王国の乗っ取りを謀っており、その際の人質とするために王妃と王子を狙ったのだ。国王もそれを恐れて、二人が旅に出ることに強く反対したのだが、二人は少数の配下と共に、庶民の身なりに仮装してこっそり抜け出してしまった。二人を探し出すよう国王も手を打っていたが、それを任された高官がマヘサと組んでいるのだから、結果は見えている。

ウィロは遍歴の間に、仲間に恵まれる。一人は、アンギニという可愛い娘格闘家。彼女の師匠はトゥアック爺という、やはり有名な格闘の老大家。"トゥアック"とは、ブドウから作った地酒である。背中に背負った太い竹筒にトゥアックをたっぷり仕込み、年柄年中これを傾けてはトゥアックをガブ飲みしているので、こう呼ばれている。彼の狙いも、世に害をなす大悪党マヘサを倒すこと。彼はジジイだし酒を飲むのに忙しいので、アンギニにウィロにくっ付いて回れと、修行の旅に出す。ウィロは煩わしがるのだが、アンギニは師匠の命令通りにウィロを付け回し、事が起きるごとに助ける。ウィロがお姫様と親密になったりすると、嫉妬のあまり自棄糞になり、二人の目の前で激しい格闘の練習を始めたりする。

もう一人は、〈魔法の掌を持つ狂えるブジャン〉という、超デブの若者。彼は山中に一人籠もって暮らしていて、デブで暑いもんだからいつも扇子でパタパタ仰いでいる。服はいつも裏返しで、行水などしたことないので凄く臭い。特にオナラの臭さは、それ自体がもはや魔力で、悪党どもをバタバタ失神させる。

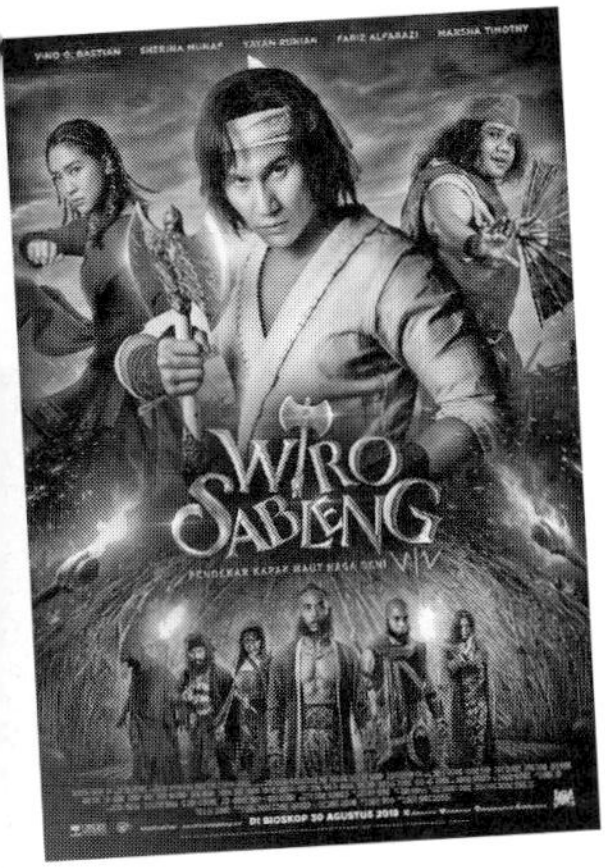

そして、ここ一番、ウィロたちが危機に陥った時に、呼ばれもしないのに不意に姿を見せる機械仕掛けの神、〈東風の女神〉様……この女神様がいなければ、ウィロはこの映画の中だけで二度は、マヘサに殺されている。

格闘に次ぐ激しい格闘……掌から気合を飛ばすばかりでなく、怪光線から熱線、冷線まで発射する。空を飛び、魔力を駆使し、笛を吹いて敵を踊らせ……その合間に(時には格闘そのものが)お笑いを仕込み、キレイな姐ちゃんも次々に出て来るし、二時間強、息継ぐ暇もありません。

社会派で技巧派の才人サソンコ、小難しい気取った映画を撮っているお方なので、こういうお馬鹿エンタメ映画、大丈夫かと思いきや、おっそろしく派手で気合の入った痛快娯楽超大作に仕上げてくれている。さすが、こやつの才能は伊達じゃない。冒頭の、マヘサが村を襲撃するシーンなど、黒澤明「七人の侍」の冒頭を「影武者」の映像で撮ったような美しさで、裏返すと彼らしい小生意気なシーンだった。

主演のヴィノ・バスティアンは、今やインドネシアを代表する俳優で、特にヤンチャなチンピラとか、世を拗ねた我儘男を演じさせると右に出る者はない。この映画に絡めてチェックするまで知らなかったのだが、彼は何と原作者バスティアン・ティトの息子さんだった。ウィロの役は、まさに彼が適役だった。

そしてウィロの相方アンギニを演ずるのは、シェリナ・ムナフ、前回紹介したリリ・リザのミュージカル「シェリナの大冒険」のあのシェリナである。本作が二十年振りの映画出演であり、映画界復帰の第一作となっている。

なお、九〇年代にこのシリーズはテレビで高視聴率を誇ったのだが、その時の主演の一人ケンケン(ヘルニン・スケンドロ)も、本作にカメオ出演している。ウィロが旅籠で悪党カリングンディル一行に出会い、お姫様と王子様を助けるが、この旅籠の主人がケンケン、若き日はウィロその人だった。もちろん、バスティアン=ウィロとお姫様を助け、強いところを見せてくれる。

リリ&ミラ製作イファ監督「黄金杖秘聞」に前に触れた際、この映画は〈ウィロ・サブレン〉シリーズへのオマージュだと書いた。粗筋を見ただけで、如何にオマージュしているか、お判りだろう。

中国語圏映画ファンが選ぶ 2022年〝金蟹賞〟は『七人樂隊』に！

movie

小谷公伯

2023年2月10日、六本木のとある中華料理店で2022年〝金蟹賞〟選考会が開催された。新型コロナウイルス感染症まん延防止のため、三年ぶりのリアル開催で、オンライン・ミーティングも併用された。

〝金蟹賞Tokyo Golden Crab Film Award〟とは、中国現代文学研究者で名古屋外大教授である藤井省三氏を審査委員長として、社会人向け講座の受講生が中心となっている選考委員（以下「委員」と表記）が、映画批評を行うという趣旨で開催され、初回の会場で食べた蟹料理から〝金蟹賞〟と命名されたのが始まりである。受賞式が行われるわけではないので、いわば、映画ファンが勝手に選ぶ映画賞なのである。

選考の対象となるのは、日本国内の劇場および、映画祭で上映された中国語（地方方言を含む）が会話の中心となっている作品である。さらに、前年より国内動画配信サービスによる鑑賞も対象としている。

国内映画祭上映後、翌年以降に劇場公開の場合は、二度目の対象となり、過去に上映された作品が、デジタル・リマスター版の上映、また、リバイバルや特集上映され、「私は初めて見て感動したので投票します」でも、不可としないのがユニークな点である。

基本的に有料チケットを購入して見ているため、面白くないものや、お金をかけている割に出来の悪い作品に対して、忌憚無く発言する反面、個人賞などは、贔屓俳優へは若干甘い採点となるなど、見た人の思い入れ度が投票に反映されることもある。

2022年最も評価が高かった作品は？

投票は、選考会の二日前に一応締め切り、以後は追加・修正投票を受付け集計された。

作品賞第1位には、2020年東京フィルメックスで上映された後、2022年劇場公開された香港作品『七人樂隊』が選ばれた。

サモ・ハン（洪金寶）(※1)が、50年代、必死にカンフーの稽古に励んだ幼い自分と仲間を描く、自伝的エピソード「稽古」、アン・ホイ（許鞍華）が教育に生涯を捧げる校長と彼を慕う同僚の女性教師、かつての教え子達を描いた「校長先生」など、ジョニー・トー（杜琪峯）のプロデュースのもと、香港で活躍してきた七人の監督が1950年代から未来までの、さまざまな年代の香港を描いた七作で構成されたオムニバス作品である。なお、本作はフィルム時代に敬意を表し、全編35ミリフィルムで撮影されている。

投票した委員からは、「ベテランの風格たっぷりという見応えのある作品集で、香港の過去、現在、未来まで堪能しました」、「香港映画の盛り合わせ〟という趣で、これをツマミに呑めます」等のコメントが寄せられた。

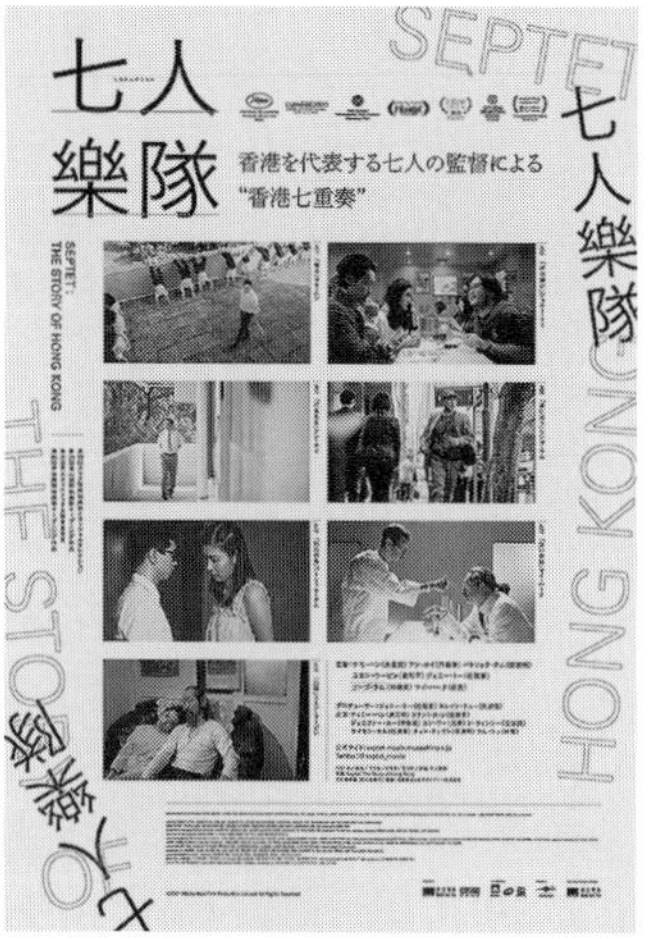

第2位は、チャン・イーモウ（張藝謀）監督作品『ワン・セカンド永遠の24フレーム』（一秒鐘）が選ばれた。

1969年文化大革命下の中国、造反派に抵抗し、強制労働所送りになった男は、妻から、最愛の娘ともに縁を切られてしまう。数年後、本編上映前のニュース映画「22号」に、娘の姿が1秒だけ映っていることを知った男は、娘の姿をひと目見たいという思いから脱走し、逃亡者となりながらフィルムを探しだそうとする。ある小さな村の映画館に運ばれるフィルムの缶を盗みだす孤児の少女リウと出会う、というストーリーである。

委員からは、「ヒロインのあまりにも汚らしい作り方には疑問は持ったが、そういう役をあえて演じきったリウ・ハオツン（劉浩存）はたいしたもの」、「随所に過去の名作の片鱗を感じた作品」とのコメントが上がった。

第3位は、『シスター 夏の別れ道』（我的姐姐）が選ばれた。イン・ルオシン（殷若昕）監督作品である。

看護師として働きながら医者を目指し、北京の大学院進学を目指す、チャン・ツィフォン（張子楓）が演ずるアン・ラン。ある日、疎遠だった両親が交通事故で亡くなったと、連絡を受ける。これまで会ったことのなかった6歳の弟の面倒をみることになり、将来計画の選択を迫られるという、ヒューマン・ドラマ作品である。

「会ったことのなかった弟の養育をめぐり、姉の役割を押し付けられ、孤立奮闘する主人公の感情にひたすら共感した。家父長制的な体質も、一人っ子政策も、根深さを感じる」、「家族の問題を掘り下げ価値観の変化を浮彫にした作品」とのコメントが寄せられた。

第4位は、『奇跡の眺め』（奇跡　笨小孩）が選ばれた。

『薬の神じゃない』（我不是薬神）のウェン・ムーイエ（文牧野）監督作品である本作は、ネット配信で一足早く公開され、2022年東京中国映画週間で上映された。

改革開放政策により電子機器製造で急成長した深圳を舞台に、大学を退学しスマホ修理業を営んだが、心臓病の妹の手術費用を稼ぐため、規格不合格のスマホを修理し転売しようとする『少年の君』のイー・ヤンチェンシー（易烊千璽）が演ずる兄。法律改正により不可能となり、製造企業へ、規格外れスマホの使える部品を活用するリユースの提案するが、という、若者成功物語を描くヒューマン・ドラマである。

「次第に厳しくなる中国の映画製作状況の中で、政府と観客の両方を納得させる作品作りはさぞかし大変だろうと思います。舞台背景にあるベンチャー勃興期の中国スマホ業界や深圳を、急激な地盤沈下が続く現在から見ると、また独特の味わいがあります」、「久しぶりにハッピーエンドの中国大陸作品を楽しみました」とのコメントが上がっている。

第5位は、同数で二つの香港作品が並んだ。

一つは、2022年大阪アジアン映画祭で上映された『アニタ』（梅艶芳）（※2）で、1980～90年代の香港音楽界を駆け抜けたスター歌手アニタ・ムイの40年の生涯を描いている。当時の香港の街並みや、日本ロケ、ヒットした日本歌謡曲のカバー曲、演唱会シーンを組み込み、137分ながらラストまで一気に展開する。リョン・ロクマン（梁樂民）監督作品である。

「アニタの生涯を演ずる新人女優ルイーズ・ウォン（王丹妮）の姿と、時折挟みこまれる当時の映像に号泣」、「映画全体のボリューム感が凄い」、「山口百恵のカバーを歌い、1983年香港十大中文金曲に選ばれたアニタを知り、その後の活躍を目にしていたのですが、自分が香港へ多く渡航していた時期と重なり、思い出させてくれます」とのコメントが寄せられた。

もう一つが『消えゆく燈火』（燈火闌珊）。2022年東京国際映画祭アジアの未来部門での上映発表で、委員の多くも注目した本作は、腕利きの看板ネオンサイン職人だった夫が亡くなって失意の妻。香港の条例改正やLEDの普及で減りつつあるネオンサイン。やがて、夫がやり残した夢を継承しようと決意する。サイモン・ヤム（任達華）とシルビア・チャン（張艾嘉）のベテラン俳優が夫婦を演じる。

『アニタ』とともに、失われた香港へのレクイエム的作品」、「サイモン・ヤムとシルビア・チャンがベスト・キャスティング」とのコメントが上がった。

"2022金蟹賞"選考結果

〈作品賞〉
1位『**七人樂隊**』（七人樂隊）2020年 香港／監督 サモ・ハン（洪金寶）、アン・ホイ（許鞍華）、パトリック・タム（譚家明）ほか 53点 劇場公開
2位『**ワン・セカンド 永遠の24フレーム**』（一秒鐘）2020年 中国／監督 チャン・イーモウ（張藝謀）44点 劇場公開
3位『**シスター 夏の別れ道**』（我的姐姐）2021年 中国／監督 イン・ルオシン（殷若昕）43点 劇場公開
4位『**奇跡の眺め**』2021年 中国／監督 ウェン・ムーイエ（文牧野）40点 2022年東京中国映画週間
5位『**アニタ**』（梅艷芳）2021年 香港／監督 リョン・ロクマン（梁樂民）35点 2022年大阪アジアン映画祭
同　『**消えゆく燈火**』（燈火闌珊）2022年 香港／監督 アナスタシア・ツォン（曽憲寧）35点 第35回東京国際映画祭
7位『**Blue Island 憂鬱の島**』（憂鬱之島）2022年 香港・日本／監督 チャン・ジーウン（陳梓桓）30点 劇場公開
8位『**へその緒**』（Cord of Life 臍帯）2022年 中国／監督 チャオ・スーシュエ（喬思雪）第35回東京国際映画祭
9位『僻地へと向かう』（縁路山旮旯）2021年 香港／監督 アモス・ウィー（黄浩然）2022年大阪アジアン映画祭
10位『宇宙探索編集部』（宇宙探索編集部）／監督 コー・ダーシャン（孔大山）22点 2022年東京中国映画週間

〈銅蟹（どうかにー？）賞〉
『**宇宙から来たモーツアルト**』（外太空的莫扎徳）2022年 中国 陳思誠 2022年東京中国映画週間

主旋律作品朝鮮戦争出兵3作品
『**バトル・オブ・ザ・リバー 金剛川決戦**』（金剛川）2020年 中国 管虎、郭帆、路陽、田羽生
『**1950 鋼の第7中隊**』（長津湖）2022年 中国 陳凱歌、徐克、林超賢
『**1950 水門橋決戦**』（長津湖之水門橋）2022年 中国 陳凱歌、徐克、林超賢

〈監督賞〉
イン・ルオシン（殷若昕）『シスター 夏の別れ道』（我的姐姐）2021年 中国

〈主演女優賞〉**張艾嘉**（シルビア・チャン）『消えゆく燈火』

〈主演男優賞〉**イー・ヤンチェンシー**（易烊千璽）『奇跡の眺め』

〈助演女優賞〉**サイ・マ**（馬賽）『七人の楽隊』の一片「校長先生」

〈助演男優賞〉**ティエン・ユイ**（田雨）『奇跡の眺め』

〈イケメン賞〉該当者無し

〈新人賞〉**ダレン・キム**（金遥源）『シスター 夏の別れ道』

〈特別賞〉
『消えゆく燈火』のネオンに対して
WKW4K ウォン・カーワァイ4K（特集上映）に対して
香港映画発展史探求（国立映画アーカイブ）に対して

第7位は、劇場公開作品『Blue Island 憂鬱の島』（憂鬱之島）で、一国二制度の理念が蝕まれつつある香港、天安門事件を経験して自身を脱走兵と戒める者、文化大革命を逃れ恋人と共に命懸けで海を渡った者、抵抗者から経済人へと変わった者、異なる時代を生きた実在の3人を中心に、自由を守るために闘った人々の記憶を、ドキュメンタリーとドラマを融合させながら描き出す、香港、日本合作作品である。ドキュメンタリー『乱世備忘 僕らの雨傘運動』のチャン・ジーウン（陳梓桓）監督作品である。

「ドキュメンタリー＋劇映画という手法は上手いなと思いました。香港の今の状況は局地的な問題ではなくて、中国の民主化運動の流れの中でずっと途切れなく続いている問題なのだということが胸を衝きます」とのコメントが上がった。

第8位は、2022年東京国際映画祭で上映された、チャオ・スーシュエ（喬思雪）監督の中国作品『へその緒』（Cord of Life 臍帯）が選ばれた。

ミュージシャンの青年は、認知症が進む母の介護をすべく、母を故郷の内モンゴルの草原へ連れ戻る。都会では暴れていたのが、故郷へ戻ってから笑顔が絶えない母だった。そして、息子との思いでの木を探す旅に出るというストーリーである。

「先の読めない展開が見事」、「中国北方の自然とそこに暮らす人々の存在感に圧倒されました」とのコメントが。

第9位は、2022年大阪アジアン映画祭で上映された、アモス・ウィー（黄浩然）監督の『僻地へと向かう』（緣路山旮旯）で、IT企業で働くオタク男子ハウ[※3]に突然モテ期が到来する。全く違うタイプの女性たちとのデートし、沙頭角、下白泥、大澳、船灣荔枝窩、長洲、茶菓嶺といった僻地へ送って行くエピソードが展開される軽やかな恋愛コメディーである。近年人気あるカーキ・サム（岑珈其）がオタク男子役を好演している。

「香港の知られざる地域の風景が楽しめるロード・ムービー。とは言え、香港社会の実情を感じるセリフも多く、ポップな恋愛映画の中に香港社会の現実をさりげなく映し出しているところが興味深い」、「香港映画の近年の変化を象徴する代表的な作品と思う」とのコメントが寄せられた。

第10位は、2022年東京中国映画週間で上映されたコー・ダーシャン（孔大山）監督の中国作品、『宇宙探索編集部』（宇宙探索編集部）が選ばれた。90年代には流行ったものの現在では廃刊寸前の科学雑誌「宇宙探索」を細々と続けている編集者のタン、光熱費の支払いすらままならないなか、ある日、四川省の山村での未確認飛行物体の情報を掴み、編集部の仲間たちを連れて調査の旅に出るというのが話の根幹である。本作は長編デビュー作ながら、2021年平遥映画祭で最優秀作品賞、審査員栄誉賞、映画ファン栄誉賞をトリプル受賞している。

「川口探検隊を思い出すような、ヘンテコでカオスなフェイク・ドキュメンタリーで、お腹が捩れるくらい笑った」とのコメントが紹介された。

銅蟹（どうかにー？）賞は！

金蟹賞のラズベリー賞と言える〝銅蟹賞〟は、2022年中国映画週間で上映された、『宇宙から来たモーツアルト』（外太空的莫扎徳）、劇場公開された主旋律作品朝鮮戦争出兵三作品、『バトル・オブ・ザ・リバー 金剛川決戦』、『1950 鋼の第7中隊』（長津湖）、『1950 水門橋決戦』（長津湖之水門橋）と、中国作品が並んでの受賞となった。

『宇宙から来たモーツアルト』には、「他の委員に〝ドラえもん〟と言われて納得、ただ、そのドラえもんがもともと苦手でした」、主旋律作品朝鮮戦争出兵三作には、「朝鮮戦争を描きながら、そこには朝鮮人民は出てこず、ひたすら米中の戦闘を、これでもかってくらいに描いた作品群。この三作とも主演したウー・ジン（呉京）はまさしく銅蟹男優ですな」と、コメントが上がっている。

監督賞ほか個人賞は！

まずは監督賞から。六作品が同点で並ぶという大混戦での決戦投票を経て、『シスター 夏の別れ道』のイン・ルオシンが受賞。審査委員長から、「本作は、小さく言えば年の離れた孤児姉弟の愛を、大きく言えば東アジアにおける家族制度の変遷を、涙と笑いでしっかり描いた名作」とのコメントが寄せられた。

主演女優賞は、決戦投票を経て、『消えゆく燈火』のシルビア・チャンが受賞。「仕事を通じて夫の気持ちを知ろうとする姿が印象的」とのコメントが。

主演男優賞は、『奇跡の眺め』のイー・ヤンチェンシーが受賞。「『少年の君』も良かったが、こういう真面目男子もなかなか」とのコメントが上がった。

このほか、助演女優賞は、『七人の楽隊』の一片「校長先生」での演技でサイア・マ(馬賽)が受賞。助演男優賞は、『奇跡の眺め』でのティエン・ユイ(田雨)が受賞した。

委員からイケメン俳優を紹介することから始まった〝優秀イケメン賞〟は、今回は該当無しであった。

また、『消えゆく燈火』のネオン、KW4Kウォン・カーワァイ4K(特集上映)、香港映画発展史探求(国立映画アーカイブ)に対して、委員推薦による特別賞とすることとなった。

2022年の中国語圏映画を振り返って

2022年の中国語圏映画を振り返ってみよう。別表「2022年中国本土・香港、台湾における興行収入ベスト5」を併せて参照されたい。

最初に、百度一下経由で検索し、中国本土の興行収入統計を探ってみる。国家電影局発表に基づいた「中国内地電影總票房一覧」等を参考にした。

中国本土では、年間興収300・67億人民元(以下「元」と表記)、上映作品174本(うち再上映5本)で、2019年の最高収入690億元から新型コロナウイルス肺炎の感染対策の影響により翌年、大きく落ち込んだ興収は、21年472・58億元まで回復したが、22年は、感染防止対策再強化、市場経済の低下の影響を受け、前年比63・62%に落ち込んだ結果となった。

前年の興収1位が、朝鮮戦争において国連軍と中国人民志願軍の初交戦として知られ、現在の朝鮮民主主義人民共和国の咸鏡南道長津郡長津湖周辺の戦いを描く、主旋律作品『1950 鋼の第7中隊』(長津湖)57・73億元だったが、この続編にあたる『1950 水門橋決戦』(長津湖之水門橋)が40・67億元で、2022年の第1位となった。

アメリカ軍の防衛基地を撃破した人民志願軍第7中隊に、敵の退路を絶つため長津湖の水門橋を破壊せよとの指令が下る。厳しい天候の中、兵士たちは上空からの攻撃を回避して少しずつ前進していく。心身共に大きなダメージを負いながらも強い意志で水門橋に接近するというストーリーである。ツイ・ハーク(徐克)が監督し、チェン・カイコー(陳凱歌)、ダンテ・ラム(林超賢)が製作を担当。ウー・ジン、イー・ヤンチェンシーらが引き続き出演している。金蟹賞では、銅蟹賞を受賞したが、従来の主旋律作品での、上向きの大きなショットで英雄感を強調するような映像の多用よりも、本作では、クローズアップを取り入れながら戦争の廃墟、残酷感を感じ取れるような映像作りがなされている。

2位は、シェン・トン(沈騰)が主演するSFコメディー作品『月で始まるソロライフ』(独行月球)31・30億元、3位に春節時期に公開された『這個殺手不太冷静』(※4)が26・28億元、本作は日本作品『ザ・マジック・アワー』2008年のリメイクである。

政府の上映等への関与もあるが、中国作品優位は変わらず、3位以降も、4位『人生大事』、5位『萬里帰還』、6位『奇跡の眺め』13・79億元まで占有している。

7位にハリウッド作品『ジェラシックワールド/ドミニオン』、8位に再び中国のアニメーション作品『熊出没 バック・トゥ・アース大作戦』(熊出没・重返地球)が9・78億元、9位がハリウッド作品『アバター ウェイ・オブ・ウォーター』9・54億元、10位に2022年東京国際映画祭ガラ・セクション部門で上映された、ワイ・カファイ(韋家輝)監督、ラウ・チンワン(劉青雲)主演の香港・中国合作『神探大戦』7・12億元だった。『MAD探偵七人の容疑者』2007年の後日譚的作品である。

なお、この年世界的大ヒットとなった『トップガン マーヴェリック』は、マカオ、香港地区では公開されたが、中国本土地区では公開されていない。予告編では劇中に出て来るベトナム戦争に従軍した主人公の父親の着ていたフライト・ジャケットでの台湾(中華民国)、日本国旗が省略されていた。これは、当初中国系テンセント・ピクチャーズからの投資を受けていた影響と、米国では憶測されていたが、本編では、このジャケットの両国旗が復活している。

次に香港の状況を確認してみた。今回も「2022年香港電影市道整體情況」による興行収入で見てみる

年間では11億439万香港元(以下、「港元」と表記)で前年比5・4%減という状況で、映画業界にとっては引き続き厳しい状況となった。香港作品(中国本土との合作も含む)では27作品、前年が46作品公開だったので、約半減となった。

公開作品1位は、『トップガン マーヴェリック』1億770万港元。2位に『アバター ウェイ・オブ・ウォーター』9701万港元、3位に、8月に公開され、日本でもネット配信で昨年末から公開された『未来戦記』(明日戦記)が香港作品トップの8178万港元。本作は、ン・ヒンファイ(呉炫輝)監督、ルイス・クー(古天樂)、ラウ・チンワン主演である。2055年の未来、汚染と温暖化で荒廃した不毛の地球にエイリアン群パンドラ

がもたらした隕石が墜落。市民を守るため香港軍は植物の遺伝子地図を手にパンドラの破壊を試みるというストーリーで、香港では珍しいSFアクション作品である。この大ヒットを受けて、既に続編を企画している様子である。

4位に中秋節時期公開の『6人の食卓』（飯戯攻心）が7709万元、本作は、サニー・チャン（陳詠樂）監督、ダヨ・ウォン（黄子華）、ステフィー・タン（鄧麗欣）、ルイス・チョン（張繼聰）、イヴァナ・ウォン（王菀之）、リン・ミンチェン（林明禎）、ピーター・チャン（陳湛文）主演のコメディ作品。

家族は食卓を囲むことが大事と考えている長男は、血の繋がりのない異父異母の次男、同父異母の三男と、一緒に暮らしている。ある日、三男の年上の彼女の料理の腕前のお陰で、皆で食卓を囲んでいた最中、次男の彼女も出席するが、何と、彼女は長男の元カノだったというストーリーである。広東語の毒舌台詞が受けての大ヒットとなった。

5位から8位までが外国作品、9位が『ママの出来事』（阿媽有咗第二個）499万港元、本作は『29歳問題』のキーレン・パン（彭秀慧）監督。テレサ・モー（毛舜筠）、ギョン・トウ（姜濤）、ジャー・ラウ（柳應廷）が出演、2022年大阪アジアン映画祭で上映されている。

敏腕マネージャーとして音楽業界に名を馳せていたメイフォン。結婚を機に仕事を辞めたが、息子の成長を受け再び働きに出ようとする。昔の仲間に紹介して貰ったのは子供たちが通う音楽教室だった。ある日、飲食店で働く青年の歌声を聞いた彼女は、彼を歌手デビューさせようとするというストーリーで、仕事と家庭の間で悩み、揺れ動きながらも奮闘する女性の物語である。

10位に『正義廻廊』3941万港元。本作は昨年の第46回香港国際電影節の開幕作品として上映され、10月公開された。大角咀親殺人事件（※5）と呼ばれる事件を題材とし、ホー・チェクティン（何爵天）監督の長編デビュー作で、ヨン・ワイルン（楊偉倫）、マク・プイトゥン（麥沛東）、ルイーザ・ソー（蘇玉華）らが出演している。

両親殺害の容疑で被告人となる兄弟の裁判のプロセスに焦点を当て、殺人者と共犯者の複雑な心理的背景と家族関係を描いており、いわば、法定サスペンス映画である。因みに、第41回香港電影金像賞では、16部門にノミネートされた。

香港作品の近年の傾向では、中国本土との合作を除くと、製作費に高予算をかけず、香港にとっての身近な部分や、ローカルな内容を題材に求める傾向が見られる。『僻地へと向かう』や、『香港ファミリー』等の作品である。これは、国安法を根拠に、過去に上映された作品を含めて検閲を強化し、厳しい罰則規定を持つ条例が、2021年に香港立法会において可決された影響が考えられる。併せて、九龍や香港の行政中心地区、繁華街地区でのデモ行動等の市民運動を避けて、新世界（ニュー・テリトリー）地区等の郊外をロケ場所とする方がスムーズに撮影出来るという状況もあるのだろう。

最後に、海を渡って、台湾の状況を探ってみよう。Yahoo台湾へアクセスし、国家電影及び視聴文化中心の集計及び台北票房データを参考にした。興収第1位は、ハリウッド作品『トップガン マーヴェリック』がロングラン上映を経て12月31日現在で、7億3400万新台湾元（以下、「台元」と表記）を上げている。2位『アバター ウェイ・オブ・ウォーター』4億台元、3位『ジュラシックワールド／ドミニオン』3億4000万台湾元、4位『ブラックパンサー／ワカンダ・フォーエバー』2億4900万台元、5位『ドクター・ストレンジ／マルチバース・オブ・マッドネス』5億2万台元、6位に、日本アニメーション『劇場版 呪術廻戦0』2億3200万台元と続き、8位までが外国作品。

9位にようやく、台湾作品『呪詛』（咒）が1億7200万台元でチャートに入っている。本作は、日本では2022年ネット配信にて公開されている。2005年高雄に住む家族で起きた長女の死亡事件を題材にして、恐ろしい邪宗教の呪いから我が子を守ろうとする母親を描き、台湾史上最も怖いホラー映画と称された。作品の効果を高めているのは、カメラを通して登場人物が観客へ向けて語りかけてくるシーンや、信仰に対する敬意、特に宗教上の禁忌や深い謎に含まれる恐怖心である。また、掲示板のスレッドや、YouTube動画、チェーンメールなどネット文化を取り込んでいる点が上げられる。

そして10位には再び外国作品であった。

ランク外ではあるが、『我吃了那男孩一整年的早餐』が7393万台元のヒット。直訳すれば、「私はあの男の子の丸々一年の朝食を食べた」という何ともなタイトルであるが、食べることを人生で最も重要なこととみなしている共学高に通う17歳女の子は、ある日お気に入りのパンを買おうとするがお金が足りず、先輩の男子が補ってくれるエピソードから展開する青春ラブ・ストーリーである。

2022年中国本土・香港・台湾における興行収入ベスト5　　興収額　中国本土＝人民元　香港＝香港元　台湾＝新台湾元

	項目	1位	2位	3位	4位	5位	特記作品
中国本土	全公開作品	1950 水門橋決戦 (長津湖之水門橋) 40.67億	月で始まるソロライフ (独行月球) 31.03億	トウ・クール・トウ・キル (這個殺手不太冷静) 26.28億	(人生大事) 17.12億	(萬里帰還) 15.93億	奇跡の眺め (奇跡 笨小孩) 13.79億
中国本土	中国作品	1950 水門橋決戦 (長津湖之水門橋) 40.67億	月で始まるソロライフ (独行月球) 31.03億	トウ・クール・トウ・キル (這個殺手不太冷静) 26.28億	(人生大事) 17.12億	(萬里帰還) 15.93億	神探大戦 (神探大戦) 7.12億
香港	全公開作品	トップガン マーヴェリック (壮志凌雲:獨行侠:) 1.0770億	アバターウェイ・オブ・ウォーター (阿凡達:水之道) 0.9701億	未来戦記 (明日戦記) 0.8178億	六人の食卓 (飯戯攻心) 0.7708億	ドクター・ストレンジ/マルチバース・オブ・マッドネス (奇異博士2:失控多元宇宙) 0.5045億	香港ファミリー (過時・過節) 0.1202億
香港	香港作品	未来戦記 (明日戦記) 0.8178億	六人の食卓 (飯戯攻心) 0.7708億	ママの出来事 (阿媽有咗第二個) 0.4099億	(正義廻廊) 0.3941億	(闔家辣) 0.3262億	僻地へと向かう (緣路山旮旯) 0.1066億
台湾	全公開作品	トップガン マーヴェリック (壮志凌雲:獨行侠:) 7.34億	アバターウェイ・オブ・ウォーター (阿凡達:水之道) 4.0億	ジュラシックワールド/ドミニオン (侏羅紀世界:統霸天下) 3.34億	ブラックパンサー/ワカンダー・フォーエバー (黒豹2:互干達萬歳) 2.49億	ドクター・ストレンジ/マルチバース・オブ・マッドネス (奇異博士2:失控多元宇宙) 2.45億	
台湾	台湾作品	呪詛 (咒) 1.70億	(我吃了那男孩一整年的早餐) 0.7４億	(想見你) 0.56億	(流麻溝十五號) 0.38億	(少年吔) 0.33億	

邦題がある場合は邦題(含映画祭上映作品)で表記し、括弧書きにて現地公開題を表記。邦題無しまたは不明の場合は現地公開題のみで表記
中国、香港、台湾での中国文公開題が異なる場合、現地公開題で表記
中国本土：中国内地電影總票房一覧や電影票房排行榜等の興行収入統計データを検索して作成
香港：香港電影業協會及香港戯院商會の下部組織である香港票房有限公司の202２年香港電影市道整[骨豊]状況データから作成
台湾：國家電影及び視聴文化中心集計データ及び台北票房データを参考にして作成

また、年末の12月21日に公開された『想見你』が大ヒットとなり、データの集計時点では５６００億台元だが、４週間以上の続映で、前記『我吃了那男孩一整年的早餐』を超える興収を上げ、１億台元を突破している可能性がある。本作は、同名テレビシリーズ「時をかける愛」（想見你）の続編として製作され、台南を舞台にする青春ドラマである。ホワン・ティエンレン（黃天仁）監督、アリス・コー（柯佳嬿）、シュー・クァンハン（許光漢）、パトリック・シー（施柏宇）が主演している。

台湾作品のみだと４位になる『流麻溝十五號』３８００万台元は、ゼロ・チョウ（周美玲）監督が曹欽榮の小説を映画化。白色テロと呼ばれる恐怖政治下での〝火焼島〟（現在の緑島）の政治犯収容施設へ収監された女性政治犯の物語である。５位の『少年吔』３３００万台元は、犯罪を犯し、刑務所に入り、社会に戻って来るが、社会の不寛容と裏社会との関係を断ち切ることの難しさに直面する若者を描いており、ヤン・チェングオ（顔正國）が監督し、自らも出演している。

感染症対策の影響を受けた映画界だが、新華社通信杭州発３月27日のウェブ記事では、中国浙江省東陽市にある映画、ＴＶドラマ用撮影スタジオ〝横店影視城〟の様子をリポートしている。巨大なオープンセットが32カ所、スタジオが130、敷地内には、セットの建て込みや大道具、小道具製作、機材レンタル、俳優手配、ケータリング、宿泊施設、娯楽施設なども揃っている世界最大級の撮影基地になっている。２月13日時点でＴＶドラマも併せてだが、撮影中のチームは25、準備中は42あり、アメリカ、ドイツなどの製作チームもスケジュールに入っているという。また、横店影視城では、今後新たに高機能スタジオの建設、俳優村建設プロジェクトが進行し始めたという。製作の現場でも賑わいが戻りつつあるようだ。

２０２３年はより一層多くの華語作品が日本でも見られることを期待して、ＰＣのスイッチを切ることにする。

（※１）サモ・ハン・キンポーの名で親しまれていたが、１９９８年ハリウッド進出時に、サモ・ハンに変更している。
（※２）２０２２年に5話によるネット配信が行われている。
（※３）２０２３年1月に東京外大で『縁路はるばる』のタイトルで上映された。劇場公開予定。
（※４）２０２２年東京中国映画週間で上映された。
（※５）２０１３年に起きた両親を殺害し、切断後処分した事件。殺害後にフェイスブックへ両親捜索に関するコメントをアップした。当時の香港では広く報道され、注目された。

小谷公伯："金蟹賞"選考委員。会社勤めの傍ら海外へ出かけた際は、現地の劇場で映画を梯子見し、時には都市部で上映が終了した作品を見に、ローカルバスに乗って郊外の映画館まで出かけたり、ロケ地巡りをするアジア映画迷。

「雨は雲となり風に漂う」——フラッシュバックで描く、四角関係 殺人事件と不動産開発の腐敗

藤井省三

（1）〝中国の夢〟と〝一場の夢〟

婁燁（ロウ・イエ、ろうよう、1965-）監督は2022年12月のインタビューで、映画『シャドウプレイ』について、本当はエンディング曲「一場遊戯一場夢（一場のゲーム、一場の夢）」をタイトルにしたかったのだが、国家電影局からそのタイトルはよくないと言われて、別の「風中有朶雨做的雲（雨は雲となり風に漂う）」という曲名をタイトルとした、と述べている（『シャドウプレイ』パンフレット、26頁）。なぜ〝一場遊戯一場夢〟はタブー視されたのだろうか。

コロナ禍前の中国では、映画館での映画上映開始前に、ジャッキー・チェンなどの俳優がスクリーンに登場して〝中国《ちゅうごくの》夢《ゆめ》、我的夢《わたしのゆめ》〟と異口同音に語っていた。〝中国夢〟とは、習近平総書記が2012年11月に打ち出した「中華民族の偉大な復興の実現」という指導思想で、俳優たちは観客に対し愛国広報活動をしていたのである。

『シャドウプレイ』は、巨大な不動産開発利権に群がった人々の夢が殺人事件により弾ける過程を描いており、このような作品を〝一場遊戯一場夢〟と称すると、〝中国夢〟に対する諷刺と理解されることを電影局は心配したのであろう。

同作は「2017年春に完成し（中略）北京市の映画関係部署の審査に入ったが、その後約2年間、当局から繰り返し修正を迫られ」、中国で公開されたのは「19年4月のこと、「3日間で約6・5億円の興行収入を記録し、大ヒットとなった」という（『シャドウプレイ』3頁）。公開から2年後には不動産大手の中国恒大集団の経営危機問題が表面化しており、あたかも『シャドウプレイ』はこの事件を予言していたかのようでもある。

（2）男女四角関係と二つの殺人事件

本作の中国語原題『風中有朶雨做的雲』（雨は雲となり風に漂う）は恋人の帰りを待つ者の切ない心情を歌う流行歌の題名でもあり、また〝雲雨〟は中国の古典では王と女神との情交を意味する言葉である。権勢・財力を我がものとし、美貌を武器とする男女二組の四角関係から生じた二つの殺人事件の物語にふさわしい題名といえよう。

二人の男とは都市再開発委員会の主任として権勢を振るう唐奕傑（タン・イーチエ）と、彼に贈賄して不動産王にのし上がった姜紫成（チアン・ツーチョン）であり、二人の女とは唐の妻であり姜の元恋人にして現在も愛人であり続ける一流レストランの経営者の林慧（リン・ホイ）と、姜の台湾人共同経営者の連阿雲（リエン・アーユン）である。

阿雲は台北のナイトクラブの歌姫であったが、台湾で実業家の第一歩を踏み出したばかりの姜に口説き落とされて彼の愛人となる一方で、その美貌により姜の中国大陸での事業急拡大に大いに貢献していた。彼女は姜に対する当初の純情な献身ぶりで、台湾娘こそが伝統中国の美徳を受け継いでいる、という中国に流布する台湾イメージを連想させる。それと共に1990年代に〝移民上海〟と称された台湾から中国への大量の人と資本の流入をも想起させる——少なからぬ〝移民上海〟も〝一場の夢〟で終わったのだが。

物語の現在より24年前の89年には、姜と林とがヤンキーの恋人同士であったのだが、林は唐に口説かれて彼と結婚、その時には姜の子供を妊娠しており、唐の娘の小諾（シアオヌオ）の実父は姜なのである。小諾の欧米旅行や香港留学の費用は姜が提供してきた。一方、唐はひとり娘の小諾の良き父であろうとするものの、妻の林に対しては嫉妬のあまり凄惨な家庭内暴力を振るっていた。

なお89年の4月には天安門事件が勃発しており、婁燁は『天安門、恋人たち』（2006）で事件後の高度経済成長の時代に背を向けて、余計者として生きる恋人たちを描いている。

（3）一人っ子世代の学生小諾と小楊（シアオヤン）刑事

このように権力と金、愛と性とにより結ばれていた四角関係は、まず2006年に阿雲が失踪し、その7年後の現在、唐が解体寸前のビルの屋上より墜落死して壊れていく。唐の殺人事件を担当する若い刑事の楊家棟（ヤン・チアートン）の父も刑事で阿雲失踪事件を担当していたが、殺人の証拠を見つけた後に不審な交通事故に遭ってしまった。二つの事

件の関連性に気付いて四角関係の残りの二人の身辺捜査を始める楊を、姜に媚びる上司で楊の父の元相棒であった刑事が妨害するいっぽうで、姜と林は彼を楊さんの息子という意味で小楊と親しげに呼んで篭絡せんとする。

　林の証言を得ようとした楊は、逆に林に誘惑されて性交に及び、その現場を撮影したビデオがネットに流されてしまう。さらに内密で接触した唐の部下が殺害されて、楊が殺人容疑者として指名手配される。その危機に際し偽造パスポートと逃亡資金を用意して、楊を香港に逃すのはなんと林であった……。

　唐・林夫妻の娘の名前小諾とは誠実を意味するが、彼女は十歳で実の父が姜であることに気付いており、阿雲を叔母さんとして慕い、阿雲も小諾を可愛がって「大きくなったら自分で自分を守るのよ」と教えていた。小諾は阿雲と義理の母子関係を結んでいたとも言えよう。つまり小諾には唐・林夫妻と姜・阿雲カップルという二組の父母役がおり、それは一人っ子政策時代の中国で、子供一人を親二人、祖父母四人が溺愛するという構図に類似してもいる。

　しかし小諾の場合、実父の姜の利権ために実母の林が肉体を男たちに提供させられ、義父の唐のDVを受け、さらに〝義理の母〟阿雲が姜により消されたことを知るにつけ、二人の父たちに対する憎しみは深まる。この屈折した情念を、彼女はネットに書き込むのであった。

　小諾の個人情報を閲覧する楊刑事も一人っ子であり、廃人となった父の仇を討つのは彼しかおらず、香港への逃亡後も捜査を続ける。しかしその過程で、彼は香港の大学に戻って来た小諾と性的関係を結んでしまう。母娘《おやこ》双方との肉体関係という乱倫ぶりは、〝正義の味方〟風のヒーロー像を傷付けるものであり、司法の正義にも疑惑が生じるであろう。

（4）フラッシュバックが描き出す都市再開発の腐敗

　『シャドウプレイ』は四角関係＋二人の一人っ子という緻密な構成の物語なのだが、婁燁監督はフラッシュバックの手法で時間と空間をザクザクッと撹拌する。2013年の都市暴動から1989年の大学生だった林の誕生日祝賀ディスコパーティーとの間に、1990年代の唐によるDVや2006年の阿雲失踪場面が投入される。こうして、天安門事件以後24年間の広州市の巨大な変貌ぶりが描かれるのだ。

　広州は北京・上海・深圳と並ぶ中国の四大都市であり、2021年の総面積は7434平方キロ、人口は1887万人である（東京都は2200平方キロ、1400万人）。東京の3倍以上の市域には広大な農村地帯を抱えていたが、そこに1978年頃から始まる改革・開放経済体制により大量の農民工が流入して、粗悪な建物が密集乱立し、この〝城中村（都会の中の村）〟の再開発が都市行政の重要な課題となった。

　土地公有制の中国では市政府による強制収容が行われるが、より多くの立ち退き料を望む住民と不動産会社や警察との間でしばしば暴行事件が発生し、死者が出ることがある。また官僚と不動産会社との癒着も指摘されている。

　先ほど楊刑事の正義にも疑惑が生じると述べたが、「汚職を摘発する反腐敗闘争も本質は権力闘争です〔中略〕ＩＴ大手のアリババ集団などへの締め付けや、不動産大手の中国恒大集団の経営危機問題も権力闘争に関係しているはずです。中国の民営大企業は、必ずどこかの政治勢力と結びついています。」と指摘するのは現代中国政治学者の國分良成氏である（『読売新聞』2021年10月31日「中国　何を望み、何を恐れる」）。

　原題「雨は雲となり風に漂う」とは、風に漂う雲が雨となる、という自然界の法則を逆転した論理である。『シャドウプレイ』は四角関係殺人事件をフラッシュバックで撹拌することにより、都市再開発をめぐる官商癒着の巨大な腐敗という改革・開放の影の部分を浮き彫りにしてもいる。共産党一党制下の高度経済成長および一人っ子政策という中国独自の状況を、中産階級から富豪へとのし上がろうとする親世代と〝富二代〟と呼ばれる富豪二世の身心の腐敗と、信頼しかねる刑事二世の道徳的退廃の過程とを切り結ぶ視点からジグザグに解き明かした傑作と言えよう。あるいは楊刑事の退廃とは、警察の「どこかの政治勢力」への迎合を示唆するものなのであろうか。

藤井省三——現代中国文学者、名古屋外国語大学教授、東京大学名誉教授

よりぬき［中国語圏］映画日記

小林美恵子

大陸の社会派映画はいかに検閲を潜り抜けるか

――『ワン・セカンド 永遠の24フレーム』『シスター 夏のわかれ道』『奇跡の眺め』

二〇二二年日本公開作品から選ぶ「金蟹賞」についてては、今号で小谷氏によって報告されているとおり。作品賞の一位『七人樂隊』（香港／製作＝杜其峯）は予想通りといってもいい選定で、とても良い作品だが、私にとっては一昨年（二〇年東京フィルメックス上映、本誌№85本欄に記載）の映画だし、ここのところ本誌には香港映画について毎回のように書いてきているということもあり、今回は第二位〜第四位だったいずれも大陸の作品を中心に書くことにする。

昨年一〇月の検閲制度の強化にもかかわらず、香港で意欲的な独立系作品が作られている。それらについては数号にわたって紹介してきたが、検閲という点では元来大陸の方がより強く映画製作・公開を制限してきたことは周知のとおりである。しかも最近は習近平体制を礼賛するようなドラマや映画が共産党主導でさかんに作られているとも聞く。そんな中でこの三作品、社会的・政治的な題材を描きながら、検閲の眼を上手に潜り抜けて商業作品としてヒットしているという共通性がある。

★ワン・セカンド　永遠の24フレーム／二〇二〇／監督＝張芸謀

張芸謀の青年期の記憶や知識が投影された映画愛あふれる作品とされるが、原作は厳歌苓。

一九六九年の文革時代、労働改造所に収容された男は、別れた娘が一秒だけニュース映画に映っていると知らされ、その映像見たさに脱走してフィルムを探す旅をしている。ある村でフィルムを盗んで逃げる少女―といってもザンバラ髪に男物の古着をまとって浮浪者じみ、ここではまだ少女とも少年とも知れないような子供―に出会う。両親を失い幼い弟と暮らすこの少女は、弟のために友人から借りた卓上燈のフィルムネガで作った傘を燃やしてしまい、直そうと映画フィルムを盗んでいたのである。この二人とかかわるのが巡回映画の映写技師ファンという男。ワイシャツ・ベストに折り目のついたズボン、革靴といういでたちは、ほとんどの人が人民服という中で、特権的な地位を示しているようである。映画が来ることは人々にとっては特別のことであり、運んできて上映するファン技師も特別な存在であったに違いない。ファンの息子が誤って汚し傷めてしまったフィルムを村人が総出で洗浄するシーンは、束ね吊るされたフィルムの黒いきらめきとともに圧巻の迫力で描かれる。そこに加わる脱走者の男と少女。ファンは村人を指揮し、二人の面倒を見、男に娘の映像一秒を繰り返し見せてやる。一方で保身のために彼を保安局に密告もする。そして引き立てられる彼に娘の写ったフィルムのコマをひそかに与えるなど、「よき人」でありつつ社会を小ずるく泳ぎ渡っていこうともする多面性・複雑性をもった人物として描かれる。彼が脱走者にとってよき人であるだけではこの文革映画は検閲を通らなかったかもしれない。彼の密告は体制にとっては正しい行為なのである。

藤原帰一氏（「映画で見つめる世界の今」NHK BS1 2022/5/24）によれば、この映画は政治的とはいえない監督がぎりぎりここまで言った一本だという。カンヌ出品は技術的と称される、実は政治的問題によって取りやめになったらしい。張芸謀作品はこのあと抗日スパイを描いて政治性皆無?のサスペンス『崖上のスパイ』が日本でも公開され、春節には「精忠報国」という副題のついた時代劇『満江紅』が中国で大ヒットしている。そういうのが、いってみれば今の中国で「求められる」映画なのだろう。

★シスター　夏のわかれ道／二〇二一／監督＝殷若昕

　こちらは二〇一四年に廃止された「一人っ子政策」にまつわる、いわばジェンダー映画。政策はすでに廃止されているから映画で描くことも問題にはならないのかもしれないし、あるいは、主人公安然の父母は第一子の娘を障がい者と偽って届け二人目の出産許可を得て、すでに家を出た安然には知らせず第二子の男の子を生み育てるという、とんでもない離れ業をしたのだが、物語の最初に交通事故で死んでしまうので、いわば制裁を受けたということになる？　それゆえ検閲も問題なしということなのだろうか？

　女の子だからと、その両親によって医学部進学への道を勝手に看護学部に書き換えられた安然は、それを機に親元を離れ、看護師となった今も北京での大学院医学部進学を目指している。そんな彼女にとって突然現れた幼い弟は邪魔者以外の何物でもないが、次第に情にほだされる。しかし自分の道も決してあきらめたくはない、そこで弟により良い養子先を探そうとする。そんな彼女の生き方には中国のSNS上で賛否の大議論が起こったそうだ。だが、安然は単なるワガママな女としてではなく、一人っ子政策の結果と家父長制の両方に痛めつけられ、自ら強くならざるを得ず、自分の道を求めることによって痛めつけられてきた自我の確立をのぞむ女性として、共感をもって描かれる。そこには一九八六年生まれ、まさに一人っ子政策下で育った作者の目がしっかり反映されているのだと思われる。

★奇跡の眺め／二〇二一／監督＝文牧野

　こちらは、検閲はおろか二〇二一年中国宣伝部国家電影局重要映画プロジェクト作品・共産党創立百周年祝賀作品という看板まで背負ったいわば当局お墨付き映画で、見る前には恐る恐るという感じもあった。これも一九八五年生まれという若い監督の作品だ。

　結論から言うとあまり共産党臭さというか中国社会称揚みたいな雰囲気はなくて、苦境に置かれた青年が自らの意志と知力と、そして同じように貧しい恵まれない立場にある仲間のバックアップで苦境を乗り越え成功し皆が幸せになるという、わかりやすいコンセプト。それを携帯電話の修理と再活用事業という現代的なテーマの中に置いて、さらに主人公の青年（『少年の君』でのチンピラ純情ぶりが記憶に残る易烊千璽）と妹（相変わらずの子役の達者さ）の関係、彼らを支える人々の貧しさ・健気さ・優しさみたいなものもたっぷり見せる。それでいて、やはり中国社会にも他人を陥れたり盗んだりまた差別するような人もあり、それと闘う主人公は苦い目にもあうが最終的には彼らを乗り越え見返す。その途中には派手なアクションシーンもあり、起伏も見ごたえもありで、後味も悪くない作品だ。

　どう見ても共産党を身に背負うというよりは資本主義的な社会で生きていきそうな主人公たちだが、彼らのように、また作者たちのように共産党的価値観に一定の距離を取りつつ、しかし決して敵対しないというかむしろ党にも価値を認められるような映画や映画人はちゃんと生き残っていくんだろうなという感を強くする。それゆえこういう映画が作られた価値はないわけではないと思うのだが、中国社会はますます分断差別の中に落とし込まれていくのではないかという恐怖も感じないでもない。

　なお三本の映画に共通しているのはきょうだい（姉弟／兄妹）愛を軸に涙を誘うような情感を描いていることだ。このように「感情に訴える」のは映画本来の在り方の一つだろうし、それこそが現在の中国映画検閲潜り抜けの一方法なのだとも思わされる。

★小林美恵子『中国語圏映画、この10年～娯楽映画からドキュメンタリーまで、熱烈ウォッチャーが観て感じた100本』好評発売中！
発行：アトリエサード、発売：書苑新社／四六判・224頁・カバー装・税別1800円 詳細・通販→ アトリエサード http://www.a-third.com/

ダンス評「2023年1月〜3月」

志賀信夫

「廃墟劇場」から
岩渕貞太、入手杏奈、辻田暁
黒須育海、高田恵篤
中村駿、澁谷智志

DANCE

三月一八日、吉祥寺シアターで見た岩渕貞太の「身体地図」による新作、『エイリアンのミラーボール主義宣言!!』は刺激的だった。額田大志、渡健人によるドラムを中心とした生演奏と六人によるダンスが、ダンサブルな場面が少ないのに音と一体となり、熱を持って演じられたことに驚いた。

入手杏奈、北川結、辻田暁、涌田悠、中村理の経験豊富なダンサーたちと岩渕貞太が、声や歌も使いながらも、パフォーマンスやコラボレーション的ではなく、やはり「ダンス」だと強く感じさせる一体感のある舞台を生み出した。辻田暁のアジア的な声を含めて、多層な表現が音楽によってグルーヴとともに観客に迫って秀逸だった。この公演で岩渕貞太はしばらく公演活動を休止するらしい。再開と新たな活動に期待したい。

北千住から一五分強のBUoYは、地下劇場と二階のカフェ、その奥も時折舞台になる。舞踏も室伏鴻関連の公演やイベント、川本裕子の企画、さらに劇団ゴキブリコンビナート、コンテンポラリーダンスの岩渕貞太も公演したことがある。地下の劇場、元風呂場を中心とした広い空間は、きわめて廃墟的な雰囲気だ。

三月九日に見た、黒須育海率いるブッシュマンの公演も、BUoYというこの劇場の雰囲気、廃墟性を生かしたきわめて素晴らしいものだった。

舞台は、壊れたタイル張りの湯船や洗い場が並ぶ場所。柵状の縦格子で囲まれて、向こう側にネオンが光っている。登場するのは、怪しい年寄りと二人の狂言回し的小役人と六人の若い男たち。老人は、寺山修司死後、天井桟敷のJ・A・シーザーらが立ち上げた劇団万有引力の高田恵篤。ロングコートに長髪で二人を手先にして、六人の若者たちを従わせる。

正面の縦格子が一種の結界で、その向こう側とこちら側という設定。だが結界は常に破られる。格子の一部を外して時に男たちが行き来する。走って正面から出てきて、上手に去って向こう側に行き、再び正面から走って出てくるという循環行動も続く。そして、キーになっているのは粘土。それを床に強く叩きつけ激しく踊る。さらに次々と浴槽の水に飛び込むインパクト。

ブッシュマンが得意とするダイナミックな男性たちの群舞、揃ったダンスは一部で、演劇的な場面が中心になる。怪しい教祖のような高田恵篤が二人の小役人を使って、縦格子で区切られた空間とこちら側を仕切り、小役人たちの指示で、男たちの集団が行動する。そういう社会の支配構造の戯画とでもいえる話のようだ。粘土は人型をつくり、人造人間ゴーレムを生む土、大地でもあるのだろうか。あるいは取るに足らない無意味なものの象徴なのか。

二人の小役人は、若者たちの管理が失敗すると、老人の指示で、下手にある冷蔵ケースに顔を挟まれる。奇妙な不条理社会とでもいえばいいだろうか。カミュ、カフカに通じるものがある。主宰の黒須育海は、敢えて不条理劇などと名乗らないし、すべて観客に判断を委ねているのだろう。

中心となった高田恵篤の起用はぴったりはまった。ダンスの舞台に役者が出て、これほどうまくいった舞台はめったにない。その身体と若者ダンサーたちのコントラストもいい。万有引力からは高橋優太も参加し、劇団椿組からは、鳥越勇作が参加して出演しドラマトゥルグも務めている。この二人が小役人役だろう。そして踊る若者たちのなかには、中村駿、渋谷智志といった優れたダンサーが入っていることも、舞台をしっかり成立させている。演出アドバイザーに劇団「チャイロイプリン」主宰で、黒須ともにコンドルズで活躍するスズキ拓朗、音響にベテランの牛川紀政、映像に青山健一、衣装に北村教子と、優れたスタッフが集結したことも特筆すべきだろう。

　タイトルの『羊羊羊羊羊祥羊』は、縦格子、柵を跳び越えてくる男たちの姿から、「羊が一匹、羊が二匹」という、不眠のときに唱える文言とイメージが想像できる。それを具体化するように、無名の存在の男たちが、枠の向こうから、飛び越えてきて、去るという行動で循環する。この「羊」は物言わぬおとなしい存在、奴隷化する人間の象徴だろう。『羊羊羊羊羊祥羊』と「羊」という字を六つ並べて、そこに一字「祥」という「羊」を含む紛らわしい文字を混じらせる。左の示偏は「祈」に通じる生け贄を捧げる台が元らしい。となると「生け贄の羊」という意味だろうか。だが、

★ブッシュマン『羊羊羊羊祥羊』photo：HARU

若手ダンサー六人に一人高田恵篤が加わっていることから、「祥」は高田だろうか。そうなると、「生け贄」よりも「祭司」、「祖先の神」か。黒須のコメントにはクローンの文字がある。羊は同時に、クローン羊の「ドリー」でもあるのだろう。そうすると、粘土の人型もそこにつながっている。

　久しぶりに見たブッシュマンだが、黒須作品は、黒須がタンツテアターを実現するコンドルズを体験し、また、当初から演劇的舞台をつくる鈴木拓朗らと触れることで、劇的に進化してきた。今後もブッシュマンが、このような見応えのある優れた作品を生み出してくれることを期待したい。

第五三回舞踊批評家協会賞発表

　筆者は舞踊批評家協会に所属している。これは一九六九年に始った舞踊批評家による団体で、おもな活動は毎年一回、舞踊批評家協会賞の授賞である。対象は前年一年間に日本国内で行われた舞踊公演で、上演した舞踊家に本賞と新人賞をおくるものだ。昨年はコロナで公演が少なかったため、二〇二〇年、二〇二一年の二年を対象としたが、今年は二〇二二年の公演を対象とした。受賞者と授賞理由は次のとおり。

【本賞】

青山季可（バレエ）「ローラン・プティ作品において円熟した境地を通じて巧みな表現を示し、橘秋子・牧阿佐美の志を継いでいく姿勢を示したことに対して」

加藤みや子（現代舞踊）「『起点 -KITEN-』の上演を重ねることで代表作を生み出し、ダンスの新たな可能性を感じさせたことに対して」

花柳寿楽（日本舞踊）「「花柳寿楽舞踊会」で能楽堂の空間を生かした素踊り『保名』『静と知盛』の成果に対して」

【新人賞】

榎木ふく（舞踏）「作品『父の死』で父の死を舞踏の身体表現として昇華させたことに対して」

藤間涼太郎（日本舞踊）「清元『浮かれ坊主』の洒落味をキレ良く、柔軟に演じたその表現力に対して」

渡辺恭子（バレエ）「ロビンス『コンサート』の国内バレエ団による初演と『スコッチ・シンフォニー』（バランシン）で活躍を示し、バレエ団公演を通じ国際派の表現を示し続けたことに対して」

STAGE

「コミック・アニメ・ゲーム」×ステージ評

ファイナルファンタジーX
鋼の錬金術師

高浩美

この2023年、まだ折り返し地点ではないが、『新作歌舞伎 ファイナルファンタジーX』は間違いなく、この年一番の話題の2・5次元作品であろう。しかも通常の歌舞伎公演でもなかなかない、通し狂言。会場も360度客席が回転するIHIステージアラウンド東京。その席の特徴を活かし、没入感を重要視、つまり、観客はキャラクターたちと旅をする、という趣向で、通路を使った演出も多用、そして何よりも映像演出、最新技術で見せていく。

前説を担う23代目オオタカ屋役の中村萬太郎が登場すると大きな拍手。初心者向けに歌舞伎の楽しみ方などを伝授。ツケ、見得、などを解説し、それから本編。

映像、中央に剣、モノローグ「最後かもしれない…全部話しておきたいんだ…」。そしてタイトル。

通路から登場、客席のテンションがグッとアップ、クラップも。「いよいよ決着の時が来た」、そこへこの物語の主人公であるティーダ（尾上菊之助）が登場し、ひときわ大きな拍手。こういう演出は観客にとっては嬉しい。アーロン（中村獅童）やワッカ（中村橋之助）ら人気キャラクターが登場、歌舞伎らしく見得を切ったりし、この物語のヒロインユウナ（中村米吉）が可憐で可愛らしい姿で出てきてティーダと出会う。

★『新作歌舞伎 ファイナルファンタジーX』
©SQUARE ENIX／『新作歌舞伎 ファイナルファンタジーX』製作委員会

通し狂言で上演時間は長いが、その長さを忘れてしまうほど。ティーダと共に旅をするキャラクター、個性的な面々、それぞれのキャラクターの言葉、動き、頼り甲斐のあるアーロン、元気一杯のワッカ、頼り甲斐があって色っぽいルールー（中村梅枝）、おキャンで前向きなリュック（上村吉太朗）、いかにも強そうなキマリ（坂東彦三郎）、また歌舞伎テイストの衣装であるが、きちんとしたキャラクターの衣装にもなっており、また、細かいところでゴージャス。

いわゆる冒険譚となっているが、ティーダの父親・ジェクト（坂東彌十郎）は、不器用で口がちょいと悪いが息子のことを誰よりも想っているも、息子への接し方がわからず、ちょっと傲慢にも見える。ティーダは「夢のザナルカンド」のブリッツボールチームであるザナルカンド・エイブスのエース、父親を毛嫌いしているようにも見えるが、彼もまた、父にどう接してよいかわからない、そんな親子関係を描くことによって物語は深みを増す。またヒール役、尾上松也演じるシーモア、彼がなぜ歪んだ性格になってしまったのかその理由も描かれており、単純な悪者でない造形にしている。アクションはイマドキではなく、歌舞伎の殺陣、ツケの音が響き、楽曲も和風テイスト、歌舞伎ファンもゲームファンも納得の歌舞伎化。再演はかなり難しいが、可能ならやってほしいと思う。

また、舞台化発表時、大きな話題を呼んだ人気作『鋼の錬金術師』、キャストはフルオーデションで、演出は『北斗の拳』のミュージカル化でその手腕を見せた石丸さち子。舞台化は単行本で1～6巻まで。

この舞台で特筆すべきは弟のアルフォンス。声は眞嶋秀斗、だが、鎧を着ているのは桜田航成。しかし桜田の動きと眞嶋の声が常にピタリと！　伝統芸能・文楽の人形遣いと義太夫の関係とまさに同じ手法で、日本らしい表現。息を合わせるのは難しかったと思うが、稽古の成果を見せつける。

それともう一つ、音楽は生演奏で、それだけ聴いていても成立するくらいの楽曲。コミカルなシーンもあり、クスッと笑えたり。エピソードをあまりはしょることなく、心に刺さるセリフを散りばめ、2幕ものにして丁寧に一つ一つのエピソードを描いている。一色洋平のエドワードで観劇したが、その身体能力を駆使した動きで、アクションシーンのみならず、ジャンプする場面など、コミックで描かれているエドがそこにいる感じ。またドラマ性では、過去の紛争を調べていたマース・ヒューズ中佐（岡本悠紀）が気づき、ロイ・マスタング大佐に伝えようとするも…原作を知っていれば、ここのくだりはわかるが、丁寧な脚本となっている。

コロナも落ち着きをみせており、これからの公演はマスク着用の上、声援OKというものも出てきている。また、いっときはできなかった通路を使う演出も復活の兆しを見せている。キャラクターがそこにいる、という臨場感、自分の好きなキャラクターを応援する、といった2・5次元舞台ならではの醍醐味。そういった演出が徐々に楽しめるようになってきた。その一方で2・5次元に関わらず、朗読劇が増えた。シンプルな朗読もあるが、朗読とストレートプレイの間のような演出もあり、多彩。

配信も定点のみではなく、スイッチングできるものもあり、リアルでも配信でもという、多様な楽しみ方で作品をより立体的に観ることができるようになってきている。配信は海外のファンも楽しめるので、2・5次元舞台の広がりのきっかけとなるに違いない。

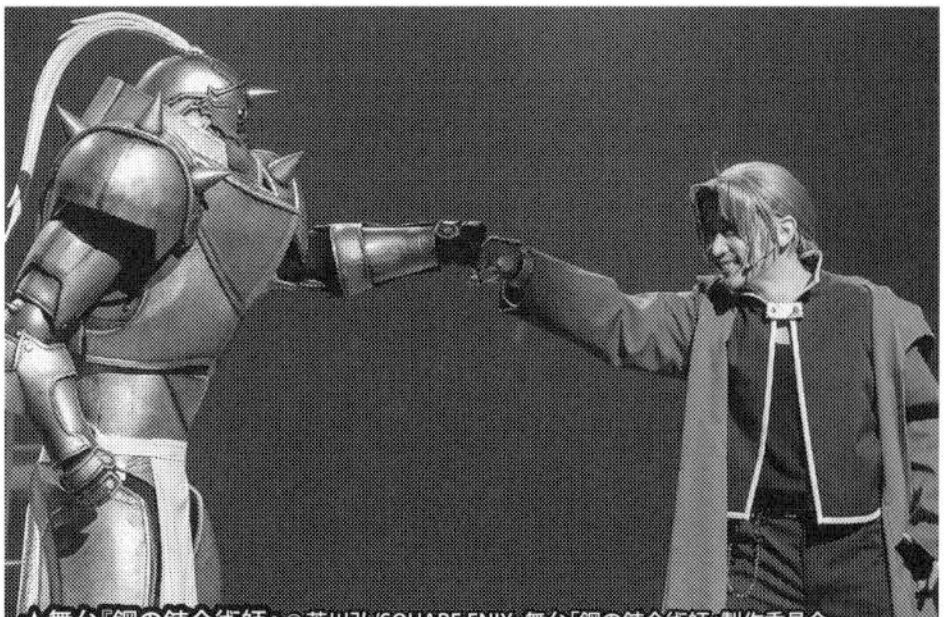
★舞台『鋼の錬金術師』©荒川弘/SQUARE ENIX・舞台「鋼の錬金術師」製作委員会

TH LITERATURE SERIES
アトリエサードの文芸書　好評発売中

NEW

壱岐津礼
「かくも親しき死よ～天鳥舟奇譚」
四六判・カヴァー装・192頁・税別2100円
クトゥルフ vs 地球の神々
新星が贈る現代伝奇ホラー！
クトゥルフの世界に、あらたな物語が開く！
大いなるクトゥルフの復活を予期し、
人間を器として使い、迎え討とうとする神々。
ごく普通の大学生たちの日常が、
邪神と神との戦いの場に変貌した――

篠田真由美
「レディ・ヴィクトリア完全版1
～セイレーンは翼を連ねて飛ぶ」
四六判・カヴァー装・352頁・税別2500円
ヴィクトリア朝ロンドン、
レディが恋した相手は……
天真爛漫なレディと、使用人たちが謎に挑む
傑作ミステリ《レディ・ヴィクトリア》シリーズ。
待望の書き下ろし新作が登場！
装画：THORES柴本／描き下ろし口絵付！

橋本純
「妖幽夢幻
～河鍋暁斎 妖霊日誌」
四六判・カヴァー装・320頁・税別2500円
円朝、仮名垣魯文、鉄舟、岩崎弥之助…
明治初頭、名士が集う百物語の怪談会。
百の結びに、月岡芳年が語りだすと―
猫の妖怪、新選組と妖刀、そして龍。
異能の絵師・河鍋暁斎が
絵筆と妖刀で魔に挑む！

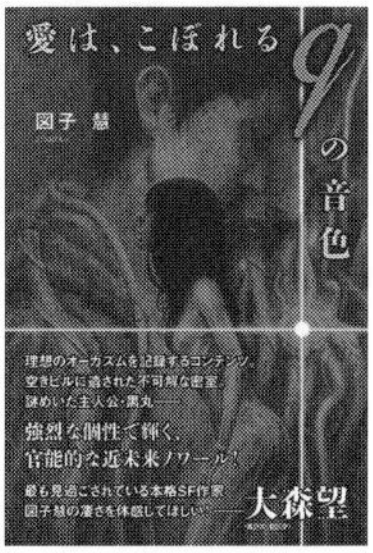
図子慧
「愛は、こぼれるqの音色」
四六判・カヴァー装・256頁・税別2200円
理想のオーガズムを記録するコンテンツ。
空きビルに遺された不可解な密室。
……官能的な近未来ノワール！
最も見過ごされている本格SF作家
図子慧の凄さを体感してほしい！
――大森望（書評家、翻訳家）

発行・アトリエサード　発売・書苑新社　www.a-third.com

ケロッピー前田

クレイジーミュージック探訪の盟友 持田保『あなたの聴かない世界』とは？
——ドラッグカルチャーとスピリチュアリズムが交差する稀有なディスクガイドの中身

本誌でたびたび報告してきた音楽トークイベント「クレイジーミュージック探訪」の盟友・持田保の待望の新刊が発売された。

『あなたの聴かない世界』というタイトルだけだと、どんな音楽のディスクガイドなのか想像が及ばない人も多いかもしれないが、日本におけるノイズ・インダストリアル・ミュージックの唯一にして最高のディスクガイド『INDUSTRIAL MUSIC FOR INDUSTRIAL PEOPLE!!!〜雑音だらけのディスクガイド511選』の著者である持田がそれに続く第2弾のディスクガイドとしてまとめた入魂の傑作だ。

最初の著書のタイトル『工業労働者のための工業音楽』はインダストリアル・ミュージックの創始者であるジェネシス・P・オリッジ率いるスロッビング・グリッスルのアルバムのテキストから引用された。ここでいうインダストリアル・ミュージックとは、一般に不快といわれるような工場などの騒音や工業音を音響的に再構築して作品化するもの。1970年代後半に登場したパンクロックが反体制やアナキズムを歌いながらも音楽的にはロックンロールをベースとしていたのに対し、ダダやシュルレアリスム、ネオダダ、フルクサスなどの前衛芸術を参照しながら音楽的にもアンチな美意識を掲げるもので、日本でも海外で「ジャパノイズ」と呼ばれるように多くの表現者を生み出すひとつのジャンルとなっている。持田は過去にディスクユニオンのノイズアバンギャルドコーナーのバイヤーとして、持田チルドレンと呼ばれる熱狂的なインダストリアル・ミュージックのコレクターを生み出した実績を持つ。

★持田保『あなたの聴かない世界』（DU BOOKS）

そんな持田は、先に挙げたジェネPがスロッビング・グリッスルを解散後にサイキックTVへと移行したように、彼もまたインダストリアル・ミュージックの果てにドラッグカルチャーとスピリチュアリズムが交差する次なる音楽世界へとミュージック・コレクターたちを誘う旅に出たのであった。

実は、この本は世界の心霊現象の音響を集めたコンピレーションアルバムの紹介から始まっている。このCDには、自分の家のCDプレーヤーに挿入していいのかどうかさえ躊躇わさせるような本物の心霊現象が音として記録されているのだ。

ここで重要なのはこのような心霊現象が録音された背景には19世紀に始まるスピリチュアリズム（心霊主義）があり、当時最先端の技術であった録音技術はまずは目に見えない心霊世界を探求するテクノロジーとして用いられたという事実である。かのエジソンも電話やラジオを最初に発明したときに最も望んだことは亡くなった彼の父親と交信することであったという。

そんなオカルティックな音楽世界はカウンターカルチャーの時代にはドラッグカルチャーと結びつき、のちにケイオス・マジックと呼ばれる現代魔術のムーブメントに繋がっていく。

ジェネPがサイキックTVで展開した、マスメディアによる洗脳からの脱却や擬似的なカルト宗教集団の儀式性、のちにエレクトリック・ダンス・ミュージックの隆盛を先取りするような音楽的実験の背景には、そのようなオカルティックなカルチャーがあった。

ジェネPが次なる冒険に乗り出すにあたって、彼を大きく後押ししたのはドラッグ作家として知られるウィリアム・バロウズであった。バロウズがモロッコのタンジールでブライオン・ガイシンと出会ったことからカットアップと呼ばれる独自のコラージュ手法を編み出したことは有名だが、同時に彼はガイシンを通じて現地の民族音楽ジャジューカを知って大いに熱中した。これはイスラム教に根差したもので、日夜ハシシを吸い続ける男性修行僧によるホモセクシャルな音楽集団によって演奏される。バロウズもガイシンもホモセクシャルでドラッグアディクションであったことからジャジューカに大きく傾倒することとなる。

ジャジューカの存在を世界に広めたのはローリング・ストーンズの元メンバーで、のちに自宅のプールで変死体で発見されることとなるブライアン・ジョーンズである。彼はストーンズ脱退後にタンジールを訪れ、自ら録音機を携えてジャジューカの演奏を記録し、その音源に当時の最先端音響技術であった電子的エフェクターを駆使して、音の変調と空間的な歪み、時間的な延長などを加えて、アルバムとして発表した。これは、ドラッグとオカルトが結びつくと人間の精神世界をどのように変容させるのかを広く知らしめる貴重な音源となった。

ブライアン・ジョーンズの死後、ローリング・ストーンズのリーダー、ミック・ジャガーはケネス・アンガーの映像作品に不可思議な電子音楽作品を制作している。その謎については、ぜひ持田の著書を読んで欲しい。

ドラッグとオカルトが結びついた音楽探求の成果はセカンド・サマー・オブ・ラブの時代にもっとわかりやすい形で開花している。

THE KLF の登場である。彼らについては、本誌でも過去に詳しく解説している。彼らは、80年代末から90年代初頭にかけて、イギリスのみならず世界のダンスチャートを席巻する大ヒット曲を連発するが、その成功で得た100万ポンド(1億5千万円)を札束に替えて、自らの手ですべて焼却してしまった。彼らは、オカルティックな力を借りて産み出したヒット曲とそれで得た財産を彼らの神たるものに捧げたのだ。

それは一体どういうことなのか? 全く理解できない人も多いだろう。勘違いしていけないのは、ドラッグ体験をすれば、誰でもそんな神の声を聞けるわけではないことである。だからこそ、我々は、ケイオス・マジックの実践として音楽表現を探求する先人たちの成功と失敗の歴史を知るべきなのである。

『あなたの聴かない世界』とは、そんな音楽を僕らに教えてくれる稀有なディスクガイドである。心してこの本を手に取り、ゆっくりとページを開き、聞こえてくる音に耳を澄ませ。そして、今を生き抜くためのヒントを手に入れて欲しい。

★V.A / OKKULTE STIMMEN MEDIAL MUSIK RECORDINGS OF UNSEEN INTELLIGENCES 1905-2007

★Psychic TV "Force the Hand of Chance" 1982

★The KLF "The White Room" 1991

★Brian Jones Plays With The Pipes Of Pan At Joujouka "The Master Musicians Of Joujouka" 1971

LOMBROSO

「天才は狂気なり」という学説を唱え
犯罪人類学を創始した奇矯な精神病理学者

チェーザレ・ロンブローゾの思想とその系譜〈48〉

村上裕徳

第四編　総合・天才の変質的な精神の特徴

ここより最終編となる第四編に入る。これは五章に分けられ、

① 狂天才の特徴
② 狂天才と正気の天才との比較
③ 天才の「癲癇」性
④ 正常なる天才
⑤ 結論

――となる。

狂天才の特徴

ロンブローゾは語り始める。

天才が病的であり、その性格が変質的であるという考えは、それぞれの（天才の）離れた個々の事例を、厳格な科学的実験の下に吟味し、化学的な反応作用のように、それぞれの（天才に現れた）事例を相互に比較検討すれば、さらに確実な実証が完全なものとして求められるのである。実際、我々が歴史上の有名で偉大な精神病者の（天才の）生涯と事業とを解剖する時、常人に比べ、はるかに異常な多くの特徴を発見するのである。しかし我々は、その一方で、どんな狂気の痕跡も残さず、その生涯の軌跡をまっとうした天才（がいること）をも認めるのである。

つまりロンブローゾは、天才の多くに「狂気」の特徴の偏在を感じながら、そうした偉大な天才の中で、まったく「狂気」の痕跡を残さない、いわば調和のとれた異常なまでの天才がいるのは何故なのか？――と問いかける。これが、最終編全体のテーマである。ロンブローゾは「狂天才」の特徴を分類して次々に挙げていく。

狂天才の「無性格」

ロンブローゾは続けて言う。

狂天才には概して一定の性格というものが無い。（それに対して）いわゆる「風のまにまに簡単に左右されない」というような確固不動の性格を有するのは、常識ある健全な人間の、顕著な特徴である（つまり「健全な人間」は、政変や天変地異のような急変でもない限り、人格は一定しており、精神病者のように日常的に矛盾した行動をとったり、性格が急に変わったりすることが無いという意味。ロンブローゾの表現は回りくどく、つまり「狂天才」は性格が一定せず多重人格的で、矛盾した行動もするということである。何故そうストレートに書かないかは、ロンブローゾに確信が持てないための韜晦《とうかい》趣味があることと、精神医学が未発達・未成熟で、「心理学」すら成立以前の一九世紀の人のため、「多重人格」という認識がなく、精神病の全体像とシステムが、まだよく解っていないからである）。

（詩人の）タッソは（時の）王朝に対して、常に反抗的な詩文を書きながら、生涯にわたって（その時々の）王朝からの恩恵を貪ろうと努力した。カルダノ（ジェロラモ・カルダノ〈一五〇一〜七六〉のこと。医師で占星術師、賭博師にして哲学者だった。父はダヴィンチの友人で、その私生児であったが、医師としても化学者としても数々の業績がある）は虚言癖と悪口癖と賭博癖に対して（その悪癖が治らないので）自分を責めた。ルソーは激烈な感情家でありながら、最も優しい信頼のおける友人と絶交し、自分から子供を捨て、自分と他人とを無闇に誹謗し、三度以上も信仰を変えた。カトリックからプロテスタントに移り、（それを捨てて）それから（救済を求めて）「哲学」という「宗教」に入ったが、ついにそれさえ捨ててしまったのである。

スイフトは牧師でありながら「Strephon」と「Chloe」という卑猥な恋愛詩を書いた。（また）自分自身が高僧（ロンブローゾの言うほど地位は高くないが、色々な政治家の相談役・調停役だった）の地位にありながら教会を蔑視していた。彼の傲慢さは当然、錯乱状態に達していたのだ。

（詩人の）レーナウは（詩集）「サヴォナローラ」（フィレンツェで神権政治を

おこなった同名のドミニコ会修道士を表題とする叙事詩であろう。サヴォナローラは厳格な信仰のあまり、自身の所属するカトリックの荒廃を批判し火刑となるが、後に宗教改革の先駆者とされる。連載三八回参照）の中で熱狂的な信仰を表明しているにもかかわらず、（別の詩集の）「アルビゲンセス」（詩集「Die albigenser」のことか？ この表題は南フランスの都市アルビに由来し、「アルビ派」ないし「アルビジョア派」と訳され、キリスト教異端思想のグノーシズム的傾向を持つ「カタリ派」の地方的異称）では皮肉めいた懐疑思想をほのめかせている。彼（レーナウ）はそれ（サヴォナローラに共感したカトリックへの厳格な信仰を指す）を（深くまで）知り、それを（信仰）告白し、また、そのこと自体を嘲笑しているのである。

　ショウペンハウウェルは「女」を蔑視した。しかし同時に、その一方で「女」に対する非常な礼讃者でもあった。彼は死後の世界の幸福を信じると言いながら、（死ぬことを恐れて、自分は）百歳以上も長生きすると予言した。

　ロンブローゾが「天才論」で何度も登場させているレーナウ（一八〇二〜五〇）について記すと、レーナウはハンガリー貴族出身のオーストリアの詩人で、ウィーンで医学を中心に哲学、法学などを学んだ。しかし祖父の遺産が入ったことで学業を放棄する。その後ドイツのシュツットガルトで、その当時「ドイツ最大の詩人」だったウーラント（一七八七〜一八六二）や、詩人で軍人だったケルナー（一七九一〜一八一三）たちのシュワーベン（ドイツ南西部の地域名）派の人々と親交する。この派は故郷の風土、詩的伝統を愛し、民謡調のバラード、物語詩などを表現形式として好む傾向を持つ。また、この地域シュワーベンは「ドイツの田舎者」という評価もあったが、一七世紀には、宗教改革を進めるルター派の一派の「敬虔主義運動」の中心地だった。日本での禁欲的キリスト教運動であるロシア正教を含めたプロテスタントの普及が、辺境地の東北と北海道に多く、そこから多くの文学者と文化人が育つのと同様である。こうしたシュツットガルト体験での影響をレーナウは多分に受けている。

★チェーザレ・ロンブローゾ

　彼は一時、自由への憧れから新天地アメリカに渡るが、その実情に幻滅し帰国する。その後、詩人として再出発するが、病弱な父の早い死、貧困、友人の妻ゾフィーとの関係を含む数々の不幸な恋愛など、苦悩に満ちた、いかにも詩人的な恋愛と放浪の生活を続けた。そして一八四四年にゾフィーとの恋愛により苦悩し、発狂して自殺を図り、五年の入院の後、精神病院で悲惨な最期を迎えた。死のため未完となった絶筆の「ドン・ファン」は、理想の追求、女性の美と愛をテーマとするもので、後にリヒャルト・シュトラウスの交響詩「ドン・ファン」の元となっている。他にもリストの「レーナウの『ファウスト』による二つのエピソード」をはじめ、メンデルスゾーンやシューマンなど数々の音楽家たちに霊感を与えており、それにはベートーヴェンを尊敬しヴァイオリンを演奏したほど、レーナウの音楽好きが影響しているのだろう。

　レーナウはレニエなどと同様に、日本では忘れられた詩人であり、翻訳書は半世紀ほど前の詩集が最後で、その名も詩の専門書は除き、小栗虫太郎の「黒死館殺人事件」以外で見かけた記憶がないが、本国のオーストリアでは国民的大詩人らしい。ヒロイックな理想主義と、その挫折による厭世観がレーナウ独自の屈折を現わし、ハンガリー的情熱とスラブ的憂鬱の交錯する独自の作風から、憂愁と絶望を詠《うた》い上げる「世界苦」の詩人として知られ、詩集「葦の歌」や「森の歌」などの自然詩では、自然と人間との内的照応を詠い上げた。つまり汎神論の影響が強かったわけである。また抒情詩が本領だったが、ポーランドの民族運動に同情的であったことから政治的叙事詩では「オーストリアのバイロン」とも呼ばれたという。生誕地シャタードは一九二六年に彼の名にちなみ「レナウヘイム」(現在のルーマニア、ティミシュ県にある町。左を向いた小魚型のルーマニアの最西部、魚の口のあたり)と改称されている。

天才の虚栄心

天才は(その才能に対し)自覚的であり、自己(の確固たること)を認めている。そのため猿のような従順さは持っていない。しかし病的頭脳の中で作られた、そうした自負は、総ての真理と蓋然性《プロバビリティー》との限界を超越する(つまり、自己過信が強いため、自分の独断的考えを優先させて、他人の公平な意見を聞かない――という意味)。タッソとカルダノの場合は「ひそかに」だが、マホメットの場合は「公然と」神の霊感に鼓吹されたと公言した(つまり、自分の言葉は神の言葉であると公言した――という意味)。そして、ほんのわずかの非難でさえも彼らにとっては(神に対する)恐るべき迫害のように思われたのである。カルダノは自身、こうした事を言っている。「私の(精神的)性質は人間の最も極端な本体(「本能」?)と状態の上に置かれている。むしろ無窮の限界の中に踏み込んでいると言っていいほどである」。ルソーはすべての人間だけでなく、ときには、あらゆる自然が彼に反抗していると信じていた。多くの不幸な天才が、他人との交際を断つのは、おそらく、このような理由によるものだろう。スイフトは内閣の諸大臣を蔑視愚弄した。また、彼に親交を求めた、ある公爵夫人に対して手紙を書いたが、その中で、人間が偉ければ偉いほど、彼にたいし平身低頭しなければならないと記している。レーナウは母から(自分がハンガリー貴族であるという)身分に対する誇りを継承した。そして錯乱中に自分がハンガリーの王であると信じた。

天才の早熟性

こうした不幸な人々の中で、ある者は非常に早熟なかたちで、その天才を現わした。タッソは(生まれて)六ヶ月で話すことが出来た。そして七歳のときにはラテン語を知っていた。レーナウは(まだ)少年の時、最も感動的な説教(スピーチ原稿)を作り、バグパイプやヴァイオリンの驚くべき技量を発揮していた。カルダノは八歳の時に「妖怪」を観たことで、守護神からの黙示を得た。アンペル(アンドレ・マリ・アンペール〈一七七五~一八三六〉はフランスの物理学者で数学者。電磁気学の創始者のひとりで、アンペールの法則を発見。電流単位のアンペアは、その名にちなむ)は十三歳の時すでに数学者だった。パスカルは十歳の時にナイフで金属板を叩く音に霊感を得て、音響の原理を考案した。(また)十五歳のときには、有名な円錐曲線学に関する著述をした。ハルラー(スイスの医師で、生理学者、解剖学者、そして植物学者で詩人のアルブレスト・フォン・ハラー〈haller 一七〇八~七七〉のことか?)は四歳で説教(スピーチ)をし、五歳のときには書物を耽読していた。

天才の麻薬および酒や煙草などの中毒

天才の多くは「麻酔剤」と刺激物と興奮剤とを乱用した。ハルラーは阿片を多量に服用した。ルソーはコーヒーを過度に飲用した。タッソは「大酒飲み」として有名だった。また近代の詩人では、クライスト、ネルヴァル、ミュッセ、ムウルジェ(マラルメやヴェルレーヌと親交のあった批評家で詩人のポール・ブールジェ〈一八五二~一九三五〉のことか?)マジラス(ユーゴスラビアの政治家で詩人のマジュラニッチ〈Mazuranic 一八一四~九〇〉のことか?)、プラガ(ポルトガルにも詩人のブラーガがいるが、イタリア詩人のエミリオ・プラーガ〈一八三九~七五〉が正解だろう)、ロヴァニ(イタリアの歴史小説も書いた通俗作家ジョゼッペ・ロヴァーニ〈一八一八~七四〉のことか?彼は借財とアルコール中毒で悲惨な晩年だった)などは、いずれも「大酒飲み」の錚々《そうそう》たる強者《つわもの》だった。また、かの「支那」の独創的詩人の李白なども酒の霊感によって詩を作っていた。そして、その結果、酒のために死んだのである。レーナウも後には酒とコーヒーと煙草の過度の愛用者だった。ボードレールは阿片と煙草と酒に耽溺した。カルダノは自身、不屈の「大酒飲み」だと豪語している。ポーはアルコール中毒だった。ホフマンもそうである。

サイトで内容のサンプルを
ご覧いただけます。
www.a-third.com

THART Series
好評発売中!!

発行＝アトリエサード 発売＝書苑新社

〜こころ狂わす 美しき妖怪、怪異〜
妖怪や怪異を現代風な女性像になぞらえ、
蠱惑的な美人画として描き出す——
あやしき妖怪美人画集!

九鬼匡規　画集
「あやしの縊姿［新装版］」
A5判・カヴァー装・64頁・定価2000円（税別）

幸せの魔法が強くなるように——
11人のモデルを優しくリスペクトする視線で、
エロスとイノセンスをあわせ持つ
魅力を写し出した写真集。

珠かな子　写真集
「蜜の魔法」
B5判・カヴァー装・80頁・定価2500円（税別）

「奇想漫画家」を自称し、不謹慎かつ
狂気的な漫画でカルト的な人気を集める
駕籠真太郎の、漫画以外の多彩な
アートワークを凝縮した「超奇想画集」!
★A3ポスター付!

駕籠真太郎　画集
「死詩累々［新装版］」
A4判・カヴァー装・128頁・定価3300円（税別）

天衣無縫なガーリーアート!
渋谷PARCOなどでの個展や音楽等、
多彩な活動を続けている真珠子の
20年の軌跡を凝縮した記念作品集!

真珠子　作品集
「真珠子メモリアル〜“娘”を育んだ20年」
B5判・カヴァー装・128頁・定価3200円（税別）

エアリエル、ゴブリン、ドワーフ、ニンフ……
約100の妖精の特徴・成り立ちを解説。
多くの画家のカラー図版を添えた
イマジネーションの宝庫!

井村君江
「Fairy handbook〜妖精ヴィジュアル小辞典」
A5判・並製・112頁・定価1800円（税別）

サロメの魅力を、ビアズリーの挿画、
ワイルドとビアズリーの運命、
サロメを描いた絵画の変遷、
オマージュ作品などを通して俯瞰!

「サロメ幻想
〜ワイルド、ビアズリーから現代作家まで」
A5判・並製・112頁・定価1800円（税別）

好評発売中!! 書店店頭で見つからない場合は、書店にご注文下さい（通信販売やインターネット書店もご利用下さい）。

SCIENCE FICTION

岡和田晃

山野浩一とその時代(23)
アフロフューチャリズムと「内宇宙」

反精神病院の現代性

　二〇二三年四月二日、アナログゲーム研究家・草場純の提案を受け、私はSF乱学講座で「山野浩一『花と機械とゲシタルト』を講読する」と題した二時間半ほどの講演を行った。SF乱学講座とは、石原藤夫・大宮信光・柴野拓美・鹿野司らが参画した「SFファン科学勉強会」（SFフ科会）を前身とする市民講座で、毎月開講されており、優に半世紀を超える歴史を誇る。草場自身、初めて商業誌に書いた原稿が、SFフ科会での報告をもとにした論考「ゲームについて」（「SFマガジン」一九七六年二月号）だったほど、古くから同会に関わっているのだ。ちなみに、草場論文ではゲームを「ルールと闘争性のある遊び」として捉え、ゲームを各種に分類し、高次元チェスのような〝未来のゲーム〟まで考察してみせるといった内容で、学術的なゲームの定義・分類を示した最初期の仕事の一つとして看過できないものである。

　そんなフ科会の流れを享けた乱学講座で扱われる対象は、まさしく森羅万象、何でもありだ。「SFマガジン」のイベント紹介欄で頻繁に言及されているので、聞き覚えがある人も少なくないだろう。

　乱学講座の拙講義では、二〇二二年末に小鳥遊書房から復刻された『花と機械とゲシタルト』の背景を、同作の重要な屋台骨である「反精神医学」と、前回の本連載にて取り上げたベルジャーエフの「夜」の思想というポイントを主に確認していった。『花と機械とゲシタルト』が特徴的なのは、自分を「健常者」だと任じてそこに居直る人物が、小説世界にほぼ存在していないことだろう。同作はもともと、アメリカ精神医学会による精神障害の統計・診断マニュアルの第三版（DSM―Ⅲ、一九八〇年）とほぼ同時期に上梓されたもので（一九八二年）、DSM―Ⅲ以降の状況を十全に踏襲しているわけではない。にもかかわらず、『花と機械とゲシタルト』はむしろ現在でこそ、より身近なものとして読めるのではないか。

山野浩一 著
花と機械とゲシタルト
「本書は忘却から掬い上げられてしかるべき強度を誇る」
山野浩一唯一の長編小説!

　旧来の「精神分裂病」が「統合失調症」と呼ばれるようになり、精神疾患を「精神病」と「神経症」とに大別する二分法は曖昧化され、精神疾患のなかでも重篤な「自閉症」でさえもが、スペクトラム（連続体）の概念をもって解されるようになってきている（むろん、臨床的な基準はあるが）。「文学」や「批評」、それを読んだり書いたりする人たちは、ザラザラした現実から半歩踏み出しているという意味で、比喩的にしろ「病」を背負う（スーザン・ソンタグ『隠喩としての病』、一九七八年）。当事者と連続した立場にあると理解してもよさそうなケースすらままある。

　このことを指摘した小泉義之『ドゥルーズと狂気』（河出書房新社、二〇一四年）は、『花と機械とゲシタルト』を読み解いていくためにも有用な著作だ。『アンチ・オイディプス』（一九七二年）等のドゥルーズ&ガタリの言説を図式的に捉える姿勢をできる限り排したスタイルで書かれており、さりげない注釈にも周到に洞察が込められている。そこでは『木村敏著作集〈I〉初期自己論・分裂病論』（弘文堂、二〇〇一年）にまとめられた木村敏の仕事が参照されつつ、木村の描く「症例」が古井由吉『杳子』(一九七一年)のような小説で描かれる〝世界から自分がどうしようもなく乖離している〟という感覚と奇妙にも一致していることが指摘されていた。

『著作集』の現物にあたると、木村が記録している「離人症」は凄絶なもので、家族を巻き込みながら想像を絶する苦しみを味わい続けてきたことが痛々しいほど伝わる。と同時に、該当する女性の家庭は職業差別を受けていたことも示唆されていた。つまり当人は実存の足場を喪失するのと同時に、社会的にも疎外されていた。

かような二重性のもとで、現実とフィクションの境界が解体されつつあるというわけなのだが、さりとて医師と患者との権力構造がなくなったわけではない。小泉は柄谷行人の言説を引きながら、こうした構造自体が、医師が自分の唱える仮説に都合のよい患者に〝偶然〟恵まれること――もちろん、この〝偶然〟は反語なわけだが――それ自体の「暴力」をも示唆している。あくまでもゲームのルールを規定するのは医師であり、そこでの闘争性は医師が想定した枠組みを逸脱するものであってはならないとされるからだ。

だからこそ、『花と機械とゲシタルト』の舞台は通常の精神病院ではなく、革命を経て患者たちが自主管理する反精神病院でなければならなかった。加賀乙彦『フランドルの冬』(一九六七年)のような精神病院を舞台として正気と狂気のあわいを描いた小説とのいちばんの違いは、ずばりこの部分ではないか。

胎内回帰ではなく、外界の反転

けれども同時に、反精神病院はポーの「アッシャー家の崩壊」(一八三九年)のごとくに滅亡を運命づけられている。理由の一つとしては、反精神病院が、患者たちが〝我〟と名づけられた人形に自我を仮託させてしまうことで、自意識の苦しみに囚われずに済むようになった特殊な施設ということが挙げられる。

> 大広間の中央の等身大の人形は〝我〟と呼ばれている。天窓から降ってくる穏やかな光が人形の顔を青白く照らし、水晶の眼を知的に輝かせている。頭髪の部分は黒くふくらんでいるだけで、遠くから見るとまるでマネキン人形のようだが、顔や手足の表情には不思議な生々しさがある。

初めて冒頭のこの箇所を読んだとき、私は〝我〟はフリッツ・ラング監督の映画『メトロポリス』(一九二七年)に出てくる人造人形のようなイメージを有していた。あるいは、マネキンと美女のイメージが二重写しになり、ずれを孕んだ両者が入れ替わる様が反復的に提示されるアラン・ロブ=グリエ監督の『快楽の漸進的横滑り』(一九七四年)の方に近しいかもしれない。小鳥遊書房で出た新版に添えられた中野正一の美麗な装画は〝我〟の姿をも含意しているのだろうが、同時に主要登場人物である美女ゼニゲバのイメージをも仮託されているかのようである。この〝我〟がいつしか暴走するわけだが、では実際にいかなる加害を行っているのかは、多くの箇所においては行間に隠されてしまっているのだ。

いまいちど、全体の構成を確認してみよう。『花と機械とゲシタルト』は「第一部　我と彼と彼女」、「第二部　猿と汝とゲシタルト」、「第三部　機械と氷とパラコンパクト空間」、「第四部　花と廃墟とイリュージョン」の四部からなるが、個々の章は半ば独立した連作短編に近い形をとっている。第一部では反精神病院という特殊な環境と、本作ならではの独特の人称処理(反精神病院のなかでは一人称が使われない)、および主要登場人物が解説される。第二部では謎めいた殺人事件が発生し、被害者を葬送する電子音楽が描写される。第三部では、〝我〟がいかなる仕組みを有しているのかの調査・分析と、対抗の術が模索される。第四部では、本格的なカタストロフが描かれ、ルイス・キャロル『不思議の国のアリス』(一八六五年)が引かれるように、ある種の悪夢めいた崩壊感覚がクローズアップされる。

注目すべきは、これら一~四部がそれぞれ異なる〝読み〟のコードで記されていることだろう。同じタイプの物語を書き分けているのではなく、それぞれの章で反精神病院をめぐる事件の違った文脈に焦点が当てられている、と評した方が適切だろうか。典型的なのが、第二部における葬送の場面である。

> ディキシーランド・ジャズとアフロミュージックの合成。ブラスの響き。

星々は赤や青や黄色のスポットライト。光は点滅し、サイケデリックな花を開く。（……）急に寒気が周囲から押し寄せる。シンセサイザー・ミュージックは自然音と和合する。波の音。森のざわめき。ガラスのコップの割れる音。

　こうした音楽センスは、山野浩一が「季刊ジャズ批評」三〇号（一九七八年）に寄稿していた『サン・ラの太陽中心世界』（一九六五年）評を彷彿させるものだ。これは前衛ジャズ・ミュージシャン、サン・ラ（サン・ラー）のアルバムを論じたものだが、白人中心主義的な自意識やコンプレックスを転倒させ、それどころかはるかに超越し、宇宙論的な観点から、ユング的な集合的無意識の世界における「内宇宙」を表現した、と位置づけるものだった。背景には、ジャズにも「人間性」を求める批評家たちのサン・ラー批判があったわけだが、山野は「自意識」が欠落しているからこそ「白人と黒人の区別すら超えた人間すべての根源的な音楽」が生み出されていると、「内宇宙」という概念を持ち出すことで外宇宙（外界）の位相をも転倒させてみせた。

　その地平では、自然科学的にはフィクションにすぎない「白人」や「黒人」といった「人種」概念をも呑み込んだ「太陽中心世界のすべての生物の創世記以来の音楽」こそが追求されていた、と山野は論じる。すなわち、異種混交的《ハイブリディティ》な感覚のもと、ニューウェーヴSF的な「内宇宙」の概念が更新させられているのである。これはおそらく、「内宇宙」概念の提唱者であるJ・G・バラードですら、必ずしも十全には持ち合わせていなかった視点だろう。

　SF乱学講座に参加していた放克犬は、この場面をP-Funkそのものだろうとも指摘していた。P-Funkとはジョージ・クリントンが結成した二つのバンド、パーラメントとファンカデリックのスタイルのことであり、そこから転じて今や一つのサブジャンル名になっている。サン・ラーやP-Funkは近年、アフロフューチャリズムとして語られる。長澤唯史は、「日本SF史再構築に向けて――その現状と課題についての考察⑤」（「SF Prologue Wave」、二〇二二年）において、山野のサン・ラー解釈と丸屋九兵衛が『サン・ラーのスペース・イズ・ザ・プレイス』のパンフレット（二〇二一年）に記したアフロフューチャリズムの定義を引きながら、その〈未来志向〉〈宇宙志向〉の意味するところを論じていた。

　アフロフューチャリズムとは「非西洋的な宇宙観のもと、アフリカ主義とSFやファンタジーを組み合わせた美学」（丸屋）だ。それは「我々はここで生まれたのではなく、他の場所から来た存在だ」（ブーツィ・コリンズ）というアメリカ黒人の歴史観の上に成り立つものであり、奴隷としての過去の上に築かれた現在の状況を拒否し、新たなアメリカ黒人やそのコミュニティのあり方を追求する運動である。アフロフューチャリズムが「宇宙的イメージを極限まで追求」してきたのも、〈今・ここ〉にある現実＝〈アメリカ〉を否定し、〈過去〉としてのアフリカと、〈未来〉と〈ここではないどこか〉の象徴としての宇宙を直結される回路を生み出すためだった。サン・ラーはまさにそのアフロフューチャリズムにおける〈未来志向〉〈宇宙志向〉の先鞭であり、同時にひとつの到達点でもあった。

　さらに、アフロフューチャリズムは〈哲学でもあり、アティテュード〉でもあり、〈音楽、文学、映像、展覧会〉など多岐にわたるジャンルで展開された運動でもあった。つまり七〇年代に生まれたヒップホップと同様に、アフリカン・アメリカン文化の雑種性、ハイブリディティの表象に他ならないのだ。

　山野浩一は、日本SFをアメリカSFの「建て売り住宅」として批判したことでも知られるが(『日本SFの原点と指向』、「SFマガジン」一九六九年六月号)、長澤が解説したアフロフューチャリズムの文脈を踏まえると、それは白人中心主義的なSF観を無批判に再生産させていくような振る舞いに対し、果敢に"否"を突きつけるものであったとわかる。

このアフロフューチャリズムの世界観を軸とする内宇宙は、『花と機械とゲシタルト』ではどう位置づけられているのか。第三部では反精神病院の近隣にある——あるいはそれを一角ともする?——ソドムの街のような無人の廃墟が、「周囲の荒廃の時間を短縮して数千年の風化を一日に進行させてしまった」ような美しさを誇るものとして描写される。ここから「終末を原体験として、過去に向けて予言された世界」の発生が予期される。

文学テクストを自律したものとして捉えるニュークリティシズムのアプローチを示した代表的な著作の一つであるI・A・リチャーズの『レトリックの哲学』(一九三六年、村山淳彦訳、未來社、邦訳二〇二一年)では、文学での「主意(tenor)」と「媒体(vehicle)」の区分が重要となる。こうした「主意」はテクストの構成を取り、焦点を追っていけば自ずからでそれとわかってくる場合が大半だが、他方でこぼれ落ちるような目配せとして「主意」の種明かしがされることもある。ここを拾えるとテクストの読みがぐっと深まるわけだが、「終末を原体験として、過去に向けて予言された世界」というのは、目配せとして「媒体」に紛れ込まされた「主意」の典型というほかないだろう。

こうした「原体験」としての終末は、本連載の前回で紹介したベルジャーエフ的な「夜」の感覚、行き詰まりを見せた西洋中心主義的なものを脱却するものとも繋がるものだ。しかしながら、忘れてはならないのが、ベルジャーエフの思想は、クレムリンにおいてユーラシア覇権主義的発想を下支えしている——反ボリシェヴィズムのファシスト哲学者——イヴァン・イリインの思想とともに、ロシアのプーチン政権によるウクライナへの侵攻を「哲学」的に正当化するイデオロギーともなっていること。山野浩一が「新しい中世」(あたらしき中世)概念を引用したことのある『現代の終末』(荒川龍彦訳、社会思想社現代教養文庫、一九五八年)内に、その手の記述は見られないが、例えば『霊的終末論』(永渕一郎訳、八幡書店、一九八九年)のような著作は反動的で狭隘な記述に満ちており、同書の訳者解説もそれを積極的に肯定するものとなってしまっている。

つまり「内宇宙」を反動の暴力から開放することが必要であり、だからこそ『花と機械とゲシタルト』は「終末を原体験」とし、自覚的に瓦解の道を選んでゆかざるをえないのだろう。ここで参考になるのが、足立正生が脚本を手掛けた映画(若松孝二監督)『胎児が密猟する時』(一九六六年)に関する、種村季弘の批評だ(「日本読書新聞」一九六六年八月一日号)。種村は「NW-SF」誌の寄稿者として山野と交流があったが、ここでは「縄目の緊迫状態と蛇にのまれた動物のように鞭の響きにつれてのたうつ女の動きは、そのまま産道を通過する胎児の再現である」としたうえで、しかも胎児が産道を通過して生まれるのではなく、逆に巨大な母に「吸い込まれる」との鋭い指摘をなした。つまり胎内回帰を経由し、母の身体と合一化するというわけである。足立自身、種村の批評が「中身を映画以上に掘り下げて書いてくれていた」と若松に感銘を与え、足立から見ても「種村さんはカットとカットの間に見得るものを全て書き込んで」いたため作り手に影響を与えるほどの説得力があったと回想している(足立正生『映画/革命』、聞き手・平沢剛、河出書房新社、二〇〇三年)。

足立正生監督の最新作『REVOLUTION+1』(完全版二〇二三年)では、安倍晋三元首相を銃撃した山上徹也をモデルとする川上達也が、胎内回帰のようなポーズを取る場面がラストで提示され、単なる事件の再現ではない劇映画としての自律を可能にする重要なポイントとなっていた。けれども足立によれば、ここで表現されているのは「内宇宙」とは異なるという(本誌今号の拙稿「暴力として結実した空虚な実存——足立正生監督『REVOLUTION+1』の捉えた風景」参照)。敷衍すれば、「内宇宙」はあくまでも胎内回帰ではなく、外界の力学を反転させるもの。だからこそ、アフロフューチャリズムのような既存の音楽史・文学史を読み替える試みにも柔軟に接続できたということではないか。

弦巻稲荷日記

『RRR』を宝塚で見たい！

いわためぐみ

映画『バーフバリ伝説誕生』（2015）『バーフバリ王の凱旋』（2017）の日本上陸から、ずいぶんとインド映画の日本での上映状況は変わった。『ムトゥ　踊るマハラジャ』（1995）が公開されてから、インド映画といえば『踊るマハラジャ』のイメージが強かったんじゃないかと思うが、『王の凱旋』の冒頭の暴走する象をなだめる主人公の動画の独り歩きや、歴史劇大作としてのわかりやすさ、俳優の認知度の上昇、応援上映が作り出した新しいコミュニティなど、どんどん広い盛り上がりをみせていった。

筆者も、応援上映や、気がつくとインド人コミュニティにむけた英語字幕のインド映画上映会などにも、足を運ぶようになってしまったり、2018年のTOKYOコミコンのバラーラデーヴァ役、ラーナー・ダッグバーティさんの来日にはすべての仕事を調整してかけつけてしまったりもした。日本で人気の高いクマラ・ヴァルマ役のスッバラージュも2018年来日されたが、「桜の咲く頃帰ってくるよ」の約束どおり、2023年4月再来日。スッブの女と名乗るTwitterなどで情報交換を行うファンたちは、心から彼の来日を喜んだ。ファンコミュニティの熱量がとてつもない。S・S・ラージャマウリは、創造神と呼ばれて、次回作への期待も大きかった。

監督や、関係者の来日のたびにお祭り騒ぎ。そんな日々もCOVID-19の影響で映画館での上映そのものも営業に規制がかかり、なんと辛い日々だったろうか。応援上映が再開しても本当に最近まで「無発声応援上映」を余儀なくされ、インド映画やミュージカル映画で、歌って踊ってこその応援上映ファンとしては、「なにをわからないことを言っているのだ」と思った。

楽器やキンブレ片手にバンバンふりまわしても、マスクをしていればOKって。人は呼吸をしているんだよ？　歌うことが呼吸量に影響するのはもちろんだけど、さ。呼吸を止めて映画をみるわけじゃないんだから。

会話はご遠慮ください…な一般上映じゃないんだから…と、もやもやしていた日々もなんとか終息。

しかし、久しぶりの応援上映は、キンブレの明かりの光度にまでルールが入ったりしていて、本当に「クレーム」は恐ろしいなぁと思う日々。

そんな応援上映も復活した昨今。ラージャマウリ監督の新作『RRR』（アールアールアール）（2022）は、10月に日本上映が始まり、4月現在、いまだに映画館で公開が続いている。インド映画史上最大の制作費とも報道されているが、昨年度インド映画世界興行収入ナンバー1。日本では公開された10月22日、23日の2日間で洋画興行収入第一位。日本国内で公開されたインド映画オープニング興行収入歴代1位、と数々の記録を塗り替えた。

世界での注目度もあがり、映画賞の受賞も続いたが、なんとアカデミー音楽賞にまで輝いてしまった。インド映画がである。ドキュメンタリーや、インディペンデント部門ではない。「音楽部門」で受賞。授賞式には、映画の中の人気シーンであるナートゥダンスをキレッキレに踊るダンサーたちが、司会者などの話が長いと、ナートゥで踊って退場させるという演出まで採用され、さすがに映画の主演二人が、アカデミー賞の授賞式で踊ることはなかったが、多くのアメリカの映画関係者にも驚きを与えたに違いない。

そんな全世界が肯定してくれる数字と結果がそこにはあるのだが、自分が鑑賞後から機会あるごとにオススメしまくりながらも、ここまで一般に受け入れられたことに戸惑いもある。

映画館に普段に足を運ばないひとたちも、引き寄せる魅力、そこはどこなんだろう。

正直、私がオススメしたある作家さんには「暴力描写が耐えられない」という人もいたし、1920年代のイギリス植民地時代の解放運動がストーリーの大きな部分を占めるため、国威掲揚映画として眉をひそめる映画人もいたが、私はこの映画を、『マガディーラ』や『バーフバリ』同様、インドの歴史と宗教を背景に持つファンタジー映画を捉え、生きることを考えるメッセージを受け止めてほしいと切に願っている。

ところで、私は、小学生のときに第一次ベルばらブームの洗礼を受けたヅカファンでもある。芸術作品をとりあげ、舞踏をおいかける私がヅカファンというと、「?」と思う人もいるらしい。しかし、私は、宝塚を少女歌劇という形を隠れ蓑に、一般的な商業舞台では載せることのできないような革命の歴史に対するメッセージを強くもっていると感じていて、そこをちゃんと解題していかないといけないと長いこと思ってきた。『RRR』を観たとき、同じ感覚を思った。エンタメの形を借りて、人の感情に入り込むようなメッセージ性をもった作品。

それは、もちろん一つ間違えば危険な洗脳的効果も生んでしまうのだけれど。

人と人が戦うこと、世界の貧困や、差別や、環境問題、未来のことなど、さまざまなことを「ちゃんと考えようと」とさせてくれる。それが、インド映画のちからでもあり、宝塚の舞台に共通するように感じたのだ。

宝塚歌劇団の舞台に載せたら、きっとより、違った演出で、歌い、踊りながら革命について再考できるような、そんな物語になると確信している。かつて『恋する輪廻』が上演出来た宝塚歌劇団ですから!　現在上演中の宙組真風涼帆退団、大劇場公演は小説、映画原作の『カジノ・ロワイヤル』ですし、『オーシャンズ11』も上演できるんですから!

映画作品が、それもインド映画は宝塚には似合う!　『バーフバリ』を宝塚作品で観たいと、心にベストキャストも想い浮かべておりましたが『RRR』の存在に考えが変わりました。

『ジャワの踊り子』をはじめ、数々の革命の物語を踊り、歌ってきた宝塚。『RRR』も、絶対似合う!

物語は、1920年代、イギリス植民地政策下にあるインドで、差別される森の中の民の、ヘナアートが得意な愛らしいマッリが、英国領インド帝国総督の妻に気に入られ、たった2枚のコインで買い取られてしまう。抵抗する母は、銃弾で撃たれかけたが「イギリスからやってきた銃弾1発のほうがインド人の命より価値がある」と撲殺されかかる(最初は死んだかとおもったよ)。幼い妹(と言っても部族のみんなは家族という感覚の妹)を助け出すため、ビームは公邸のあるデリーに出向いて奪還の機会をうかがう。

さて同じ頃、反英国活動家の逮捕に数千人対1というとんでもない乱闘シーンで登場するはラーマ。実は本当は反英国活動家として仲間への武器確保のため、警察官として昇進し、武器庫の武器を略奪する計画を信念として、差別されても歯を食いしばり生きている男。2人は橋の列車事故に巻き込まれた少年を救う事件で偶然出会い、ドスティが結ばれる。固く結ばれた手は、友情のあかし。

しかし、ラーマは、ビームがその該当者と知らずに、マッリ奪還にくる森の民を逮捕することで昇進できるチャンスを得ていた。自分の親友がその森の民と知らず友情を深め、公邸の総督姪に恋心を抱くビームと姪の淡い恋心のキューピット役まではたす。2人の友情の日々はやがて、互いの正体を知ることとなり運命のマッリ奪還計画の日に、大きく揺らぐ。

友情か?　使命か?

最後には、悪者は倒され大切な人々はみな故郷に帰り武器は解放軍に届き、友情は厚く結ばれ大団円のダンス!!!

これを宝塚で見たい!

いまの星組、宙組、月組、雪組、花組(自分的希望順)どこが演じても、それぞれの特徴を掴む演出で、絶対おもしろい!
(髭祭りなので、現在の花組向きではないかもだけど)

映画をみながら星組のショー『ジャガービート』を彷彿とさせるシーンがあったり、気持ちも熱く星組でまずはダンスシーン夢想。パーティの踊り較べのシーンをおどるこっちゃん(礼真琴)とありちゃん(暁千星)の友情にオールマイティなダンスのイギリス紳士を誰にしようとか。

チェ・ゲバラ、の月組 ゲリラな親父髭祭りを思い出し、カルトワインの陽気な音楽と暗いテーマをこなす宙組を思い出し、蒼穹の昴の日清戦争の旭日旗はためく演出と『RRR』の独立前の旗が飛び交う演出が頭の中で交錯して、ラーマとシータの美しい別れと決意ラブシーンに花組のビジュアルを重ね合わせ。ひとりで美味しく夢想しまくる日々。

自分の中の「推し」が別の「推し」を演じる世界を脳内で楽しみながら、『RRR』のラーマのように、自分の作業を思うのでした。

『責務とは行為であり結果ではない』バガヴァッド・ギーター引用のセリフだ。

机の前に貼って日々頑張ろうと思う。

(め)

サイトで内容のサンプルを
ご覧いただけます。
www.a-third.com

THART Series
好評発売中!!

発行＝アトリエサード 発売＝書苑新社

物語作家 最合のぼると、
画家 深瀬優子が贈る、「赤ずきん」
「ピーター・パン」など、おなじみの
童話を元にした暗黒のメルヘン!!

深瀬優子(絵)最合のぼる(文・写真)
「柔らかなビー玉～暗黒メルヘン絵本シリーズ5」
B5判・カヴァー装・64頁・定価2255円(税別)

「Dolls～瞳の奥の静かな微笑み」に続く
田中流が写した魅惑の人形写真集!
可愛いものから前衛的なものまで
23人の作家の多彩な人形作品を掲載!

田中流 球体関節人形写真集
「DOLLS II ～瞳に映る永遠の記憶」
A5判・カヴァー装・96頁・定価2500円(税別)

かつて祖父がハルピンで開いたキャバレー。
時代の束の間の栄華と、利那的な享楽。
球体関節人形と人形オブジェで、
歴史の陰翳を描き出した幻影の劇場!

清水真理 人形作品集
「VITA NOVA～革命の天使」
B5判・ハードカヴァー・64頁・定価2700円(税別)

「同じ夢」に続く、待望の椎木かなえ画集!
音、夢、空、部屋、人間と、5章に分けて
椎木ならではの、奇妙でシュールで、
だけどどこかユーモラスな世界を凝縮!

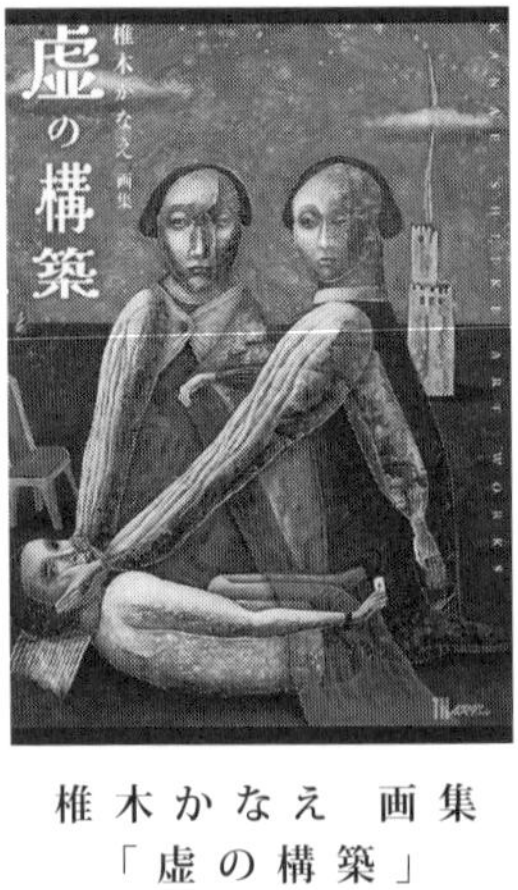

椎木かなえ 画集
「虚の構築」
A5判・ハードカヴァー・64頁・定価2700円(税別)

赤川次郎、恩田陸、中島らも、津原泰水…
あのワクワクは、この絵とともにあった。
40年間に手がけた装幀画から、
約400点を収録した決定版画集!

北見隆 装幀画集
「書物の幻影」
B5判・ハードカヴァー・96頁・定価3200円(税別)

村田兼一の原点、禁断の手彩色写真集!
エロスとタナトスが交錯する
13の秘密の夜。自身が見た夢などを
添えた濃密な魔術的世界。

村田兼一 写真集
「宵待姫 十三夜」
B5判・ハードカヴァー・96頁・定価3200円(税別)

好評発売中!! 書店店頭で見つからない場合は、書店にご注文下さい(通信販売やインターネット書店もご利用下さい)。

奥会津
妖精美術館
2023
花の妖精展
翅のある愛しきものたち
すべての猫は妖精だ！
花と妖精と猫に耽溺する
空間へようこそ。
2023.
4/29土～11/10金
開館時間 9時～17時
休館日 水曜日（祝日の場合は翌日）
入館料 大人（高校生以上）300円
小中学生 200円
主催：福島県 金山町
プロデュース：井村君江
（比較文学者・
妖精美術館館長）
企画：岩田恵
（アトリエサード／
THaNATOS6）
空間造形：谷津翠
（フィオーレスパーツィオ）
北田浩子
妃 耶八
中野 緑
中島祥子
谷津 翠
すべての猫は妖精だ！
妖精と花と猫に耽溺する空間へ
ようこそ！
シシリー・メアリー・バーカーの「花の妖精」シリーズが発表されて今年で100年になります。花と戯れる166点の作品はハイクラウンチョコレートのコレクションカードなどにも採用されたこともあり、日本でも親しみを感じている愛好者も多いと想います。
今回は、そのバーカーの作品にインスパイアされ「すべての猫は妖精である」として、やはり精緻な描写の植物たちの中に妖精としての猫を描き続ける中島祥子と、バーカー作品と花の写真のコラージュを発表している谷津翠の写真作品を中心に、猫のバレリーナが演じる精霊たちを描く北田浩子、コナン・ドイル書籍「妖精の到来」の挿画を手掛けた中野緑、そして幻想耽美画の妃耶八をゲストにむかえました。この自然豊かで花に囲まれた、金山町の妖精美術館で花と妖精と猫を立体的に耽溺できる空間を演出させていただきます。
場所／福島県金山町 妖精美術館
福島県大沼郡金山町大字大栗山字狐穴2765
Tel.0241-55-3180
詳細は下記をご覧ください。
https://atelierthird.themedia.jp/posts/42618066
森にかこまれた沼沢湖のほとり
福島県 金山町
妖精美術館

「イラストレビュー」◎絵と文＝三五千波

「田舎騎士道＆道化師」
指揮・アッシャー・フィッシュ　読売日本交響楽団
演出・美術・舞台投影字幕・上田久美子
東京芸術劇場　（2月3日観劇）

野球の後は芝居やで！
開演前から壁の前で酔っぱらいが倒れていて期待が高まる（演劇ではよくある）
歌と東フィル演奏はこんな大騒ぎな演出なのになぜだか普段以上によく鳴っていた

「田舎騎士道」（カヴァレリア・ルスティカーナ）は現代の大阪みたいな所が舞台
共同体の結束を象徴する「夕べの祈り」は「だんじり」に
浮気を糾弾する激しい歌と
女を粗末に壁に打ち付けるような暴力ダンスが交錯する

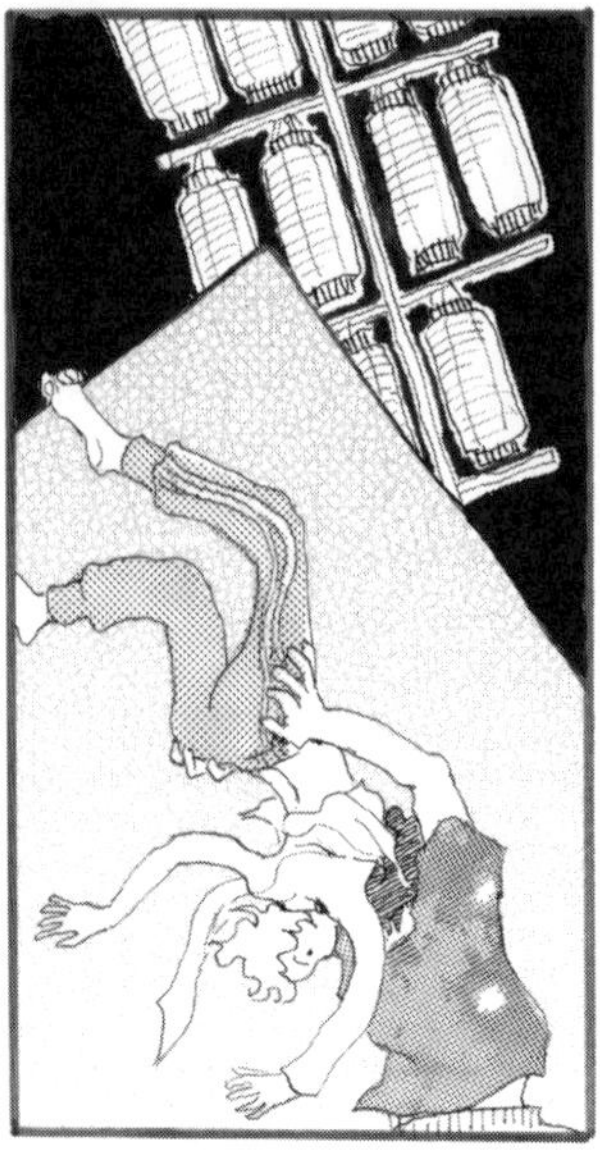

「道化師」は関西のどこかに巡業に来た旅役者の一座の設定に置き換えられている
ここでは晩祷が野球の応援して晩酌に

「文楽形式といいてや〜」
どちらもオペラ歌手とダンサーが二人一役
歌手と踊り手で一役はバロックオペラ等でもよくあるんだけど
字幕も独自の設定による関西弁と標準訳の字幕が二重で更にややこしい
取材のため大衆演劇一座に体験入門し温泉地で寝食を共にしたという上田
衣装も劇団の協力で本物である

B→C　加耒徹　バリトンリサイタル
（東京オペラシティ　3月14日）

バッハに始まり
現代曲のカーゲルにライマン
「十二夜」詩競作にデュパルク
ラフマニノフのロマンス
ラブソング強めと思ったら
最後の大曲ホリガーの「ルネア〜ニコラウス・レーナウによる23のセンテンス」に打ちのめされる

伴奏ピアノの松岡あさひさんは作曲家でもある
直にピアノの弦を押さえるハーモニクス奏法
これは一人で歌う「スカルダネッリ・ツィクルス」！

日本オペラ協会
三木稔「源氏物語」（作曲者による日本語訳詞版）
指揮・田中祐子　東京フィルハーモニー交響楽団
演出・岩田達宗　台本・コリン・グレアム
オーチャードホール（2月19日観劇・Bキャスト）

元の台本は外国人が英語で書いたもので
源氏といえばの「もののあはれ」情緒が少ない
むしろ「弘徽殿さまが理詰めで怒っていて怖い」
「朱雀帝がしっかりしている」
「源氏が浮気者で悪い所は悪い」と糾弾され
現代人が腑に落ちる描写が多いのである

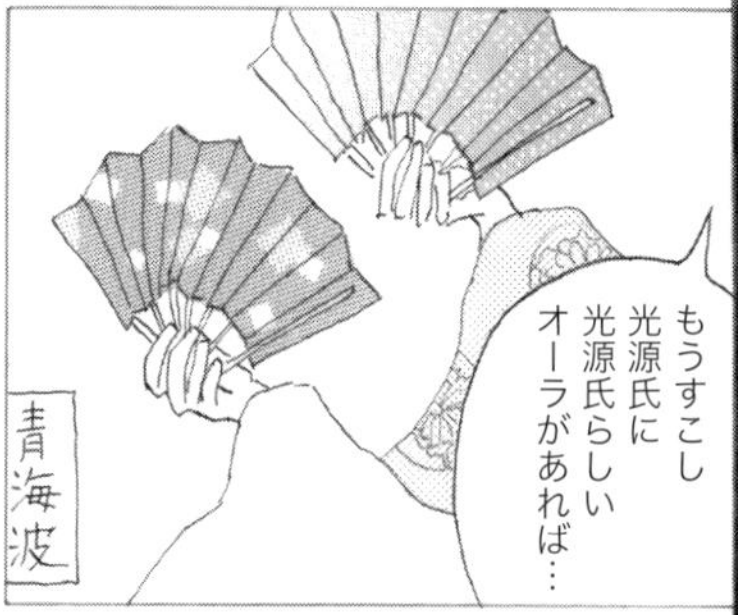
もうすこし
光源氏に
光源氏らしい
オーラがあれば…
青海波

簡素な階段セットに
豪華な平安装束
プリマドンナソプラノは
何度でも化けて出る
六条御息所に当てられている
二十弦箏に中国琵琶
打楽器多めの編成

「note to a friend」 原作・芥川龍之介
作曲・台本・デヴィッド・ラング
演出・笈田ヨシ　ヴォーカル・セオ・ブラックマン
ステージデザイン・トム・シェンク
東京文化会館小ホール（2月4日観劇）

アンサンブルは
後記 mumyo の
メンバー
成田氏が率いる
東京音コン
入賞者による
弦楽四重奏団

「或旧友へ
送る手記」
「点鬼簿」
「藪の中」から作曲者が舞台化
ジャズヴォーカリスト
による歌唱は
ピーター・
ガブリエルの
アルバムのよう
旧友（黙役）が
幽霊として現われた
彼を迎えそして送る

芥川の言葉を英訳し
外国人が演じることで
より普遍性を持つ
幼年期と死の決意の
物語に生まれ変わった

向井航　作曲個展「ドラァグの身体」
ドラァグ監修・衣装製作・メイク・Moche Le Cendrillon
指揮・浦辺雪　照明・演出・植村真
北千住 BUoY（2月17日観劇）

個展前半は
プリペアドされた
チェロのための
独奏曲「ひかり」

「泣かないツバメIII」
「Nausicaa」
女性への抑圧や性の
開放を扱った作品

「Love is Love」
クィア的視点からの
フィールドリサーチ
とみずからの
ドラァグクイーン
初試行を
ドキュメンタリーの
手法で作曲した
映像付き作品

後半は世界初演のオペラ「NOMORI」
野守という湖があった売春街に暮らす
バスの見た目マスキュリンな Bitti
カウンターテナーの売れっ子嬢 Kitti
ソプラノの Sissi　悩み多き3人がいた
そこに伝説の鬼に会うためやってきた
逞しいテノール Titti
4人は儀式で鬼を呼び起こす

そして作曲者自身が華麗な鬼となって現れる
向井は現在ウィーンで LGBTIQ+ や
クィアな人々の集まる場に取材して
ドキュメンタリーシアターを試行している
双子の弟の向井響も作曲家でポルトガル留学中
ハーグ音楽院では一人で人形を遣う
「乙女文楽」のデータ化（?）をしていたそう

ゲッコーパレード　劇場II
唐十郎「少女仮面」
演出・黒田瑞仁　主催・出演・崎田ゆかり
衣装・YUMIKA MORI　劇中歌作曲・小室等
下北沢 OFF OFF シアター（3月16日観劇）

劇場空間を
客席も含め縦に使い
段差を生かし横からも見るスタイル
多方向座席が本拠地での民家上演に共通するような
美術装置はないが衣装のカラフルさで
喫茶店や水道管や満州の病院が見える気が…する

軍服でなく
ルパシカの甘粕に
黙して立つ
春日野八千代
その威厳

何をかくそう
筆者はこれが唐十郎作品の初観劇だ
今回戯曲を読んでから観劇したが
ネタバレ興ざめどころか
オペラのように予習が鑑賞の精度を高める
（すべての衒学的な単語を聞き取るのは不可能じゃよ）

川島素晴 plays… vol.5「自作陶器」
杉並公会堂（3月8日）

まずケージ「0′00″」
粘土で菊練りを
始める川島氏

上杉清仁門下特別企画
「若きカウンターテナーの饗宴」
古賀政男音楽博物館
けやきホール（3月24日）

器はもちろん
風鈴にチャイムに笛
すべて川島氏の
自作とのこと

若手の委嘱新作に
陶器と戯れる「陶楽三題」などなど

最後の湯浅譲二「呼びかわし」は
召還魔法の儀式めいてて
床に描いた五芒星を歩き
サイコロの偶然性や
距離にしたがい
発声する曲

異論はあるかもしれないが
カウンターテナーには
「男性の声をドラァグした」
印象を常々持っている

見た目からして
ごっつう個性的な
6人の発表会

定番のバロックアリア
日本歌曲だけでなく
後期ロマン派の
「旅への誘い」や
R・シュトラウスも

驚かされたのは
↑今春から藝大1年生の
最年少の秋元青空くん
声質というより歌唱の演技が
まるでメゾソプラノ

アーティストコレクティブ「mumyo」
（ヴァイオリン・成田達輝
作曲・梅本佑利　山根明季子）
「ゴシック・アンド・ロリータ」
北千住 BUoY（4月2日夜）

CDジャケットの
肩とヘソ出しのゴスロリっ娘を
勝手に描いてみた…ご容赦

演奏はすべて無伴奏で
バッハとその装飾…変形…
発展…逸脱…逃走？

アンコール曲は
「しぬのが怖い」という
意味のタイトル（横文字）

アフタートークは
黒いリボンで結ばれた
メンバー三人と
ジャケ絵師 NABEchan

萌えはエロス
ゴスロリはタナトス
しぬのが怖いから
作品を残したい
（発言大意）

東京の流刑地 Vol.2
from IZU-OSHIMA

◉絵と文＝大黒堂ミロ

伊豆大島に移住したのが2021年で、人口7000人の過疎化が叫ばれてるこの場所ではこの界隈の新しい出会いは期待は全くしていなかった。

ともあれ移住してからも東京中心にイベントは開催しているし、業界の友人らは男女問わず島に遊びに来てくれる。スタバなどオシャレなカフェが一件もない島なので地元の喫茶店に行ったりしていた。がしかし、移住一年くらいまでは島特有の文化にまだ馴染んでいなかったので、島民が集まる喫茶店での雑談が周囲に広まるとは夢にも思わなかった。

緊縛ショーモデルをやってた女の子との会話の内容を人伝てに聞き、まさかわざわざ自分の自宅を訪ねて会いにやって来てくれたのが、大島移住20年目になる舞踊家の青木健さんだった。出会った一年後には青木さんの東京復帰公演のプロデュースやデザイン等をする事になり、今年は『長屋』を開催した。

青木健さん、今年で80歳、舞踊歴が半世紀以上。70年代の前衛アート時代からの当事者である。

70年代と言えば日本初のゲイ雑誌『薔薇族』が登場し、伝説のアルバム『薔薇門』（東郷健、寺山修司、J・A・シーザーetc…）が発表され、ゲイ（＝女装）バーが週刊誌で話題になり、エログロ・変態・緊縛文化等と前衛芸術とが未分化だった時代だと認識している。（その延長線上に『おかまの東郷健』の立候補とパフォーマンスがあったのではないかという考察はまた別の機会に）

エロが剥き出しで生々しかったカオスな70年代。それまで裏社会の世界だった当時の緊縛師、そして麿赤兒さんや青木健さんも参加していたのが玉井敬友さんが代表を務める『シアター・スキャンダル』の舞台である。そこから半世紀、当時の貴重な公演チラシを伊豆大島で知り合った青木健さんの自宅で拝見す

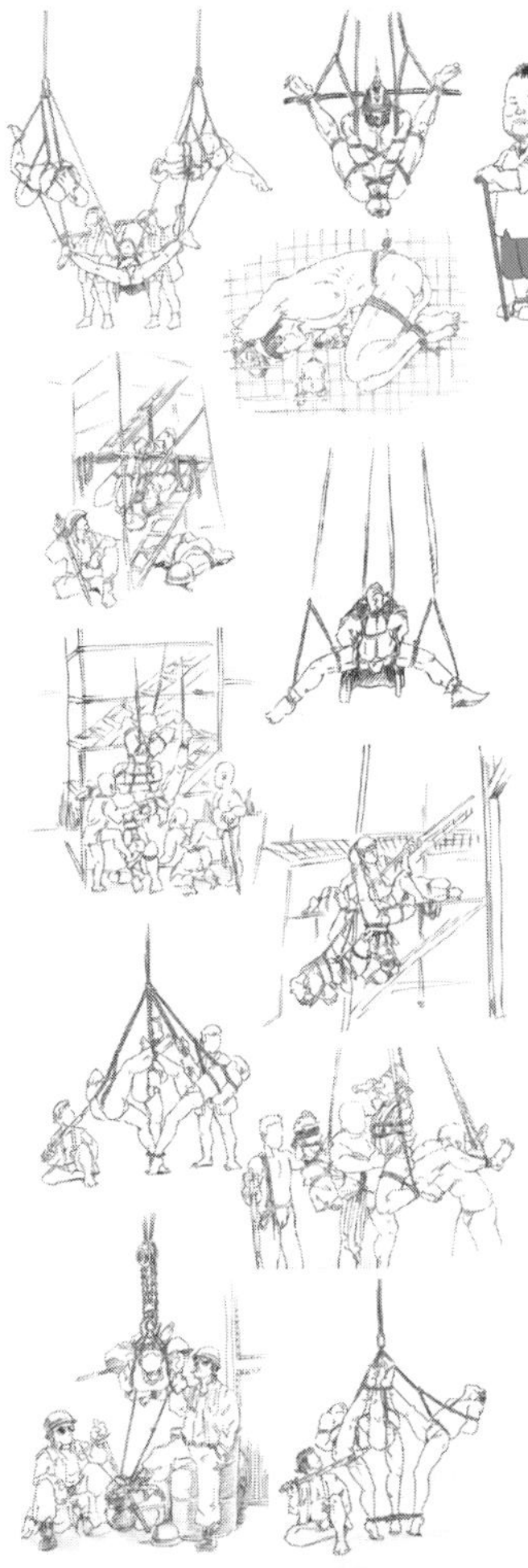

るとは夢にも思わなかった。わざわざ会いに来られたのは、当時の裏舞台を思い出したからだそうである。後から分かったのだが当時のエロとアートが未分化だったステージの上に青木さんと共通の知り合いが立っていた。

自分は90年代から変態業界のイベントをしているが、70年代のエロを牽引してきた方々と仕事をさせていただいた。またイベントとは別に漫画家もやっているのでSM系の広告イラストなども引き受けていたが、あくまで漫画家の描くキャラクターイラスト（上図）だったのでアートとは無縁だった。

それはさておき、3年前より男性モデル限定の緊縛写真をアメリカ在住プロカメラマンのKaz氏とコラボで制作し、日本ではなく欧米での発表を予定している。緊縛文化は70年代より表舞台に出てきてから、欧米でも『KINBAKU』として広く認知されており、AVはもちろん、アート写真集など出尽くしている感がある。アメリカの評論家によれば"今さらのテーマ"だという状況の中での挑戦である。

もちろんカメラマンもプロなのでその状況を承知の上である。緊縛は明智伝鬼さんの弟子である神凪さんにお願いし、自分は全体の構図とデザインを担当している。複雑だけど実現可能な緊縛と全体の構成で、特に意識したのは70年代のカオスな空気感である。今もいくつかのイベントや仕事と並行しながらスケッチ画を描いているが（左の絵と中央見開き部分）、まさか自分の絵がアートになるとは思いもしなかった。

80歳の青木健さんの舞台をお手伝いさせて頂く縁も不思議だが、裏方のお手伝いをしていた2023年GWから公開される長編映画『老ナルキソス｜東海林毅監督作品』も、その世代のゲイM老人が主人公の作品である。

自撮りヌードをSNSにアップして『イイネ』を集めるのが当たり前の現代とは価値観が全く違う、日陰者だった半世紀前のエロス。そこにあった剥き出しの生々しさを今回の写真撮影で表現できればと思っている。今のところはアメリカのアート関係者や評論家に好意的に受け止められているようだが、さて。

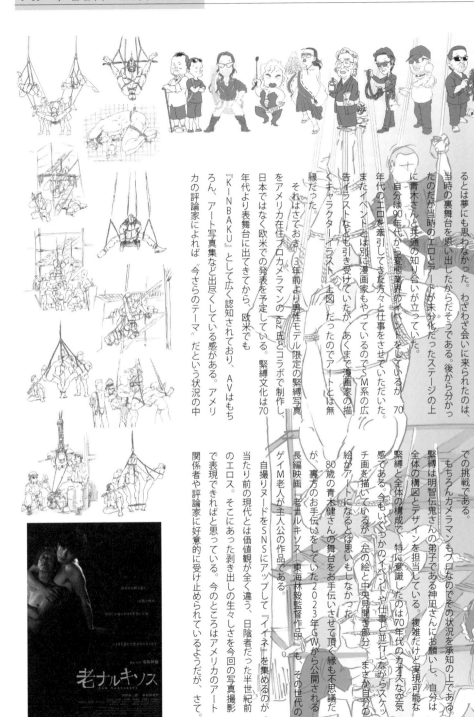

TH特選品レビュー

（イ）イガラシ文章
（壱）壱岐津礼
（市）市川純
（浦）浦野玲子
（岡）岡和田晃
（高）高浩美
（清）清水悠正
（日）日原雄一
（並）並木誠
（西）西村遼
（村）村上裕徳
（M）本橋牛乳
（八）八本正幸
（吉）吉田悠樹彦

アルタードステイツ再現プロジェクト
トーキング・ヘッズ『STOP MAKING SENSE』
新宿ピットイン、22年12月10日

★昨年12月10日、新宿ピットインで内橋和久、ナスノミツル、芳垣安洋の「アルタードステイツ」による再現プロジェクト、『STOP MAKING SENSE』（ジョナサン・デミ監督のライブ映画）を観た。当日は立ち見が出る大盛況。よほど熱が入ったのか、アコギの内橋は途中で「腕がつった」と演奏を中断する場面も。

スタートの『サイコキラー』で一気に興奮状態。『ヘブン』、『ワンス・イン・ア・ライフタイム』、『イ・ズィンブラ』、『テイク・ミー・トゥ・ザ・リバー』……と懐かしくもダンサブルな曲が流れ、踊りだしたいのを必死にこらえた。

巻上公一のヘタウマなボーカルとデヴィッド・バーン風のパフォーマンスはご愛敬。二人の女性コーラス「NUDY LINE」もノリノリ、元「ボアダムス」の山本精一はアフロのカツラを装着（笑）。

映画中で流れる全17曲もあっという間。ロートルのファンとしては感無量の一夜、冥途の土産！ 1981年2月28日、日本青年館で観た本物のトーキング・ヘッズ公演以来の血が騒ぐ体験だった。（浦）

アレックス・ガーランド監督
MEN 同じ顔の男たち

★夫の自殺を間近で目撃してしまった女は静養を求め、穏やかな田舎町を訪れる。そこには美しい自然が広がり、彼女の心は穏やかになっていく……と思われた。しかし、彼女を取り巻く男たちが、彼女を得体のしれない恐怖に陥れる。

一見した感想は、まさしく「?」。特にラスト20分にかけてはもう、恐ろしいやらなんやらよく分からなくなるレベルで壮絶な展開となり、上映終了後に明転した映画館の中で放心状態になってなかなか立ち上がれないほどだった。それもそのはず、この作品はアダムとイヴといった旧約聖書的なモチーフや、女性蔑視はびこる社会への痛烈なメッセージを含め、極めて広い範囲から成り立ち、それらが不気味の皮をかぶって私たちの眼前に蠢いているのだから。彼女の周りに表れる男たちは皆、ミソジニーという顔を持っている。自殺した夫は暴力と言葉で彼女を苦しめ、神父や警官といった正義と良心の存在であるべき彼らも彼女の苦しみや恐怖を理解せず、むしろ彼女の尊厳を掃き捨てる。そのような中、神話的な風格を見せる全身白塗りの全裸男が彼女の前で……ここからが例の、壮絶なラスト20分なので、各々の目で確かめてほしい。

彼女は神話の始まり、アダムとイヴの時代から現代にいたるまで脈々と続く男の「顔」を目の当たりにし、そして対峙する。恐怖に満ちた、もしくは疲れ切ったような、そして決意に満ちたような彼女の表情は私たちの深い本質を鷲掴みにしてくるだろう。（清）

七北数人
安吾疾風伝
春陽堂書店

★すさまじい本だった。七北数人。安吾研究で有名だが、『泥酔文学読本』という楽しいエッセイ、『猟奇文学館』なんてアンソロジーのシリーズもある。そんな作家が坂口安吾の青春時代を、小説として描く。面白くないわけがない。

まさに疾風のごとくである。が、それ

だけではない。私の部屋も安吾の部屋のような散らかりようだけど、幼年期、青春時代の坂口安吾。素直な安吾、ひとりの文学少年としての安吾の姿がここに書かれている。同窓たちと同人誌『言葉』をだし、自身も小説を発表するところなど、よんでいてワクワクした。すばらしい青春小説だった。(日)

庵野秀明監督
シン・仮面ライダー

★まず、女優陣が充実した映画である。

特に、緑川ルリ子を演じた浜辺美波が素晴らしい。『屍人荘の殺人』で惚れ込んでから約三年、遂に彼女も堂々たる特撮ヒロインになったことを喜びたい。

これに対するハチオーグを演じた西野七瀬も絶品である。この二人が対峙するシーンが本作のハイライトであると言っても過言ではなかろう。

それに較べると、サソリオーグ役の長澤まさみの出番が少なすぎるのが、いささか物足りないが、『シン・ゴジラ』で好演した市川実日子も重要な役で登場するので、一連の『シン』シリーズを観て来たファンにはたまらない。

一方、主人公たる仮面ライダー・本郷猛(池松壮亮)は、自らの力が持つ殺傷能力に戸惑いつつ、次第に内省的になって行く。

端的に言って、ストレートに「面白い」と言える映画ではない。もちろん、面白いことには間違いないのだけれど、痛快特撮ヒーローアクション映画を期待すると、いささか裏切られることになる。

前半は、旧1号ライダー篇へのリスペクトに満ちていて、マニアックな引用も多々あり、スピード感があって楽しめる。

それが後半になって、敵のラスボスの正体が見えて来ると、ドラマは哲学的な観念性を帯びてくる。庵野作品だと、やはり『エヴァンゲリオン』に近いテイストと言えるだろう。

そういう意味では、ボディブローのようにじわじわと効いて来る作品である。

観る人によって、ツボるところが違う映画でもあろう。一口では言えないけれど、この微妙な感じがこの映画の持ち味であり、それはそれで悪くないというか、味わい深い作品に仕上がっている。

ライダーがサイクロンで疾走するシーンを観ながら、ああ自分もバイク乗りだったらこのシーン、もっと気持ちイイだろうなと、思った。

追伸。

二度目の鑑賞で、かなり印象が変わった。ややもたれ気味だった後半部をすんなりと観ることが出来たのは、一回目の鑑賞で違和感に耐性が出来たためかも知れないが、視聴を重ねることで見えて来る奥行きが感じられた。そしてそのことによって、かえって風通しが良くなり、Wライダー篇(と、あえて呼ぶ)も素直に楽しむことが出来た。(八)

＊　＊　＊

★庵野によるリメイクもこれで3作品目。というか、「エヴァ」を含めると4作品目か。「シン・ゴジラ」は日本を守ろうとする人間の物語だった。「シン・ウルトラマン」はそれ以上に巨人のCGを駆使した戦闘シーンが印象的だった。その点では、「シン・仮面ライダー」は、おそらく意図的なチープな画面づくりや世界観になっていると思った。そもそも、最初の「仮面ライダー」が極めて低予算でつくられ、夜のシーンを多用した、わりと暗めの作品だったことを意識しているのだろう。

何よりも、「シン・仮面ライダー」が描いているのは、孤独なのではないか。コミュ障の本郷猛と孤高でいようとする緑川るり子の、二人だけの世界がひっそりとそこにある。ただ、ショッカーを倒すことだけを目的につながることができる二人なのではあるけれども。その文脈で、この映画の主人公は、誰よりも緑川るり子だとも思う。笑顔を見せない、人造人間的でクールで用意周到な女性の姿が、それとして魅力的に描かれている。それと、本郷猛と異なり、一文字隼人の明るい感じが、作品としての出口にもなっている。

チープな画面といったけれど、ウルトラマンと異なり、等身大のヒーローや怪人との戦闘は時にスピーディに描かれるし、あるいはとてもウェットに描かれる(特に後半)。

「仮面ライダー」の場合、リメイクとして先行作があるので、やりにくかったところもあるだろう。「仮面ライダーThe

First」と「仮面ライダーThe Next」がそれにあたる。どうしても比較されることになる。その点では、差別化なのか、原作コミックからの流用を行っていることが挙げられる。TVシリーズとは異なり、石ノ森章太郎の原作では、最初に改造人間となり、傷跡の見える姿となった本郷猛が描かれるが、映画ではそのシーンから始まっている。そしてラストもまた、原作にそったものとなっている。もう一つは、「イナズマン」や「ロボット刑事K」からのビジュアルの引用。オタク心をくすぐってはくれるけど。

「シン・ウルトラマン」も「シン・仮面ライダー」も基本的には元のTVシリーズに対するリスペクトに満ちた引用で構成された作品だし、よくできた作品だとは思う。まあ、娘や息子と3人で見たので、原作コミックスからの引用はあとで解説しなきゃいけなかったけど。

そうは思うのだけれど、庵野は結局のところ、何をつくっても「エヴァンゲリオン」になってしまうんだな、とも思った。「シン・ゴジラ」を含め、3つのリメイクのヒロインそれぞれに、葛城ミサト、惣流アスカ・ラングレー、綾波レイの姿を見た人は多かったと思う。というか、「ショッカーの目的って、人類補完計画かよ」、とかつっこみを入れたくもなる。青少年期の孤独とそこからの解放かよ、とも思う。

でもまあ、そうしたこととは別に、「シン・〇〇」っていうのを考える楽しみっていうのは、やっぱり庵野の発明だったな。誰もが自分にとってのウルトラマンや仮面ライダーやあるいは他のなにかを持っているし、そこには自分が素直に投影されるものなのだろうな。（M）

両沢和幸監督

みんな生きている
～二つ目の誕生日～

★骨髄移植をしそこなった経験がある。

まだ30代のころ、献血時に白血球の型も調べてもらい、登録しておいた。その後、だいぶたって、献血センターから電話をもらった。骨髄移植のドナーとなる可能性があるので、まず検査したい、ということだった。けれども、その時のぼくは、仕事に追われていて、ちょっと対応できる感じではなかった。というか、そういう余裕がなかった。でも、このときのことは、ものすごく後悔している。それで一人の命が助かるのなら、応じるべきだったのではないか。

でも、その後、ドナー候補の連絡をもらうことはなく、55歳を過ぎてしまった。もうドナーになることはない。

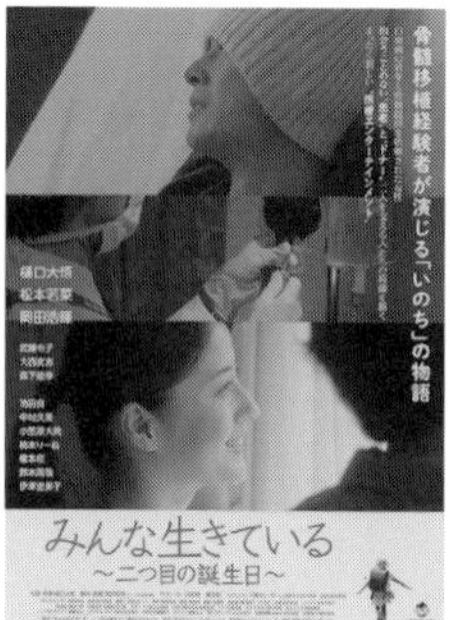

ということで、この映画、主演の樋口大悟の経験がもとになっている。

主人公は空手教室の講師をしている青年。それがある日、白血病となる。一度は治療の結果、白血球の数値が回復して退院するものの、やがて再発し、骨髄移植しか方法はないと医師に告げられる。空手の全国大会出場ができなくなり、恋人にも逃げられる。病室で知り合った、同じ病気だったスナックのマスターは、再発後に急逝する。そんな中、骨髄移植は最後の望みとなる。

後半は一転して、ドナーとなる女性の話が進む。糸魚川市で博物館に勤務し、小学生の娘と夫がいる。20代のときに友人と登録したドナー候補が今になって連絡がくるが、夫も義理の母親も反対する。けれども、夫も義理の母も、人を助けたい気持ちは共有しており、最終的には折れる。ドナーになって何かあったときよりも、ドナーにならなかったことの方が後悔する、という気持ちを受け入れる。

前半、病気というだけでドラマになってしまうので、時系列的に淡々と葛藤が描かれるが、過剰なところがなく、じんわりと見ることができる。後半の、ドナー役の松本若菜と夫の岡田浩暉の演技が、派手なやりとりはほとんどなく、見ているものを落ち着かせてくれる。本当はもっと葛藤があるのかもしれないけれど、伝えるべきことはそこではない、というくらいに。

むしろ、実際の採取医が出演するなど、医療についてはリアルさを追求し、骨髄移植について知ってもらう、くらいのところではあるけれど、それでも骨髄バンク宣伝の映画などではなく、単純に人は人を救うことができる、というところに落とし込まれる。ただそれだけのことが描かれた、という点で、気持ちのいい映画だなって思う。（M）

加藤健一事務所

グッドラック、ハリウッド

本多劇場、23年3月29日～4月9日

★アメリカの劇作家、脚本家のリー・カ

ルチェイムによる戯曲で、映画の聖地ハリウッドを舞台に世代交代というテーマをコメディ仕立てに描いた物語。過去に大成功を収めた名監督で脚本家のボビーを加藤健一、新人作家のデニスを関口アナン、助手のメアリーを加藤忍が演じる。演出は日澤雄介。

リー・カルチェイムは舞台やテレビで数多くの作品を書いている。演劇では『Defiled』『Friends』『The Prague Spring』『SEMINAR』『ビリーバー』などで知られている。

主人公・ボビーの部屋、棚には数々の受賞歴がある監督・脚本家らしくトロフィーなどが飾ってある。中央にデスク、その上に…。ボビーは首を吊ろうとしていた。数々の賞も、もはや過去のもの、ボビーに仕事の発注は来ない。時代設定は1988年、そこへタイミングよく？悪く？二人の男が入ってくる。彼の名はデニス、新人作家、イマドキな感じ。ふとみると、首を吊ろうとしているボビーの姿が目に飛び込んできて、一方のボビーもこれから、という時に人が来たので「固まる」。二人、目を合わす。もちろんボビーは自殺をやめる（できない）。

デニスは喋る、喋る。この二人、真逆。ボビーは骨董品のようなタイプライターを使っているし、デニスは当時では最新型のブック型のPC。二人のやり取りがちょっと可笑しく、またボビーの口から出るシニカルなジョークだらけの言葉に客席からは頻繁に笑いが起こる。この正反対の男二人が、なんと共同作業をすることに。それもちょっと詐欺っぽい？ボビーは例えていうなら「職人気質」、自分の気の済むまでやるタイプ。デニスは映画の聖地であるハリウッドで成功したいし、それなりのこだわりも持っている。ボビーにはメアリーという助手がいる。真面目を絵に描いたような女性。

★撮影：石川純

1988年のハリウッド映画といえば、特に「ダイ・ハード」、約1億4千万ドルの興行収入を上げ、アクション映画としてはトップ。アカデミー賞には4部門でノミネートされ、主演のウィリスは一気にスターに。

ボビーはひょんなことで知り合ったデニスと〝バディ〟を組むことに、しかも自分から。デニスにとっては、ボビーはいわゆる〝巨匠〟、そんな彼と一緒に何かができる、ワクワクするのも当然だ。だが、共同作業をした結果は…。

時代はボビーが想像している以上に変わっていた。トレンドに乗れるはずもなく、いや、乗ろうとしない、乗れない、超アナログで超保守的。一方のデニス、ジャンパーを着こなし、ロックのサウンドに乗ってノリノリ。

そこへメアリーが入ってくるくだり、メアリーの表情、デニスはメアリーが入って来たことに気が付かずにイケイケ。ビジュアル的に可笑しく、客席から笑いが起こる。ボビーは自分の状況は理解できている、メアリーに向かって自分は「透明人間」だという。ボビーは今や「時代遅れ」で、自分が前に出るとやりたいことができなくなることを知っている。

ラスト近く、映画がクランクアップ、不機嫌そうな蝶ネクタイのボビーが入ってくる。その後から、対照的に「やったぜ！」な空気感を纏うデニスが。デニスは尊大な態度でボビーに接する。なんともいえない哀愁がボビーに漂う。観客はわかっている、ボビーの時代は過ぎてしまったのだと。そして時代の寵児になれるのはデニスだということも。いっとき、「勝ち組」「負け組」という言葉が流行したが、ボビーはかつて「勝ち組」だったが、今は時代の波に乗れない「負け組」。一方のデニスはトレンドを掴んで大衆を喜ばせることができる「勝ち組」。だが、デニスもいつまでも「勝ち組」でいられるのか？それは神のみぞ知る。

この作品は、笑いと哀愁と共にさまざまなことを語りかけてくれる。人生、そして創作に対するこだわり、ボビーもデニスも彼らなりのこだわりを持って取り組んでいる。その結果がどうであれ、そのこだわりこそが彼らがクリエイターである所以だ。この二人を俯瞰的なポジションで見るメアリー。最後に天井に吊るされた自殺用のロープ。コメディなので、ボビーは絶対に自殺しないことは最初からわかっている。だが、そこに自殺用のロープが存在することによって、悲劇と喜劇は紙一重であることがわかる。そして時代の波には抗えないことも。ラストは清々しい気分に。彼らの人生はまだまだ続く。休憩なしのおよそ2時間、3人のバランスが絶妙な舞台だった。（高）

吉川潮

いまも談志の夢をみる

光文社

★久しぶりに泣いてしまった。もうこの世界には、立川談志も、川柳川柳も、須永朝彦も、小沢信男もいないんだとあらためて思い知らされた。

『談志歳時記』で、日記形式で家元について書いたものを読むことができた。しかし、晩年の家元の高座、とくに最後の『芝浜』や『子別れ』をどう吉川潮は思っていたのか、ずっと気になっていた。

二〇一〇年の『芝浜』については、こうある。「果たして、その出来は……。声が擦れていることを差っ引けば、まずまずの出来であった。夫婦のやり取りはいつものように情にあふれて、感情注入が上手くできていた。近頃家元がよく言う

『江戸の風』が噺の中に吹いていた。寒風だが、酔った頬に心地よい風、とでも言えばいいか」。でも、声をふりしぼって懸命に落語を演る家元が、可哀想でしかたがなかった。酔っていればあのときの家元の高座を、楽しめたかもしれなかったが、あいにくこっちは学生の身で、まだ酒の飲みようもわからなかった。

談志亡きあとの立川流にもふれられている。左談次師匠もみまかって、いまはほとんど、立川流の落語家をみる機会がないという。観に行く落語家は、私とだいぶ重なる。そのことに、自分の審美眼に、すこし安心したりもする。でも、いまもまいにち、家元の落語をイヤホンで聴きつつ勤務先の病院から帰っている。(日)

横溝正史

南海囚人塔

柏書房

★日下三蔵編集による横溝正史の少年小説コレクションの最終巻である。この表題作の中編が単行本未収録の大珍品であったが、大判で高価な三一書房版《少年小説体系》でしか読めなかった長編「南海の太陽児」を、コンパクトな形で収録してくれたのは非常にありがたい。ほかには短編「黒薔薇荘の秘密」「謎の五十銭銀貨」「悪魔の画像」「あかずの間」、そして早世したSF作家の海野十三の「少年探偵長」の後半部を横溝が書いているため、この長編が収録されている。また角川文庫の横溝の少年小説は絶版のため、その「姿なき怪人」「風船魔人・黄金魔人」の巻末収録の、横溝孝子夫人と息子の亮一氏に山村正夫が聞き出した座談会「横溝正史の思い出を語る」の再録も、時期として好企画だった。また既刊の単行本で、当時の激しい「言葉狩り」のため、それを配慮して改悪された「土人」から「現地人」の変更も初出誌に戻されており、研究者にとっては編者の豪気に感謝したい。ほかに「気狂《きちがい》」も初出のままなので校訂に信頼がおける。加えて挿絵が初出雑誌からの復刻なのも有難い。特に玉井徳太郎と嶺田弘の挿絵は傑作である。

表題作の「南海囚人塔」は、南海旅行の帰途に海上で三階建の二つの塔を持つ幽霊船に遭遇した二少年が、船長たちと共に海賊たちに捕まり地獄島に連行され大冒険が始まる。最後の洞窟での海賊の秘宝発見までスタンダードながら、これを読んだ昭和初期の少年たちの興奮まで伝わるような佳作である。

「南海の太陽児」は秘境小説に加え、SFと時代小説の風味のあるハイブリッドの傑作である。主人公は一八歳の美少年の東海林龍太郎で、高台から相模湾を望む龍神館に保護者の降矢木《ふりやぎ》大佐と住んでいる。父の健三は蘭領印度と言われたインドネシアの巨大な島に住む、その王国の高貴な姫君と婚姻し、そこで生まれたのが龍太郎なのだという。龍太郎は生後すぐに大佐に預けられ、父はまた、その王国に帰ったまま行方知れずになっている。その王国は鎖国令以前の足利時代に日本人が作った王国で、巨大な島の周りを密林が取り囲み、その中を切り開いて都市をつくり、文明社会との交流を断ったために、足利時代のままの風俗で生活する異世界なのだという。その王国から瀕死の使者が来て、その国「やまと王国」が白人の悪者に牛耳られそうになっているという危機を伝える。使者によれば父は既に亡くなり、頼りとするのが腰に聖なる龍の刺青のある龍太郎だけなのだという。龍太郎と大佐は愛犬の隼を連れ、海を越え苦難のジャングルを超えて「やま

と王国」にたどり着く。ここには日姫・月姫という双子の美姫がおり、龍太郎をめぐって彼の争奪戦が内乱となり、それを裏で操るのが宿敵、巨犬の隼によって以前負傷した「片耳の鬼」のジョンソンだった……

ハガードの「二人の女王」と「ソロモン王の宝窟」を話の元としながら、四百年も外界と接触を断った倭寇の末裔による王国という設定が、時空を超えたような奇妙な効果を上げ、単なる翻案以上の作品になっている。猛獣や蛭《ひる》や毒虫や毒蛇、あるいはアナコンダのような巨大な爬虫類に襲われる場面のないのが残念だが、秘境小説としても山中峯太郎より上手いと思う。また、ジョンソンが手に入れようとしていたのが、金銀財宝ではなく島の地下資源である「石油」というのも現代的でよく出来ている。横溝が影響を受けた黒岩涙香は数作を合体させて翻案する名人だったが、横溝は「髑髏検校」で「吸血鬼ドラキュラ」と天草四郎に歌舞伎の復讐譚「天竺徳兵衛」と「骨寄せの岩藤」を混ぜ合わせたように、本作でも見事な名人芸を見せている。

サイードの「オリエンタリズム」以来、未開地の異国趣味に潜む「侵略願望」に対する批判が盛んだったが、その説がもっともであっても、それに過剰反応するのは、異文化との交流を描く旧植民地を舞台とした文学作品の、膨大な遺産を埋没させかねない「言葉狩り」と同様の悪事である。ボードレールやゴーチェのエキゾチシズムを「悪」とするような文化は、どう考えても健康な精神ではない。また国策的傾向についてだが、戦争協力しなかったとされる「抵抗の詩人」金子光晴でさえ、学年誌には時局迎合的な作品を書いていた。すべての出版物が検閲され出版が認可されていたため、戦時下の横溝作品の時局迎合を批判したところで、日本全体の迎合作品よりも罪の軽いものである。そのため作品の半数は戦時下および、それ以前の作品だが、こうした陽の目を見ない横溝作品を集めた本書は、編者・日下三蔵の快挙と言うべきであろう。

（村）

佐野広実

シャドウワーク

講談社

★前作「誰かがこの町で」と同様に今回も真綿で首を締めるような嫌《いや》ミスである。嫌ミスのファンは読み始めたらラストまで目が離せない一気読みのサスペンスに満ちている。テーマはDVであり、のっぴきならない状況からの脱出が克明に描かれる。DVの恐怖を描いた小説の中でも白眉と言ってよいだろう。それほどにリアルで恐ろしい。

物語は、まず先に、夫からのDVに耐えかねて江の島近くの高台にある、DV被害保護施設のシェルターに逃げてきた宮内紀子の視点で描かれる。小津映画の「麦秋」の撮影に使われたという普通の民家を改装したシェルターは、家主の志村昭江を含め四人限定で運営され、表面上はパンを製造販売をしている店の寮であり、特色のない普通の民家のため隠れ家に適している。四人の定員は欠員が出るたびに補充され、こうした縁で紀子もここを紹介されたのだった。寮では、外出は自由だが寮内の秘密を口外しないことの他に、一度シェルターを出所すると再度は入れないという鉄則があった。ちなみに、蛇足だが映画「麦秋」の原節子が演じるヒロインの名も「紀子」である。

もう一つの視点は女性刑事の北川薫である。千葉県の明鐘岬で見つかった腐乱した女の溺死体は、胸部の整形手術のシリコンから三二歳で飲食店々員の今井美佳子とわかる。薫は美佳子と同棲していた無職の松原幸次によるDVの前歴を突き止め、松原を容疑者と考えるが、死体状況から警察見解は自殺におさまってしまった。薫が他殺にこだわったのには理由があり、薫自身が同業の刑事である夫の北川晋一《しんいち》の長年にわたるDVに悩まされ、現在は別居している状態だからだった。松原も夫の晋一と同じく一見には善人に見えることも疑惑の原因だ。薫は夫のDVを告発し離婚しようとするが、晋一の父が過去に県警の高官であり、こうした事情もあって警察の上層部から署内の不祥事としてDV事実の隠蔽がはかられ、訴訟に持ち込めないだけでなく、署内の薫への風当たりも強かった。しかし、周囲に抗いながら捜査を始めた最中、容疑者の松原までが謎の死を遂げる。心不全だった。警察見解は松原の死と美佳子の死には何の因果関係も無いものとして処理されてしまう。薫は署内の逆風の中、単独で捜査を続けていくしかなかった。

こうした交わりそうで交わらない二つの視点が交互に描かれ、ときに過去の描写に移ることでサスペンスを盛り上げていく。最近の小説では、よくある手法であるかも知れないが、作者の技巧はとりわけ見事で、海外ミステリの「消された時間」を書いたバリンジャーのような技巧を感じた。そして二つの視点がクロスする終盤では、薫に降りかかる恐ろしいカタストロフが待っている。桐野夏生の「OUT」に感動した読者は、是非とも本作を御賞味あれ。（村）

ぼっち死の館

齋藤なずな

小学館

★ぼっち死、つまり孤独死。高齢者が住む公営住宅では、いつあってもおかしくないことだ。というか、独居高齢者はそもそも少なくない。門田博光も佐藤蛾次郎もそうして亡くなったんだと思う。そういや中野翠はどこかのエッセイで、自宅で突然死したいとか、書いていたような気がする。

北欧では事件性のない孤独死は問題ないとされている。死に方としては悪くないのかもしれない。困るのは、住宅の所有者（大家）だが、公営住宅であれば、そこはゆるいだろう。事故物件になってしまうけれど、それでも高齢者の住居が確保されることが、公共的なことなのだから。もちろん、孤独死のあとの処理はいろいろ大変かもしれない。

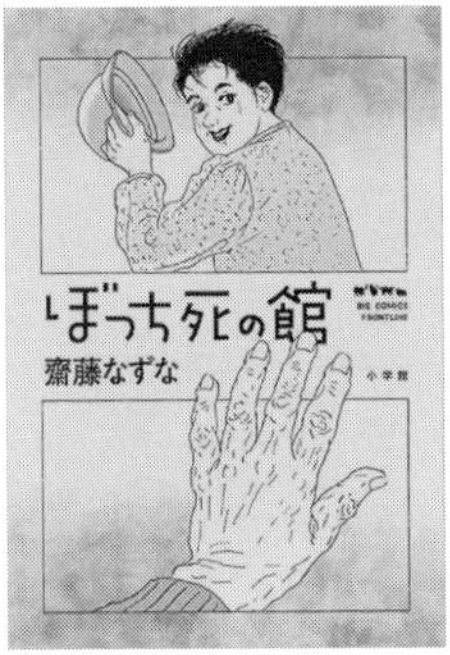

とはいうものの、本書の第0話こそ、孤独死のあとのごみ屋敷の処理が語られているが、第1話以降は、いずれ孤独死するにせよ、それまで生きていくという話だ。猫に癒され、近所の人たちと噂話を楽しみ、病気にもなる、そうやって生きていく。SNSでいいねをもらうのが生きがい、という老人だっている。主人公もまた、高齢のマンガ家。たぶん、作者自身がモデル。今を生きると同時に、これまでも生きてきた。亡くなった妻に対する後悔を思う老人もいる。館はぼっち死のためではなく、そのときまで生きていくためにある。それに、公営住宅には、高齢者だけではなく、若い夫婦も住んでいる。そもそも、かつての公営住宅は、50年前は若い家族にとってあこがれの住宅だったくらいだ。最後の、後日談では、そんなエピソードも描かれる。

この作品、何がすごいって、老人が美化されずに描かれていること。皺や質感がリアルで、ちょっと引いてしまうくらい。でもまあ、みんなこんなふうに年を取ってしまうんだよな。

この本を読んだきっかけは、飯田耕一郎のツイートを近藤ようこがリツイートしていて。すごい表現力だって、いうことだった。マンガならではのリアルな高齢者ということだけど、確かに、老いというのを、人の終わりの風景などではなく、現在のリアルとして描くというのは、いままでなかったよなあ、と思う。近藤ようこが描く老人は、こんな形でのリアルではないし。ぼくはまだこの境地には至れそうもないな。（M）

川柳祭2

川柳川柳一周忌追善

なかのZERO大ホール、22年11月17日

★伝説の落語会があったのは知っていた。浅草、木馬亭、一九九二年。『川柳祭』。川柳川柳師匠のお祭りである。古典を気持ちよく聴かせる古今亭右朝が『ガーコン』でうたいまくり、シブい本格派の五街道雲助が『ジャズ息子』をやったそうだ。いずれも異端の落語家、川柳川柳のつくった新作落語である。

もう亡くなって一年になる。戦時歌謡曲・軍歌を歌いまくる『歌謡曲で綴る太平洋戦史』、通称『ガーコン』というネタで知られた落語界の奇才。『ジャズ息子』なんて自作の面白い演目もあるのに、寄席では九割以上、『ガーコン』や『パフィーde甲子園』で歌いまくっている。打ち上げで酔っぱらって、先輩後輩問わずさまざまな師匠連に迷惑をかけたという。

高座ではとつぜん、お客にからみだとおもえば、気持ちよさそうに綺麗な声で歌ってる。川柳師匠をみると、こんなにハチャメチャでもいいんだとおもった。寄席の番組表をみれば必ずどこかにでてる、寄席の名物芸人だった。

その『ガーコン』は、当代柳家小せんがついで、寄席のトリでも演っている。柳家喬太郎は古典の『初音の鼓』。川柳川柳からおそわったらしい。生前、川柳師匠から聴けた古典のネタは、『首や』だけだった。あの川柳師匠の『初音の鼓』、生で聴きたかったけど、会場で販売された川柳川柳

のCDシリーズ『川柳百席』には、『首や』などとともに収録されている。かつての師匠だった三遊亭圓生は『圓生百席』を出していたが、『川柳百席』は第八席目までに終わってしまった。八席までのあいだでも、『ガーコン』が二席ぶんあるのが川柳師匠らしくて笑ってしまう。

そしてスペシャルゲストには、ギター漫談の大御所・ぺぺ桜井が、ありし日の川柳川柳のようにソンボレロをかぶって『ラ・マラゲーニャ』。あの艶笑小噺をはさみながらギターを弾く。さいごは舞台にみんな揃って、「ガーコン！ガーコン！ガーコン！」の大合唱で三本締め。異端の寄席芸人・川柳川柳にふさわしい、たいへんに異様な祭だった。（日）

木村家べんご志

権助魚

小岩図書館「圓蔵亭落語会」、22年11月13日

★木村晋介が落語を演っていることは前から知っていた。以前にも、この小岩図書館で、社会人落語家の出演する『圓蔵亭落語会』で聴いた。円鏡で売れた、八代目橘家圓蔵師匠の記念館が平井にあるので、そこ主宰落語会の出張版だ。圓蔵師匠も、明るくって面白くって、だいすきだった。その師匠の名が冠にある落語会での、木村晋介の演る『片棒』、立派なベテラン真打ちの芸だった。

高座名は木村家べんご志。また観にいきたいとおもいながら都合があわず、この圓蔵亭落語会でまた聴くことになった。

その前に出た三崎亭桜の輔という人も、社会人落語家で名のあるひとだ。『パールのようなもの』を達者に演じていた。

木村家べんご志師匠は、「落語をやっていて弁護士の仕事に役立つことがありますか、とよく訊かれることがありますが、ないですね。証人尋問で『するってえと何かい』なんて言わない」と笑わせながら、古典の『権助魚』に。軽い噺で笑わせるその姿は、同世代の幹部真打ち、金原亭伯楽、柳家小満ん師匠たちとかわりない。両師匠のように、ふだんの定席にでてほしいひとだとおもった。それこそ『本の雑誌』の根城だった新宿の末広亭や、「裁判所の裏」でおなじみの国立演芸場なんかよく似合うんじゃないかなあ。裁判のついで、『本の雑誌』の名物、椎名誠・沢野ひとし・目黒考二との『発作的座談会』のついででもいい。

まさか翌年明けてすぐ、『本の雑誌』仲間の目黒考二が死ぬなんて考えもしなかった。キムラ弁護士も、手をひかれて高座に上がってた。健康には気をつけてほしい……。（日）

佐東利穂子・勅使川原三郎

天使

KARAS APPARATUS、23年3月10日〜19日

★天使の挫折と救済のようなシャドーダンスによる抽象的シーンが連なる。それはまるでバーネット・ニューマンやマーク・ロスコのような内触覚的宇宙のような絵画の内実を思わせる。オブジェのような佐東利穂子の陰翳のある身体の物質的現前性がエロティックに光る。それは堕天使の誘惑のようなノイジーな勅使川原三郎のエッジの効いた動きと輻輳する。堕落と恩寵の相反する観念的精神の対位の軌跡が深く美妙である。勅使川原三郎のダンスはひとつの思想である。精神の肉体からの優位性を思わせるが、肉体の、ダンスの雄弁さの強度も決して引けを取らない。天使というメディア性（媒介）を介しての、身体と精神の、肉体と精神の、ダンスと精神の二元論を超克していくのである。単なる弁証法的なアウフヘーヴェン（止揚）ではなく、別次元の地平へと観者を誘っていく。それが勅使川原三郎のダンスの冒険であり、魅力でもあるのだ。根底には『天使』という概念に耽美に肉薄していく高潔さが伺い知れるのである。その深みの充溢が印象的だった。（並）

笠井叡DUOの會

吉祥寺シアター、22年11月16日〜19日

★鮮やかなスクリーンに映し出される舞踏家の影、スクリーンの前で踊る舞踏家の実体。時折反転する影と実体、遠い反響、少しの儚さ……。

本公演は舞踏の大御所たる笠井叡とその師の大野一雄が踊ったデュオ作品のリメイク作品である。笠井と大野を演じる舞踏家たちは舞台上で踊り、彼らの背後にあるスクリーンは笠井ら本人による初演を映し出している。これによって我々は、過去と現在、そして虚と実を同時に目の当たりにすることになる。映像と実体の動きは少しずれている。過去を追いかけるように、息の詰まるような壮

絶さで踊る実体の彼らはある時映像を追い越し、その時彼らの舞いはどこか儚い。薄暗い舞台上で唯一浩々と輝くスクリーンに映る今は亡き大野老人の涙は彼の輪郭をぼやけさせて神々しい。

そんな舞台上と映像の彼らを見ている我々はいつのまにか、夢幻に誘い込まれ、その奥で、偉大な舞踏家の存在を確かめるような叫び、そして涙を目の当たりにする。（清）

スコット・マン監督
FALL／フォール

★これはとんでもない映画だ。
物語は単純。二人の若い女性クライマーが、地上六〇〇メートルのテレビ塔の登頂に挑むというもの。ところが、頂上に到達し、いざ降りようとした時、老朽化したハシゴが崩落してしまい、二人はそこに取り残されてしまう。スマホは圏外で、あたりに民家はなく、全くの孤絶状態。そこに次々と危険な事態が襲って来る。

映画のほとんどのシーンが高所の狭いプラットフォームで、その緊張感の持続ときたら、もう、ハンパない。僕は高所恐怖症なので、終始足の指の間に変な汗をかきながら観つづけることになった。だけど、一瞬たりとも眼を逸らすことが出来ない。徹頭徹尾B級ノリなのも素晴らしい。わずかに挿入される恋愛をめぐる人間ドラマ要素も、緊張感の上昇に貢献している。

最近は、どんなに凄い映像を観ても、どうせCGだろうと達観してしまう傾向があるが、本作にはそうしたCGっぽさは感じられなかったので、どうやって撮影したのだろうと、そのエピソードでも載ってたら読みたいなと思って、プログラムを購入しようとしたら、プログラムは作成されていないとのことで、ちょっと意外だった。
ＶＦＸスタッフがクレジットされていたので、危険なシーンはデジタル処理されているのだろうが、ネット検索で調べたら、やはり実物大の部分セットでの野外ロケがメインだったらしく、それが迫真のリアリティを生んでいる。
高所恐怖症でも息を呑むほどの、美しい景色だ。まさに、絶景である。そして、美しいからこそ、底なしに怖い。
これを傑作とか名作とか呼びたくない。ただただ、とんでもない映画としか言い様がない。（八）

端・原作、佐藤夕子・作画
ミムムとシララ
～ドラゴンのちんちんを見に行こう～

新潮社（全3巻）
★魔法学校でいつも1位のシララと2位のミムムはある日、課題の変身呪文の参考にするために「ドラゴンのちんちんを観察しよう」と連れ立って森へ出かける。そこで目撃したドラゴンのあまりにもダイナミックな自慰行為に知的好奇心を刺激された彼女たちは、さまざまな魔法生物たちのちんちんを観察しようと誓い合い、命がけの珍道中を繰り広げていく。

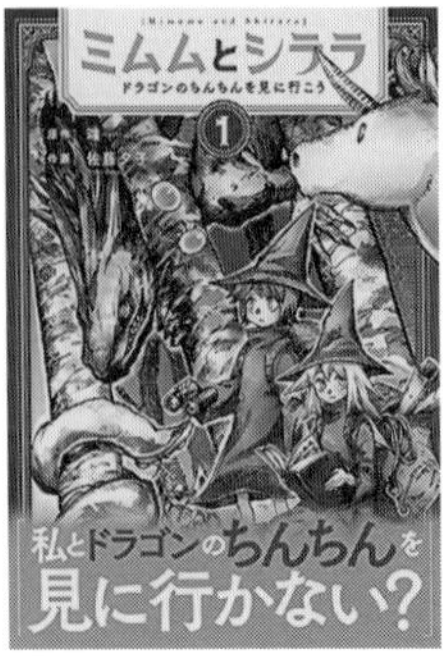

このあらすじを読むと下世話な一発ネタにしか聞こえないかも知れない。だが実際の読後感はむしろ、著者自身がインタビューでも影響を認めている「ダンジョン飯」と、「ナショナルジオグラフィック」や「ダーウィンが来た！」のような自然ドキュメンタリー番組をかけ合わせたような味わいに近い。
例えば、1巻収録の「クラーケンのちんちんを見に行こう」では、「船喰らい」の異名で恐れられる海の怪物を観察するため、二人は迷わず深海へと旅立つ。優秀な魔法使いの二人にとっても掛け値なしに危険な冒険の果てに明かされる、クラーケンが巨大船を沈める理由とは…？という問いの答えが鮮やかだ。この調子で1話ごとに1種を紹介し、末尾の「幻獣図鑑」というコラムでまとめ、という形式なのだが、このコラムを読んでいると「どんな生殖活動を行うか」がその生態を決定する、という進化生物学的な空想が自然とふくらんできて実に楽しい。個人的な白眉は「インキュバス」「ゴーレム」「魔剣」だが、これは読んでみて自分の好きな仮説を探してみてほしい。
ところで、ファンタジー世界の魔法生物たちに現実世界の生物学を参照した疑似科学的味付けをするのは抵抗がある、という人もいるかもしれない。そこでこの作品が採用した飛び道具こそが

「ちんちん」、つまり自分の存在を世界に残そうとする生物の本能と、それに惹きつけられてしまう知的探求心なのだろう。「命の営み」というと本当に陳腐なフレーズに聞こえてしまうが、迫力ある描線で描かれる幻獣たちの凶暴かつ涙ぐましいような生態も、二人の時に冷酷なほどの探求心も、どちらも人や幻獣の種族としての本質そのものであって、それらがむき出しでぶつかり合う様に焦点をしぼっているがゆえに、このマンガは何かのパロディではなくファンタジーそのものなのだ、と自分には思える。

なぜなら、ジャンルを決めるのは「世界設定」ではなく物の見方だからだ。ファンタジーに必要なのは「世界に対する驚異の念」であって（二人がドラゴンのちんちんを見て「かっこいい！」と上げる声は、私たちが博物館で恐竜の化石を見て上げる声と同じだ）、逆にもし世界に対してデータベースとして俯瞰し整理しようという姿勢だけで望むなら、たとえ表面上の設定ではファンタジーであろうと科学であろうと、本質的には同種の思考でしかなくなるだろう（ちなみに前述の「幻獣図鑑」には毎回ミムムとシララの感想コメントがついており、知識を体験で上書きしていく姿勢がうかがえる）。

一見クールなミムムと一見ツッコミ役のシララだが、本質ではどちらも好奇心を満たすためなら他の全てを賭けられる情熱家であり、それゆえに魔法学校の中でも少し浮いているという描写もある。だからこそ、全てを分かり合える相棒を得たという喜びと高揚感に支えられた二人の行動はどこまでもノーブレーキで痛快だ。それこそ作中に登場する悪魔さえもあきれるほどに。（西）

宇野亞喜良　万華鏡

ギンザ・グラフィック・ギャラリー、22年12月9日〜23年1月31日

★イラストレーター、デザイナーとして、寺山修司演出の天井桟敷公演をはじめ、サブカルチャーと深くかかわってきた宇野亞喜良。彼のポスターが張られるたびに熱狂的なファンに剥がされたり、ポスターが先行して芝居の内容が変化したりと、伝説は尽きない。

彼の作品の少女たちは腕が異常に長かったり、胴が異常に長かったり、実際の人間とは乖離している。しかしその少女たちは美しさを全く損なわない。それは彼が、人体の比率を完璧に理解しているからであり、腕や胴が長かろうが少女たちの肉体は完璧な比率を損なわないからだ。そんな圧倒的な画力をもってこそ、少女たちは現実を超えて、耽美的で夢幻的な美を獲得する。

また、一面に並ぶ彼のポスターを見ていると、当時と現代における芸術文化の違いを思い知らされる。彼の、エロ表現ふんだんなポスターは子供の多い遊園地にも張り出されていて、そんなことは現在ではありえない。また、宇野に限らず現代に比べて昔のポスターは情報が少ない。コラージュやエログロ、公演と直接関係のない要素が盛り込まれていることだって全然珍しくない。情報がふんだんで集客に特化した現代ポスターに対して、当時は芸術的表現で、ポスター含めて作品とするような気概で勝負していたのがよく分かる。

宇野は、芸術への受容が深かった当時において燦然ときらめく天才だった。彼のような伝説を携えたイラストレーター、デザイナーは再び現れるのだろうか……。（清）

合田成男100歳に

★合田成男が23年3月末に100歳になったようだ。旧制五高を卒業し東京大学中退。デイリースポーツの記者を経て舞踏ライターへ。想い出も多いが、去年行われた牧阿佐美バレヱ団公演「ノートルダム・ド・パリ」の会場で見かけたのには驚いた。缶酎ハイとタバコを片手にあちこち見て回っていた時代を思い出した。大野一雄の百歳を祝福した先生は、今では櫻井勤を抜き、日本の舞踊批評家の長寿記録を更新中である。（吉）

Tarinof dance company
Legacy 2023

第Q芸術、23年3月18日・19日

★カンパニーのメンバーが作家となり、それぞれの作品を発表するトリプルビルが行われた。これは坂田守・長谷川まいこの作風と通じるものがあり、また一味違うところもあり、大変に興味深かった。

『Mono』（渡部恭子）はエクスペリメンタルでパフォーマンス的な作品である。銀色の大きな布を広げゆっくりと動いていく。演者は戦後のバレエ批評でいうと〝皮膚〟で踊るダンサーということになる。演技やマイムなど体の表情で魅せるタイプといえる。演出は駆使せず身体と美術で勝負をする一本だ。

『色言葉』(甘利みくり)は色とイメージから生まれてくる演劇的なパフォーマンス作品といえる。岩瀬菜々子、女屋理音、仙石孝太朗が交差するのだが、ダンスとごく自然な表情の相互が情景から立ち上がってくる。ヒップホップやKポップからの影響もある若者たちということだ。

『ポラリス』(河野夏帆)は立ち姿が若き日の勅使川原三郎やいわゆる人形をイメージさせるような幻想的な作品だ。ダンスが立ち上がる瞬間や、空間を肉体が感じ取る瞬間が込められている小品といえる。

AI時代のメディアアートとは真逆の肉体だけの世界である。同時代のメディアや美術と組み合わせて展開するとさらに飛躍するかもしれない。(吉)

東京シティバレエ団
トリプル・ビル2023

ティアラ江東大ホール、23年3月4日・5日

★フォーサイスの名作である『Artifact II』が日本初演された。初演から30年ほどして日本の団も本作の2幕を上演する時代になった。しばしば古典バレエの脱構築として語られる本作である。ダンスにおける脱構築やポストモダンといったテーマについて考えさせられる上演だ。日本でも人気のバランシンの「Allegro Brillante」と現代の物語バレエといえる「L'heure bleue」(イリ・ブベニチェク)も素晴らしい上演だった。(吉)

t.a.i 10th anniversary contemporary dance performance
今、光る

光が丘IMAホール、23年3月25日

★鈴木泰介・贄田麗帆によるグループ公演が行われた。混乱する世相や不景気を象徴するように、光がテーマになっており、祈りやキリスト教世界に通じるような表現が展開するスペクタクルである。冒頭は二人のデュエットからはじまり、次第にコロスが登場し、光る球体や大きな立方体の美術と絡んでいく。社会批判や若者文化をテーマとせず老成した感覚がある。同年代の舞台をみていても異色なのかもしれない。衣裳は白一色であり、今月にみた「家路」(井上恵美子)にも通じるものがある。エンターテイメント一色というよりは、"ピュアな祈り"といえる舞台である。さらに芸術性が加わればはじめたものだ。(吉)

イヴ・コゾフスキー・セジウィック
タッチング・フィーリング
情動・教育学・パフォーマティヴィティ

岸まどか訳、小鳥遊書房

★セジウィックは今年、ちょっとだけ注目された。NHKで放映された「100分deフェミニズム」において、上野千鶴子がセジウィックの「男同士の絆」をとりあげたことによる。
この番組では、加藤陽子が伊藤野枝、上間陽子がジュディス・ハーマンの「心的障害と回復」を、鴻巣友季子がマーガレット・アトウッドの「侍女の物語」と「請願」を取り上げた。そして上野が「男同士の絆」である。

再放送を見ながら思ったのは、上野の微妙な選択だということ。番組そのものは、女性が抑圧された中でそのことを著述してきたことそのものだし、軽い内容ではなかった。途中ではウーマンリブなども取り上げられる。友人の男性はその重さを感じていたという。けれども、この番組で語られるフェミニズムは、第二波フェミニズムまでで終わっている。男性社会が女性を抑圧してきた構造こそ語られるが、フェミニズムが語ることはそれだけではない。

「男同士の絆」は、男性社会をホモソーシャルな社会とみなした上で、男性同士の性愛を忌避する、ホモフォビックな社会になっていると指摘。同時に女性は男性社会における男性のトロフィという位置づけ。こういった問題が指摘されており、男性社会の問題を独自の視点で分析したものとなっている。わかりやすくいえば、男が男に惚れる社会だ。これまで、家父長制に対する批判をしてきた上野にとっても、納得のいく著作だ。

しかし、この上野とセジウィックの組み合わせは、なぜ微妙な選択か。上野はポストフェミニズムという立場に足を踏み込んでいく。思想としてのフェミニズムは、それはそれとして、現実社会においては適応する選択を推奨する。例えば、最近では週刊誌が上野が入籍していたことを報道しているが、結婚という制度を批判することと、その制度の利用は別ということだろう。けれども、番組では上野はこうしたポストフェミニズムにはほとんど踏み込んでいない。

セジウィックの代表的な著作は、「男同士の絆」のあとに書かれた「クローゼットの認識論」だろう。これは、ジュディス・バトラーの「ジェンダー・トラブル」と並び称されるクィア理論の古典となっている。セジウィック自身、両性愛者だと伝え

られているが、こうした視点から男性社会を見たときに、ホモソーシャルという見方が自然に出てきたとも考えられる。つまり、上野の選択は、第二波フェミニズムについて語ると同時に、LGBTQや人種問題、少数民族、先住民、高齢者までを含めたマイノリティにまで視野を広げていく第三波フェミニズムへの広がりも、内包されたものだといえるだろう。

と、ここまでが前振り。そのセジウィックの「タッチング・フィーリング」は生前の最後の本でもある。というのも、セジウィックは1990年の「クローゼットの認識論」を刊行した後、乳がんの宣告を受ける。2009年に亡くなるまで、病気と闘いながら、研究と教育を続けた。その治療の影響は、本人の性欲にも及ぶ。そのため、本人は序章で「性についてあまりかたるところのない」著作であると述べる。けれども、だからこそ本書は、生そのものを突き動かす情動について焦点が合わされる。

確かに、第一章ではヘンリー・ジェイムズに対するクィア批評を展開する。初球はストレート、とでもいうかのように。しかし、第四章は「パラノイア的読解と修復的読解、あるいは、とってもパラノイアなあなたのことだから、このエッセイも自分のことだと思ってるでしょ」というタイトルで、ちょっと自省的な変化球を投げてくる。クィア批評の背景には、80年代、エイズがゲイ特有の病気であり、それゆえに適切な対策がとられてこなかったという状況があった。それが、ゲイを撲滅するための施策である可能性があったのかもしれない、そういった思い込みがパラノイアとなっていく。実際に、フェミニズムそのものが、被害者が持つ被害者意識(それは正当なものだとはいえ)が駆動してきたものでもあるともいえるだろう。でも、本当にそうした読解が豊かなものなのか、それだけですむのか、ということが問われてくる。

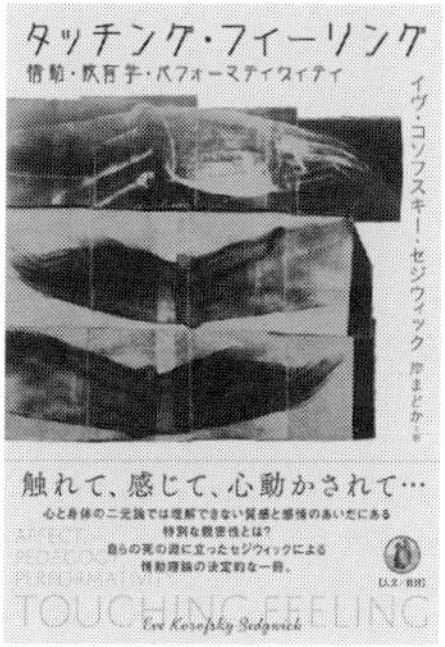

セジウィックは、自身を含めた四人の友人関係に言及する。一人は60代、セジウィックは当時45歳、そして30代の友人二人。でも、進行性の乳がんであるセジウィックは60代の友人の年齢に達することはないという。そして30代の友人たちは、一人はHIVに感染しており、もう一人は有害な廃棄物処分場の上で育ったからか、やはり進行性のがんを抱えている。年齢は残された時間とは一致しない。そうした中にあって、パラノイア的読解だけで事足りるのだろうか。

そこから先につながるのが、第五章の「仏教の教育学」だ。「チベットの死者の書」といっても、ぼくは中沢新一の著作でしか知らなかったのだけれど、セジウィックもここでとりあげている。仏教においては、死にゆくこともまた、修行の1つだという。死んでしまうのであれば、そこに対する教育は意味がない、とふつうは考えそうなものだが、仏教においてはそうではない、ということだ。そこには、仏教における死生観がある。人は死んでしまえば無になるのか。そうではなく、まったく記憶が失われた形で生まれ変わるとしたらどうだろうか。記憶が失われるのに教育もないもののように思うかもしれないけれど、死にゆくことも生きることの一部だとしたらどうか。以前、法事で住職が「人は死ぬために生きる」ということを話していたけれど、そういった考え方そのものが、人の生き方に修復的なものをもたらす可能性がある。その文脈において、セジウィックや30代の友人たちの生き方が考えられるべきなのかもしれない。

触れることと感じること、第二波までのフェミニズムもトランスジェンダー問題もパラノイア的であったかもしれない。けれども、それはその先にある、どのように情動を持って生きていくのか、さまざまな恐怖からいかに修復されていくのか、そのことが可能な身体がそこにあり、そのことがいかに落とし込まれていくのか。なかなか明確な形でとらえにくい本だけれども、そうした中にセジウィックの境地が語られているといっていいだろう。(M)

井上恵美子

家路

渋谷区文化総合センター大和田 さくらホール、23年3月14日・15日

★井上恵美子の代表作が2023年都民芸術フェスティバルで上演された。この作品が初演された時代と、その時代からしばらく経た2020年代の今の芸術表現を比べることができた。「家路」とは元に戻ることができなくなった我々全員にとっての家路でもあり、新しい時代とアイデンティティに通じる小路でもある。観る側の意識も未だに整理ができないものがある現代ともいえ、現実問題にアプローチした代表的な現代舞踊作品といえる。(吉)

犬猫会
The Reed

市アートセンターアルテリオ小劇場、23年3月3日〜8日

★20代から30代といった若い世代がどのように現代を見て、演劇をつくっているのか。その意味で、とても興味深い作品。

舞台は現世と未世とよばれる、生まれる前の世界。この2つの世界をつなぐのが、渡良瀬遊水地で行われる野焼き。

主人公の30代の女性は、妊娠をきっかけに、退職をせまられる。そうした中、ふと足を運んだ野焼きの現場で葦原の向こうに行き、未世に行ってしまう。そこでは、森で新しい生命が生まれ、そして未世に住む人々の手によって現世に送り出されていた。しかし、現世が決して幸福な世界ではないと考えた未世の住人の一人は、もう生まれないようにしようとする。

作品としては観念的すぎるし、掘り下げが足りないよな、とも思う。もっと現世をうまく描き出してもよかったのではないか、とも思う。けれど、それでも認識として、現代社会が主に女性にとって、子供をつくるということが、子供も自分も幸福になれない社会なのではないか、ということが背景にあるのだと思う。そのことは、きちんと伝わってくるものだった。

シンプルだけれど、よく構成された森の舞台装置が印象的だったな。（M）

ケイ・タケイソロダンス
39本の小径Ⅲ
樹影・根っこ

シアターカイ、22年12月28日

★植物が庭の様な景を立ち上げている。顔を白く塗ったケイ・タケイがゆらりと踊りだす。両腕をゆっくり動かしながらアティチュードの表情を変化させたり、身体の表情を変化させる。易経の中にある天行健ではないが、大自然の中で生き学ぶ姿を、踊りの向こうに感じとる事ができる。

自然の中で踊るという意味では、佐多達枝「庭園」なども彷彿とさせるが、今でも観世流の岡庭善昭から能を学んだり、若き日に藤間喜与恵から日本舞踊をしっかり習得していることから「菊慈童」の様な邦舞の演目にも通じる味がある。藤間は現代舞踊の檜健次のパートナーで20世紀舞踊・邦千谷とも関係があった日本舞踊家だ。

後半に中村桂子（JT生命誌研究館名誉館長）が植物の生命力を語っていく傍らで演者が舞うという演出も盛り上げた。照明（清水義幸）が微細な表情を立ち上げていたことも見逃せない。（吉）

合田佐和子展
帰る途もつもりもない

三鷹市美術ギャラリー、23年1月28日〜3月26日

★合田佐和子の代名詞ともいうべきマレーネ・ディートリヒ、ベロニカ・レイク、グレタ・ガルボなどのセピア調の銀幕のスタアの耽美的な油彩画。あるいは、ニキ・ド・サンファルを思わせる、「イトルビ」という合田の造語でオッパイのある海蛇のブリコラージュ的なオブジェの数々。アングラの王道ともいうべき唐十郎の状況劇場や寺山修司の天井桟敷のポスターや舞台美術の数々。美術家の三木富雄との再婚。新宿二丁目の文壇バー「ナジャ」や「アイララ」での前衛的な芸術家や知識人との交流。よき理解者たる瀧口修造。レンズを通して観た世界を描く絵画や死の香りのするポラロイド写真。アンコントロールのシュルレアリスティックな技法の導入。1985年の一年に渡るエジプト生活で得た天啓。晩年の色鉛筆の作品など容姿端麗なアングラの女王の面目躍如といった趣のある展示であった。

荒木経惟は、合田佐和子のノワールな作品を指して「タナトス・グレー」と評したが、通奏低音として死の影がつねに流れている。自身の精神的な病を通じて観た世界観や幻視者の系譜につらなる合田

佐和子の芸術の開闢は寧ろ今始まったばかりなのだ。耽美的な雰囲気を放つ充実した展示だった。（並）

谷桃子バレエ団
ドン・キホーテ
東京文化会館大ホール、23年1月14日・15日

★年始に平田桃子（バーミンガム・ロイヤル・バレエ）・牧村直紀で名版をみた。1幕からラストまで快調な上演で新しい演出も良い。構成や美術を通じアレンジしながら新時代のイメージを発信している。大道の踊り子メルセデス・竹内菜那子とジプシーの女・田山修子にも注目。（吉）

NBAバレエ団
バレエ・リュス・ガラ
新国立劇場中劇場、23年3月4日・5日

★ディアギレフ生誕150年を記念したガラが行われた。バランシン「アポロ」が見事な上演だった。詩を司るカリオペ、雄弁のポリュムニア、舞踊のテルプシコレとアポロが象徴表現を通じてギリシア神話を描いていく。フォーキンの人気の演目「レ・シルフィード」と「ダッタン人の踊り」も上演され喝采を浴びていた。（吉）

不定期舞踊団 月の会
キャラバン
ウエストエンドスタジオ、23年2月3日〜5日

★7人のベテランダンサーによる、砂漠を歩くことがテーマのダンス公演。1時間ちょっとの舞台だったけれど、なにげに物語性が感じられて、見ていてとても楽しい公演だった。

衣装は、地味な薄茶色を基調とした、ちょっとエスニックな雰囲気もないではない普段着。といっても、7人それぞれ個性が強いので、統一がとれているというわけでもない。

そんなわけで、最初、7人が登場したときのダンス、ちょっとそろっていないんじゃないか、とか不安にもなった。まあ、ウォーミングアップということで。

部隊（舞台）を引っ張るのは、先頭（というか、舞台の斜め前方）で表現力豊かなダンスを続ける吉沢恵。落ち着いた動きが、全体の輪郭をつくっていく。吉沢に対峙する千葉真由美のゆったりした動きがあり、もう少し若い世代のアクティブさが重なっていく。そこで見えてくるのは、砂漠の乾いた風に向かって歩くキャラバン。派手さはないものの、むしろ落ち着いたダンスが、心地よいと感じられた。（M）

バレエカンパニーウエストジャパン第4回公演
神戸文化ホール大ホール、23年11月27日

★チャイコフスキーを使ったよく知られたバレエ作品を2作品上演した。この団体は関西における優れた舞台芸術の普及をコンセプトとしている団体である。

「セレナーデ」は鮮やかなメロディで日本でも人気の作品だ。今回はバランシン財団からイヴ・ローソンを招聘して作品を上演。この作品は素晴らしい活躍を示している。ドラマティックな大久保沙耶とチャーミングな佐々木夢奈。

山本康介版「眠れる森の美女」ではリラの精を演じた品のある藤本華奈が活躍。瀬島五月の感性あふれる鮮やかな踊りも見事だ。

瀬島とアンドリュー・エルフェストンの試みは実を結びだしている。新時代をメッセージと共に地域から発信してきている。指揮は神戸フィルハーモニック、指揮は冨田美里。

瀬島はニュージーランドを経て日本で活躍をしてきた。貞松・濱田時代からみると自分たちのバレエが立ち上がってきていることが解かる。（吉）

青木健
人情ばなし 長屋
シアターカイ、23年4月1日・2日

★青木健は40年前に初演した代表作を現代に蘇らせた。長屋をテーマにした落語は多い。落語に取材したダンスドラマを両国で上演してみせた。義理人情のある長屋の情景を舞台仲間たちと描いていくのだが、これが面白い。1982年のバレエ・現代舞踊・舞踏と比較してみるとその異才ぶりを山野博大や日下四郎といった先輩たちが書いていることが良くわかる。和ものなのだが臭くなくさっぱりとユーモアを込めて描く。これは観察眼がないとできない作品だ。

青木は新宿の舞台に立っていたころ、写真家として活動しながら新宿ゴールデン街の伝説のママとして知られた佐々木美智子と交流をしている。そんな新宿の舞台の季節もちょいと思わせる作品だ。チラシは〝黄桜〟のイラストで知られているイラストレーターの小島功を使っている。ピュアな精神を持つ踊り手が描く戦後日本の風景は2020年代にとっても意味がある。（吉）

ペトス
亜人ちゃんは語りたい
講談社（全11巻）

★2巻まで出たときに本コーナーで紹介したけど、無事完結したのであらためて。

　昔から雪女とか吸血鬼とかそういった伝承がある。この作品では、伝承のもととなった、特殊な体質を持つ人がいる社会が舞台。一般的な人間に交じって、ちょっと血液が好きな人や、体温が低い人なんかも生きている。基本的には普通の人だし、両親や兄弟姉妹には特殊な体質がなかったりもする。そして、この特殊な体質の持ち主が亜人といわれている。

　亜人そのものが社会に害悪を与えるわけではないけれど、その体質ゆえのトラブルをおそれて、警視庁には亜人専門のセクションがあり、基本的には監視されている。亜人は理解されているわけではなく、カミングアウトしない亜人も多い。

　とまあ、そんな世界設定で、亜人に興味がある生物教師が高校に赴任してきて、亜人の生徒とも交流しながら、亜人に対する理解をひろげていく、というストーリー。

　主人公のひかりは吸血鬼の亜人で、国から月イチで支給される血液を自宅で飲む以外は、普通の人だし、雪女の亜人までは、体質は特に問題ない。現実の社会における不当な差別に対する批判というものだ。デュラハンの亜人の場合、首が身体と分かれているので、これはちょっと対応する必要がある。首を手で運ぶ必要があるので、通学はリュックにすることを学校に認めてもらったりもする。でも、これって、ちょっとした工夫があれば、やっぱり普通の人と同様に過ごすことができる。

　さすがに、首が離れているのに、別の次元でつながっているというのは、なかなか謎だし、そこは研究者も興味あるところ、といった展開もある。それにやっぱり、首はつながっていた方がいい、と本人も思うし、周囲はそれが可能かどうかについての調査だってする。

　物語を進めていくのは、亜人に対する理解を深め、疎外されることなく生活できるように動いていく生物教師の鉄男。彼の包容力に、亜人の女子高生（亜人ちゃん）たちは救われるところもある。

　実は教師の中にも亜人がいる。数学教師の早紀絵は、サキュバスの亜人。周囲にいる男性に対する催淫効果が強く、それを少しでもやわらげるため、学校ではジャージで過ごし、住んでいるところも、周囲に人が住まない郊外の一軒家。こうした体質もあって、早紀絵は恋愛をあきらめていたのに、鉄男を好きになってしまう。とまあ、終盤はこの二人の関係が動いていく。

　ラストは、亜人によるラジオ放送のスタート。亜人も自分のことを語りたい。身バレしないように、匿名を維持しつつ、人々が亜人を理解してもらうために、同じ人として悩みなんかもあることを伝えるために、周囲の人々のインタビューを交え、番組をつくり、放送する。そうしたしくみができあがるところで、この作品が完結する。

　亜人だからといって、抑圧される必要はないし、だからこそ同じように語りたい、ただそれだけのことが、タイトルともなっている。

　亜人をマイノリティと入れ替えると、この作品が困難なテーマをうまく伝えてくれていることがわかる。亜人として生きているからこそ語りたいこともある、というのも見過ごされる話だと思う。それと、鉄男は亜人ちゃんたちにとって、母親的な存在。というところには、ジェンダーに対する異議を唱えているともいえる。イデオロギー的な話でも、押し付けもなく、ただごく当たり前の、明るく楽しく読める、魅力的なキャラクターたちの物語として、そうしたことも含めて、無事着地したのはめでたい。（M）

ペトス監修、橋本カヱ原作、本田創画
オカルトちゃんは語れない
講談社（全9巻）

★「亜人ちゃんは語りたい」のスピンオフも、同時期に無事完結。こちらは、本編にも登場する鉄男の姪の大学生である陽子と、一緒に暮らすざしこ（座敷童子の亜人）が主人公。ざしこは陽子が引っ越してきたときに、そこにいた存在であり、陽子以外には見えない。

　「亜人ちゃんは語りたい」は基本的に学園ドラマだったけれど、「オカルトちゃんは語れない」はむしろミステリー仕掛け。事件が起きることに、さまざまな亜人がかかわっていることがわかる。こちらでは、亜人といっても、ちょっとした体質ですむような話ではなく、異世界に住んでいたり、そこから移動できたりもする。

　正直なところ、亜人の解釈を広げすぎではないかと思ったし、そのことがかえって、亜人はただの体質というくらいのところからはみ出してしまっているのではないか、とも思った。だから、スピンオフといいつつ、まったく違う世界の作品のようにも感じられた。というか、世界観がちがう。

　平行世界があって、そこでそれぞれ違う形で亜人が生きているとして、この作品での亜人の帰結は、自分にふさわしい世界を選ぶということだった。オカルト体質の亜人にとって、そもそも普通の人間の社会には入り込むことができないからだ。コミュニケーションすら不可能という中で、語れないなかでは、どうすればいいのか、そうしたことが問われる。そして、亜人たちが自分にふさわしい世界を選ぶにあたっての問題は、そのためにざしこが犠牲になるかもしれない、ということだった。陽子はどうするのかが、ラストに向かっての焦点となる。

　「亜人ちゃんは語りたい」とはまったく逆のベクトルだが、それはそれで理解できる。むしろ、ベクトルが異なることで、オルタナティブな回答を示してしまった、そういうスピンオフだ。（M）

暴太郎戦隊ドンブラザーズ

★スーパー戦隊ものというと、イメージとしては悪の組織があり、戦隊がそれに立ち向かって倒す、というのを1年間やる、というものだろう。その点でいくと、「ドンブラザーズ」はそこから激しく逸脱した作品。
　最初から世界観がつかめない。でもまあ、だいたいわかるのは、主人公の桃井タロウがドン一族の末裔であること。人の欲望が暴走するとヒトツ鬼となるため、タロウは4人の仲間とともに変身してそれを倒すこと。敵とされるのは脳人とよばれる感情を持たない3人組だけれど、彼らは悪というわけではなく、対立しつつ、人間の感情を持つことに興味があるということ。ヒトツ鬼とは別に、獣人というのがいて、森に閉じ込められているけれど、人間をつかまえてその姿を乗っ取ることで人間世界で生きているということで、これはこれで何とかしなきゃいけないということ。

　タロウはいつもは宅配便の配達員だが、他のお供はというと、盗作疑惑でマンガが描けなくなった女子高生、お金がなくても暮らしていける風流人、美しい妻がいるダメ会社員、指名手配中の逃亡者。変身するとヒトツ鬼が現れた場所に転送されるしくみなので、戦隊はお互いの素性は最初は知らない。

　メンバーが集まるのは、喫茶どんぶら。そこのマスターは、前作「機界戦隊ゼンカイジャー」の主人公そのままでときどき変身もする、だけど別人という設定。

　劇場版にいたっては、敵味方入り乱れて映画の撮影に参加するというストーリー。

　絶対的な悪がいないというのもそうだけれど、妻帯者のヒーローとか、敵味方が屋台のおでんを一緒に食べるとか、敵に指導を受ける女子高生マンガ家とか、何より少しも謎が解明されないまま展開するストーリーとか、シーズン終盤は、メンバーを含めた三角関係というか四角関係という展開もあり、子供はついていけないんじゃないかってつっこみたくもなる。大人は見ていてほっとする結末だったけど。

　そして、結果としてできたのは、頭がおかしくなりそうなほど愛おしい作品。タロウは宅配便を届ける先で、配達先の人に「これで縁ができたな、助けが必要なときは言ってくれ」と言って回る。善とか悪とかではなく、縁で世界がまわっている。考えようによっては、本当にこんな平和な世界だといいなあ、とも思う。同時に、そうはなっていない理由もまた、絶対的な悪の存在が原因というわけではない。

　新しいことを詰め込み過ぎて、結局のところ解明されない謎はたくさん残ったままだったけれど、地球の危機から遠く離れた日常感の中で、悪ではない何かと闘うヒーローというのは、やっぱり新しいな、と思う。

　ということで、3月からは「王様戦隊キングオージャー」なのだが、これはこれで別のベクトルで革新的なんだよな。（M）

◎写真集

珠かな子 写真集「肌に降る七星」
978-4-88375-446-5／B5判・80頁・カバー装・税別2500円
●「日差しを浴びてその肌は、小さな星屑がスパークするかのようにきらめいていた」――珠かな子が、七菜乃の原初の力と「蜜」を写す！

珠かな子 写真集「いまは、まだ見えない彗星」
978-4-88375-371-0／B5判・64頁・ハードカバー・税別2700円
●私にとってセルフポートレートは、〝可愛さと強さの脅迫〟だ。女の子は強くなれる、そう願っている――珠かな子、待望の写真集！

村田兼一 写真集「宵待姫 十三夜」
978-4-88375-469-4／B5判・96頁・ハードカバー・税別3200円
●村田兼一の原点、禁断の手彩色写真集！ エロスとタナトスが交錯する13の秘密の夜。自身が見た夢などを添えた濃密な魔術的世界。

村田兼一 写真集「女神の棲家」
978-4-88375-416-8／B5判・96頁・ハードカバー・税別3200円
●古の女神を現代の少女に重ね合わる――魔術的なエロスやタナトスと、御伽のような叙情性が混交する村田兼一写真集、第7弾！

村田兼一 写真集「月の魔法」
978-4-88375-354-3／B5判・96頁・ハードカバー・税別3200円
●禁忌を解く魔法――月乃ルナをモデルに生み出された、マジカルで濃密なエロスに満ちたおとぎの世界。

トレヴァー・ブラウン×七菜乃「トレコス」
978-4-88375-298-0／B5判変型・80頁・ハードカバー・税別2750円
●トレヴァー描く、かわいくてシニカルな少女に七菜乃が扮した〝トレコス〟全作品！ トレヴァーの原画はもちろん、メイキング写真も収録！

美島菊名 写真作品集「HOPE」
978-4-88375-308-6／B5判・64頁・ハードカバー・税別2750円
●少女よ あなたは 世界を変える――少女の無垢と欲望を、インパクトあるヴィジュアルで表現してきた美島菊名、初の写真作品集！

谷敦志 写真集「D. P Collage Series」
978-4-88375-283-6／A4判・64頁・ハードカバー・税別3800円
●妖しく溶け合う、肉体とオブジェ。異型の写真家・谷敦志が、女体のコラージュによって生み出した極北の美の世界。A4サイズの豪華版！

谷敦志 写真集「Flowers and Nudes」
978-4-88375-284-3／A4判・64頁・ハードカバー・税別3800円
●透き通るような静けさをまとう、ヌードと花。進化し続ける孤高のアーティストの「今」が詰まった、最新写真集！ A4サイズの豪華版！

谷敦志 写真集「アンビバレンス」
978-4-88375-148-8／A5判・64頁・ハードカバー・税別2800円
●ダークでカオティック、フェティッシュでアヴァンギャルド、そして最高にスタイリッシュ！ 異型の写真家の処女写真集!!

堀江ケニー 写真集「恍惚の果てへ」
978-4-88375-139-6／A5判変型・96頁・カバー装・税別2200円
●澄んだ空気感の中で恍惚の果てへ導かれる―湖や廃墟で撮った、堀江ケニーならではの幻影的作品を集めた待望の写真集！

◎幻想系・少女系

たま 画集「Deep Memories～少女主義的水彩画集VII」
978-4-88375-451-9／B5判・64頁・ハードカバー・税別2700円
●深く落ちた記憶の欠片、透明な絵の具で彩って、5つに束ねて留めました。記憶の底にある、可愛らしくも不気味な楽園にようこそ！

高田美苗 作品集「箱庭のアリス」
978-4-88375-393-2／B5判・64頁・ハードカバー・税別2700円
●混合技法によるタブローから銅版画まで、少女をモチーフとした夢幻世界を描き続ける高田美苗の軌跡を集約した、待望の作品集！

◎小説・コミック・評論・エッセイ

◎ナイトランド・クォータリー（ホラー＆ダーク・ファンタジー）

ナイトランド・クォータリー vol.31 往方の王、永遠の王～アーサー・ペンドラゴン
978-4-88375-487-8／A5判・224頁・並製・税別2000円

ナイトランド・クォータリー vol.30 暗黒のメルヘン～闇が語るもの
978-4-88375-478-6／A5判・176頁・並製・税別1800円

〈増刊〉妖精が現れる！～コティングリー事件から現代の妖精物語へ
978-4-88375-445-8／A5判・200頁・並製・税別1800円

◎TH Series ADVANCED（評論・エッセイ）

樋口ヒロユキ「恐怖の美学～なぜ人はゾクゾクしたいのか」
978-4-88375-482-3／320頁・税別2500円

フロリス・ドラットル「フェアリーたちはいかに生まれ愛されたか～イギリス妖精信仰――その誕生から「夏の夜の夢」へ」
978-4-88375-474-8／320頁・税別2500円

◎TH Literature Series

壱岐津礼「かくも親しき死よ～天鳥舟奇譚」
978-4-88375-491-5／四六判・192頁・カバー装・税別2100円

篠田真由美「レディ・ヴィクトリア完全版1～セイレーンは翼を連ねて飛ぶ」
978-4-88375-485-4／四六判・352頁・カバー装・税別2500円

橋本純「妖幽夢幻～河鍋暁斎 妖霊日誌」
978-4-88375-477-9／四六判・320頁・カバー装・税別2500円

M・ジョン・ハリスン「ヴィリコニウム～パステル都市の物語」
978-4-88375-460-1／320頁・税別2500円

ケン・リュウ他「再着装（リスリーヴ）の記憶～〈エクリプス・フェイズ〉アンソロジー」
978-4-88375-450-2／384頁・税別2700円

SWERY（末弘秀孝）「ディア・アンビバレンス～口髭と〈魔女〉と吊られた遺体」
978-4-88375-454-0／416頁・税別2500円

石神茉莉「蒼い琥珀と無限の迷宮」
978-4-88375-365-9／四六判・320頁・カバー装・税別2400円

図子慧「愛は、こぼれるqの音色」
978-4-88375-345-1／四六判・256頁・カバー装・税別2200円

友成純一「蔵の中の鬼女」
978-4-88375-278-2／四六判・304頁・カバー装・税別2400円

◎ナイトランド叢書（TH Literature Series）いずれも四六判

アーサー・コナン・ドイル「妖精の到来～コティングリー村の事件」
井村君江訳／978-4-88375-440-3／192頁・税別2000円

キム・ニューマン「《ドラキュラ紀元》われはドラキュラ―ジョニー・アルカード」
鍛治靖子訳／上巻384頁・税別2500円／下巻432頁・税別2700円

キム・ニューマン「《ドラキュラ紀元一九五九》ドラキュラのチャチャチャ」
鍛治靖子訳／978-4-88375-432-8／576頁・税別3600円

キム・ニューマン「《ドラキュラ紀元一九一八》鮮血の撃墜王」
鍛治靖子訳／978-4-88375-327-7／672頁・税別3700円

キム・ニューマン「ドラキュラ紀元一八八八」
鍛治靖子訳／978-4-88375-311-6／576頁・税別3600円

クラーク・アシュトン・スミス「魔術師の帝国《3 アヴェロワーニュ篇》」
安田均他訳／978-4-88375-409-0／320頁・税別2400円

クラーク・アシュトン・スミス「魔術師の帝国《2 ハイパーボリア篇》」
安田均他訳／978-4-88375-256-0／272頁・税別2300円

E&H・ヘロン「フラックスマン・ロウの心霊探究」
三浦玲子訳／978-4-88375-361-1／272頁・税別2300円

E・H・ヴィシャック「メドゥーサ」
安原和見訳／978-4-88375-339-0／272頁・税別2300円

M・P・シール「紫の雲」
南條竹則訳／978-4-88375-336-9／320頁・税別2400円

◎TH Art series

◎PICK UP **★2023年1月以降の新刊は、p.173参照**

真珠子作品集「真珠子メモリアル～〝娘〟を育んだ20年」
978-4-88375-483-0／B5判・128頁・ハードカバー・税別3200円
●天衣無縫なガーリーアート！ 渋谷PARCOなどでの個展等、多彩な活動を続けている真珠子の20年の軌跡を凝縮した記念作品集！

椎木かなえ 画集「虚の構築」
978-4-88375-475-5／A5判・64頁・ハードカバー・税別2700円
●無意識を彷徨い、構築する――形容し難い不可思議さ。シュールだけどユーモラス。椎木かなえが闇の中から構築した〝虚〟の世界！

イヂチアキコ 画集「Dignity」
978-4-88375-462-5／A4判・48頁・並製・税別1500円
●日本画の手法により、現代に生きる少女の心性を寓意によって描き出してきたイヂチアキコ。画集『イルシオン』以降の作品を集約！

「楽園の美女たち Paradise Garden～現代美人画集」
978-4-88375-463-2／A4判・80頁・カバー装・税別2200円
●美しさ、艶やかさ、妖しさ…それぞれのスタイルで探究された現代美人画の数々。久下じゅんこ、樋口ひろ子、九鬼匡規など8作家収録！

「甲秀樹 人体デッサン 男性ポーズ集 ディープシーン」
978-4-88375-455-7／B5判・160頁・ハードカバー・税別2700円
●ソロ、回転アングル、フェティッシュ、絡みなど裸体ポーズ写真を約500点収録。こんなディープシーンを描きたかった！ 絵描きのバイブル！

ウォルター・デ・ラ・メア「ダン・アダン・デリー～妖精たちの輪舞曲」
978-4-88375-443-4／A5判変形・224頁・カバー装・税別2000円
●デ・ラ・メアの幻想味豊かな詩に、ラスロップが愛らしく想像力豊かな挿画を添えた、読者を夢幻の世界へいざなう、夢見る大人の絵本！

北見隆 装幀画集「書物の幻影」
978-4-88375-398-7／B5判・96頁・ハードカバー・税別3200円
●赤川次郎、恩田陸、中島らも、津原泰水…あのワクワクは、この絵とともにあった！ 40年の装幀画業から、約400点を収録した決定版画集！

北見隆 作品集「本の国のアリス～存在しない書物を求めて」
978-4-88375-223-5／A5判・64頁・ハードカバー・税別2750円
●本そのものが、「アリス」の物語の、愉快な舞台〈ワンダーランド〉に！ 本の形をした“ブックアート”を中心に、不思議な物語に満ちた作品集!!

深瀬優子(絵) 最合のぼる(文・写真・構成)「柔らかなビー玉～暗黒メルヘン絵本シリーズ5」
978-4-88375-470-0／B5判・64頁・カバー装・税別2255円
●「赤ずきん」「ピーター・パン」「星のひとみ」など、おなじみの童話を元に生み出された、可愛らしくもダークなヴィジュアル物語！

須川まきこ(絵) 最合のぼる(文・写真・構成)「甘い部屋～暗黒メルヘン絵本シリーズ4」
978-4-88375-457-1／B5判・64頁・カバー装・税別2255円
●「一寸法師」「鶴の恩返し」など、おなじみの童話を元に生み出された、須川まきこと、最合のぼるによるヴィジュアル物語！

鳥居椿(絵) 最合のぼる(文・写真・構成)「青いドレスの女～暗黒メルヘン絵本シリーズ3」
978-4-88375-427-4／B5判・64頁・カバー装・税別2255円
●こんな美しい悪夢なら毎晩でも見たい――深澤翠／不穏な空気感で少女を描く鳥居椿と、最合のぼるによるヴィジュアル物語！

eat「DARK ALICE-Heart Disease-(ハート・ディジーズ)」
978-4-88375-438-0／A5判・224頁・カバー装・税別1295円
●摩訶不思議な世界で、奇妙な境遇を生きる者たちのトラウマティック・メルヘン!! 描き下ろし・ホワイト誕生の秘話も収録!!

小川貴一郎 作品集「監禁芸術 confinement art」
978-4-88375-419-9／A5判・128頁・カバー装・税別2500円
●1日目、イヴ・サンローランに蟻を描いた。COVID-19の流行で渡仏が延期になり、緊急事態宣言発令中、家にこもって制作し続けた芸術の記録。

◎人形・オブジェ作品集

田中流 球体関節人形写真集「Dolls II～瞳に映る永遠の記憶」
978-4-88375-480-9／A5判・96頁・カバー装・税別2500円
●「Dolls～瞳の奥の静かな微笑み」に続く人形写真集。可愛いものから個性的なものまで、23人の作家の多彩な人形作品を掲載！

田中流 写真集「Dolls～瞳の奥の静かな微笑み」
978-4-88375-373-4／A5判・96頁・カバー装・税別2300円
●数多くの人形に接してきた写真家・田中流が、28人の人形作家の作品を撮影し、現代の創作人形の潮流をも浮き彫りにした写真集！

「Dolls in labyrinth～田中流・人形写真館」
978-4-88375-449-6／A5判・112頁・並製・税別1636円
●球体関節人形たちの夢の迷宮。可愛らしかったり妖しげだったり…田中流が、12人の人形作家の作品の魅力を写し出した写真集。

清水真理 人形作品集「VITA NOVA～革命の天使」
978-4-88375-464-9／B5判・64頁・ハードカバー・税別2700円
●ハルピンの束の間の栄華と、刹那的な享楽。球体関節人形と人形オブジェで、歴史の陰翳の中に生きた者たちを描き出した幻影の劇場！

清水真理 人形作品集「Wonderland」
978-4-88375-364-2／B5判・64頁・ハードカバー・税別2750円
●肉体と霊魂、光と闇、聖と俗…それらの狭間で息づく、人形たちのワンダーランド。多彩な活躍を続ける清水の近年の作品の魅力を凝縮！

神宮字光 人形作品集「Cocon」
978-4-88375-378-9／A5判・64頁・ハードカバー・税別2700円
●ビスクなどで作られた愛おしい人形達がさまざまなシチュエーションの中で遊ぶ、かわいくも、ときにシュールでミラクルな世界！

ホシノリコ 作品集「蒼燈のばら」
978-4-88375-326-0／B5判・64頁・ハードカバー・税別2750円
●艶かしく息づく球体関節人形、幻想的な物語奏でるオブジェ。ホシノの10年の歩みをまとめた待望の作品集！ 写真＝吉田良、田中流

森馨 人形作品集「Ghost marriage～冥婚～」
978-4-88375-236-2／B5判・64頁・ハードカバー・税別2750円
●妖しい美しさと、哀しいエロスを湛えた、森馨の球体関節人形。その蠱惑的な肢体を写真家・吉成行夫が撮影した、闇の色香ただよう写真集！

林美登利 人形作品集「Night Comers～夜の子供たち」
978-4-88375-288-1／A5判・96頁・ハードカバー・税別2750円
●異形の子供たちは、夜をさまよう――「Dream Child」に続く、人形・林美登利、写真・田中流、小説・石神茉莉のコラボ、第2弾！

与偶 人形作品集「フルケロイド FULLKELOID DOLLS」
978-4-88375-265-2／A5判・68頁・ハードカバー・税別2750円
●園子温推薦！ 多くの人の心に突き刺さっている、凄みのある作品たち。20年の作家生活をここに総括。横4倍になる綴じ込み2枚付！

木村龍 作品集「光速ノスタルジア」
978-4-88375-245-4／B5判・96頁・ハードカバー・税別3500円
●ボックスアートから彫像的作品、球体関節人形、絵画などまで、妖美で奇矯、かつ純真な世界を濃密に凝縮した、待望の初作品集!!

芳賀一洋 作品集「錠前屋のルネはレジスタンスの仲間」
978-4-88375-331-4／A5判・224頁・並製・税別2222円
●パリの街並みや日本の昭和的風景などを精巧なミニチュアで再現した驚異の作品群。その40作以上を郷愁あふれる写真に収めた作品集。

No.86 不死者たちの憂鬱
A5判・224頁・並装・1389円（税別）・ISBN978-4-88375-439-7
●不死は幸福か？苦しみか？――『ポーの一族』、ヴァンパイアと浦島太郎、『ガリヴァー旅行記』、『火の鳥』からヒーラ細胞へ、クレア・ノースの孤独、ドリアン・グレイ、韓国SF、不老不死になれる（かもしれない）秘薬・霊薬・仙薬、荒川修作、不老不死を生きる童話世界の住民たち、サザエさんシステム、不死の怪物プルガサリ ほか

No.85 目と眼差しのオブセッション
A5判・208頁・並装・1389円（税別）・ISBN978-4-88375-433-5
●窃視、邪視から千里眼、眼球まで、オブセッションの数々！ 図版構成/泥方陽菜・神宮字光・下田ひかり、邪視にまつわる民俗史、眼球考～ルドンの絵から、映画から考えた覗き見の功罪、「屋根裏の散歩者」の愉悦、法医学オプトグラフィー、千里眼事件、『ジャガーの眼』を通して唐十郎が寺山修司に捧げたもの、panpanyaが「見る」世界 ほか

No.84 悪の方程式～善を疑え!!
A5判・224頁・並装・1389円（税別）・ISBN978-4-88375-421-2
●「悪」を意識することは、この世の「善」に対して疑いを差し挟むことだ――ダークナイト・トリロジーにみる悪の本質、〈アート〉と〈革命〉は常に悪である～テロ的アートの系譜、「黒い幽霊団（ブラック・ゴースト）」には悪意がない、警官を蹴るチャップリン、悪いヤツはだいたいイケメン～少女漫画におけるモラルとエロス、娼婦と聖性ほか満載！

No.83 音楽、なんてストレンジな！～音楽を通して垣間見る文化の前衛、または裏側
A5判・224頁・並装・1389円（税別）・ISBN978-4-88375-412-0
●パンクからクラシックまで、音楽をめぐる少々ストレンジなイマジネーション！ 恍惚のアヴァンギャルド音楽偏愛史、パンクとポストパンクの思想的地下水脈、イスラムにおける音楽、近代日本の音楽の闇、ワーグナーの共苦と革命、バッハのもとに本当にニシンは降ったのか他

No.82 もの病みのヴィジョン
A5判・224頁・並装・1389円（税別）・ISBN978-4-88375-402-1
●「病み」＝「闇」のヴィジョン。人形作家・与偶トークイベントレポ、梅毒をめぐる幾つかの逸話と謎、舞踏病と死の舞踏、「吸血鬼ノスフェラトゥ」とペストのパンデミック、草間彌生の小説『すみれ強迫』、美人薄命の文化史、病と日本人、舞踊家・土方巽の〈病み〉、澁澤龍彥と病ほか

No.81 野生のミラクル
A5判・208頁・並装・1389円（税別）・ISBN978-4-88375-389-5
●我々は野の何を表現の糧にしてきたか。ケロッピー前田インタビュー～野生を取り戻してテクノロジーを乗りこなせ、管理された野生、粘菌、牧神、人豚、八化けタヌキ、シュルレアリスムのアフリカ、変身人間、キム・ギヨンが描く〝オス〟と〝メス〟、異類婚姻譚、動物フォークロアほか

No.80 ウォーク・オン・ザ・ダークサイド～闇を想い、闇を進め
A5判・224頁・並装・1389円（税別）・ISBN978-4-88375-376-5
●新たな想像力は闇から生まれる。［図版構成］ 濵口真央、C7、新宅和音、紺野真弓、宮本香那、萌木ひろみ、谷原菜摘子。タスマニアの美術館MONA、書肆ゲンシシャの驚異のコレクション、日本の闇を感じさせるゲゲゲスポット紀行、萩尾望都が描き始めた「楽園の裏側」、カタコンブほか。

No.79 人形たちの哀歌
A5判・240頁・並装・1389円（税別）・ISBN978-4-88375-363-5
●［図版構成］田中流写真作品（人形＝日隈愛香・SAKURA・ホシノリコ・舘野桂子）・清水真理・野原 tamago・神宮字光、現代の〝生き人形〟～中嶋清八・井桁裕子・衣・森馨・佐藤久雄、菅実花、ロボット・アンドロイド演劇、映画『オテサーネク』ほか。追悼・遠藤ミチロウなども。

No.78 ディレッタントの平成史～令和を生きる前に振り返りたい私の「平成」
A5判・256頁・並装・1389円（税別）・ISBN978-4-88375-350-5
●私たちが感じ取ってきた「平成」を振り返る。TH的・平成年表、極私的平成の三十年間（友成純一）、平成ゾンビ考～「終わりなき日常」から「サバイバル」へ、舞踏の平成、アニメ『どろろ』に見る内実の変容、死体ビデオと90年代悪趣味ブーム、SNSという「ネオ世間」の出現、IT盛衰、「今日の反核反戦展」、酒見賢一論ほか。

No.77 夢魔～闇の世界からの呼び声
A5判・224頁・並装・1389円（税別）・ISBN978-4-88375-340-6
●不穏さに満ちた夢の世界へようこそ。mizunOE、飴屋晶貴、亜由美、林良文、タイナカジュンペイ、「メアリーの総て」と『フランケンシュタイン』の悪夢、《夢》は現実を超えるか～古代記紀神話から『君の名は。』まで、ラース・フォン・トリアー「ヨーロッパ」、『エルム街の悪夢』、『鏡の国の孫悟空』、『ルクンドオ』ほか。

No.76 天使／堕天使～閉塞したこの世界の救済者
A5判・224頁・並装・1389円（税別）・ISBN978-4-88375-330-7
●天使や堕天使から発した想像力。村田兼一、ホシノリコ、『ベルリン・天使の詩』、ボカノウスキー『天使』がいたころ、天使と日本人、イスラムの堕天使たち、「天使の玉ちゃん」と〈失われた子供時代〉、『デビルマン』飛鳥了、熊楠の天使／天子と男色ほか。ジャ・ジャンクー論（藤井省三）、アジアフォーカス2018レポなども。

No.75 秘めごとから覗く世界
A5判・256頁・並装・1389円（税別）・ISBN978-4-88375-316-1
●秘めごとが生む物語。ステュ・ミード、中井結、宮本香那、『檸檬』『四畳半襖の裏張り』などに見る秘めごとの諸相、文学における「告白」、J・T・リロイの事情、自販機本の原稿書きが「映画芸術」の編集長に教えられたこと ほか。小特集としてマッケローニと映画「スティルライフオブメモリーズ」、追悼・ケイト・ウィルヘルム。

No.74 罪深きイノセンス
A5判・224頁・並装・1389円（税別）・ISBN978-4-88375-309-3
●無垢への信奉とそれが持つ残酷さ。美島菊名、村田兼一、蟲川ギニョール、Hajime Kinoko、ドストエフスキーと無垢なるもの、わたなべまさこ『聖ロザリンド』と萩尾望都『トーマの心臓』、『悪童日記』と『フランケンシュタイン』、『小さな悪の華』と『乙女の祈り』、少女ポリアンナほか。

No.73 変身夢譚～異分子になることの願望と恐怖
A5判・224頁・並装・1389円（税別）・ISBN978-4-88375-299-7
●miyako（異色肌ギャル）インタビュー、トレヴァー・ブラウン×七菜乃、別人化マニュアル、変身譚としてのギリシア神話、バルテュスと鏡～少女の変身を映すもの、変装から変身へ～怪盗から見る映画史、女性への抑圧が生み出す変身～『キャット・ピープル』とその系譜ほか。

No.72 グロテスク～奇怪なる、愛しきもの
A5判・224頁・並装・1389円（税別）・ISBN978-4-88375-289-8
●林美登利～異形の子供に惜しみのなく注がれる愛情、立島夕子～瀬戸際から発せられた生命の賛歌、たま～可愛らしい少女の中に秘められた不気味な何かを暴く、黒沢美香～既成の価値観に収まらない名前のない景色の豊満さ、畔亭数久とその時代、謎のバンド ザ・レジデンツ ほか。

No.71 私の、内なる戦い～“生きにくさ”からの表現
A5判・224頁・並装・1389円（税別）・ISBN978-4-88375-273-7
●生きにくさから生まれてきた表現――。渡辺篤（現代美術家）～ひきこもり体験からアートへ／若林美保（ストリッパー）インタビュー／与偶（人形作家）～人形によって人に何かを与え、それが自身の〝生〟も支えている／石塚桜子（画家）～一筆一筆に感じられる、祈りのような叫び ほか。

No.70 母性と、その魔性～呪縛が生み出す物語
A5判・224頁・並装・1389円（税別）・ISBN978-4-88375-260-7
●母性による呪縛がなにをもたらし、どんな物語を生んだのか――。「母がしんどい」などで共感を呼ぶマンガ家・田房永子や、ラブドールを妊娠させた作品が話題になった菅実花のインタビューのほか、「三島由紀夫の同性愛と母性の不在」など、神話や文学等多様な見地から俯瞰します。

No.69 死想の系譜～いま想う、死と我々の未来
A5判・240頁・並装・1389円（税別）・ISBN978-4-88375-251-5
●死を想うことで育まれる想像力。釣崎清隆×笹山直規によるメキシコ死体合宿レポ、LOVSTARのエッセイ漫画「死体愛好家」、「死の舞踏絵画からブリューゲル、ボス、そしてヴァニタス」、「ショーペンハウアーの『自殺について』」、「ボルタンスキー巡礼」、「SFにみる近未来の死生観」ほか。

◎ExtrART（エクストラート）〜異端派ヴィジュアルアート誌

file.36◎FEATURE：白昼夢の劇場／少女の遊戯
A4判・112頁・並装・1250円（税別）・ISBN978-4-88375-492-2
●朱華、SAKURA、大野泰雄、森本ありや、石松チ明、Zihling、濱口真央、中井結、緋衣汝香優理、喜藤敦子、佐藤文音、山田ミンカ、都築琴乃（遊）、他

file.35◎FEATURE：幻想の王国へ、ようこそ。

A4判・112頁・並装・1250円（税別）・ISBN978-4-88375-486-1
●エセム万、網代幸介、塚本紗知子、松本ナオキ、ミルヨウコ、雛菜雛子、塚本穴骨、田中流、下山直紀、村上仁美、沖綾乃、ジュリエットの数学、すうひゃん。

file.34◎FEATURE：美のゆらぎ、闇の鼓動
A4判・112頁・並装・1250円（税別）・ISBN978-4-88375-479-3
●三谷拓也、高久梓、安藤朱里、日野まき、藤浪理恵子、西村藍、六原龍、戸田和子、SRBGENk、shichigoro-shingo、雪駄、異形のヴンダーカンマー展

file.33◎FEATURE：聞こえぬ声を聞く
A4判・112頁・並装・1250円（税別）・ISBN978-4-88375-471-7
●土谷寛枇、小野隆生、Sui Yumeshima、鶴見厚子、大西茅布、芳賀一洋、駒形克哉、清水真理、松平一民、太郎賞展、i.m.a.展立体部門

file.32◎FEATURE：たましいの棲むところ
A4判・112頁・並装・1200円（税別）・ISBN978-4-88375-466-3
●衣[hatori]、安藤榮作、村上仁美、西條冴子、FREAKS CIRCUS、岡本瑛里、宮崎まゆ子、前田彩華、アンタカンタ、たま、mumei、真木環

file.31◎FEATURE：動物と花のワンダー！

A4判・112頁・並装・1200円（税別）・ISBN978-4-88375-459-5
●石塚隆則、吉田泰一郎、森勉、水野里奈、萩原和奈可、永見由子、珠かな子、椎木かなえ、金澤弘太、雫石知之、Sitry、呪みちる×古川沙織

file.30◎FEATURE：揺らぐ心象の迷宮
A4判・112頁・並装・1200円（税別）・ISBN978-4-88375-452-6
●宮本香那、ÔБ、川上勉、高松潤一郎、田中流、大山菜々子、塩野ひとみ、かつまたひでゆき、Ma marumaru、シン・ニッポン風土記 ほか

file.29◎FEATURE：見る／見えることの異相
A4判・112頁・並装・1200円（税別）・ISBN978-4-88375-442-7
●金巻芳俊、倉崎稜希、泥方陽菜、山村まゆ子、根橋洋一、平良志季、畫正、吉田有花、高齊りゅう、奥村あか、須川まきこ ほか

file.28◎FEATURE：少女への夢想曲
A4判・112頁・並装・1200円（税別）・ISBN978-4-88375-436-6
●イヂチアキコ、くるはらきみ、九鬼匡規、鈴木那奈、傘嶋メグ、蕾、吉岡里奈、中尾変、吉田和夏、清水真理、田中流、林美登利

file.27◎FEATURE：死を想い、生を描く
A4判・112頁・並装・1200円（税別）・ISBN978-4-88375-430-4
●亀井三千代、伊東明日香、村上仁美、ある紗、田中童夏、キジメッカ、多賀新、東學、山本竜基、髙瀬実穂子、北見隆、後藤麦×今大路智枝子

◎トーキングヘッズ叢書（TH Seires）

No.93 美と恋の位相／偏愛のカタチ
A5判・224頁・並装・1444円（税別）・ISBN978-4-88375-488-5
●「美」に幻惑され、偏愛的、狂的、病的な愛に憑かれた者たちの物語――美しき吸血鬼像、クレオパトラ、ベニスに死す、桜の森の満開の下、乱歩式人形愛の美学、ヴェルレーヌと美少年ランボー、少女人形フランシーヌが見せた夢、コスプレで上流階級を魅了した美女エマ・ハミルトン、八田拳（みこいす）インタビュー他

No.92 アヴァンギャルド狂詩曲〜そこに未来は見えたか？
A5判・224頁・並装・1444円（税別）・ISBN978-4-88375-481-6
●新たな価値観を創出することを志したアヴァンギャルド的表現を見直し、新たな多様な表現を眺望してみよう！ マン・レイ、合田佐和子、田部光子、ヴェネチア・ビエンナーレ、舞踏はいまも前衛か、きゅんくんインタビュー、アヴァンギャルド映画、未来派とバウハウス、寺山修司による『市街劇ノック』、月刊漫画ガロの足跡他

No.91 夜、来たるもの〜マジカルな時間のはじまり
A5判・224頁・並装・1444円（税別）・ISBN978-4-88375-473-1
●「魔」的なものが支配する時間、それが夜だ！ 神は闇を渡る、『稲生物怪録』、児童文学と少年少女の夜、裸のラリーズという《夜の夢》、ドイツ表現主義映画、『ナイトホークス』、稲垣足穂、埴谷雄高、『百億の昼と千億の夜』、妖精たちの長くて短い夜、『夜のガスパール』、金縛り・過眠症・夢遊病、高千穂の夜神楽他

No.90 ファム・ファタル／オム・ファタル〜狂おしく甘美な破滅
A5判・224頁・並装・1389円（税別）・ISBN978-4-88375-467-0
●危険な魔性の女、魔性の男たち――エヴァ、イザナミからラムまで、かぐや姫の正体、女奇術師・松旭斎天勝、カサノヴァの艶なる恋、高級娼婦コーラ・パール、クラーナハ、ジャンヌ・モロー、松本俊夫『薔薇の葬列』、キューブリック、横溝正史の美少年像、オペラ『カルメン』、妲己のお百、トレヴァー・ブラウン、アーバンギャルド他

No.89 魔都市狂騒〜都市の闇には、物語がある。
A5判・224頁・並装・1389円（税別）・ISBN978-4-88375-461-8
●都市の狂騒的な享楽と、頽廃的な闇――上海、ベルリン、ニューヨーク、円都と歌姫、東洋の魔窟・九龍城砦、酔いどれと怪物〜大都市ロンドン近代化の影、コペンハーゲンにあるヒッピーたちの独立自治村、美魔都市・京都、観音、遊郭から一大歓楽街へ〜浅草の歴史、ゴッサム・シティの光と影、都市から生まれる都市伝説他

No.88 少女少年主義〜永遠の幼な心
A5判・224頁・並装・1389円（税別）・ISBN978-4-88375-456-4
●永遠を夢見る少女、少年の魂は、時代や性差、生死をも超える―［図版構成］たま、須川まきこ、戸田和子、パメラ・ビアンコ、村田兼一、甲秀樹他／「恐るべき子供たち」などに見る少年少女たちの死と再生、少女主義者たちの文学、「不思議の国のアリス」の姉をめぐって、庵野秀明と宮崎駿、『紅楼夢』、鷗外と芥川のヴィタ・セクスアリス他

No.87 はだかモード〜はだける、素になる文化論
A5判・208頁・並装・1389円（税別）・ISBN978-4-88375-444-1
●タブー視されてきた「はだか」、そして「はだけること」をめぐる文化の諸相。珠かな子、七菜乃、彫師・SHIGEインタビュー、人はなぜ裸という無垢を捨てたか、黒田清輝と裸体画論争、偏愛のヌーディズム、絵本『すっぽんぽんのすけ』、映画におけるヌード表現史、バタイユとクロソウスキー、銭湯・温泉主義者たちの裸のユートピア他

トーキングヘッズ叢書（TH series） No.94

ネイキッド
〜身も心も、むきだし。

編　者　アトリエサード
編集長　鈴木孝（沙月樹 京）
編　集　岩田恵／望月学英・徳岡正肇・田中鷹虎
協　力　岡和田晃

発行日　2023 年 5 月 10 日

発行人　鈴木孝
発　行　有限会社アトリエサード
東京都豊島区南大塚 1-33-1 〒 170-0005
TEL.03-6304-1638 FAX.03-3946-3778
http://www.a-third.com/
th@a-third.com
振替口座／ 00160-8-728019
発　売　株式会社書苑新社
印　刷　株式会社平河工業社
定　価　本体 1444 円＋税
ISBN978-4-88375-494-6 C0370 ¥1444E

©2023 ATELIERTHIRD
本書からの無断転載、コピー等を禁じます。

出版物一覧

http://www.a-third.com/

ご意見・ご感想をお寄せ下さい。
Web で受け付けています。

新刊案内などのメール配信申込も
Web で受付中!!

●アトリエサード twitter　@athird_official

●編集長 twitter　@st_th

アトリエサード HP

AMAZON（書苑新社発売の本）

A　F　T　E　R　W　O　R　D

■基本、私は自分をさらけ出すのが苦手である。自分の本性を隠して、できれば無になって存在を消したいくらいに思いながら生きてきた。無闇にはしゃぎまくる人はちょっと苦手で、いや否定はしないけど、その輪には絶対入らないよ。他人の迷惑顧みずじゃなくてうまいこと自分を晒すことのできる人は、ある意味うらやましい。そして絵でも小説でもなんでも、そうして晒されたもので楽しませてもらっているわけで、その楽しみを人にも伝えられればいいなぁと思っているわけなんです。で、次はExtrARTが6月下旬、THが7月末です!（S）
★弦巻稲荷日記ー2000年本誌の表紙を飾った娘が、社会人になって独り立ちする。バレリーナに育てるはずが気がついたらクリエーターになってた。まあ、これからも、彼女の親であることは変わらない。今年も金山町妖精美術館のことを引き受けた。「責務は行為であって、結果では無い」。以下次号（め）

■展覧会・個展や上映・上演等の情報は、編集部あてにお送りください（なるべく発売の1カ月半前までに。本誌は1・4・7・10の各月末発売です）。
■絵画等の持ち込みは、郵送（コピーをお送りください）またはメール（HPがある場合）で受け付けています。興味を持たせて頂いた方は、特集や個展など、合うタイミングでご紹介させて頂きます。
■巻末の「TH特選品レビュー」では、ここ数ヶ月の文学・アート・映画・舞台等のレビューを募集中。1本400字以内で、数本お送り下さい。採用の方には掲載誌を進呈します（原稿料はありません）。THの色にあったものかどうかも採否の基準になります。投稿はメール（th@a-third.com）でOK。
■詳しくはホームページもご覧ください。
※応募の際には、本名・筆名・住所・TEL・E-mail・年齢・職業・趣味の傾向等簡単な自己紹介・本書のご感想を必ずお書き添え下さい。
※恐れ入りますが、原則的に採用の方にのみご連絡を差し上げています。ご了承ください。

アトリエサードの出版物の購入のしかた・通信販売のご案内

● TH series（トーキングヘッズ叢書） の取扱書店は、 http://www.a-third.com/ へ。 定期購読は富士山マガジンサービス及び小社直販にて受付中!（www.a-third.com のトップページにリンクあり） ●書店店頭にない場合は、 書店へご注文下さい（発売＝書苑新社と指定して下さい。 全国の書店からOK）。 ●ネット書店もご活用下さい。

●アトリエサードのネット通販でもご購入できます。
■各書籍の詳細画面でショッピングカートがご利用になれます。■郵便振替 / 代金引換 / PayPal で決済可能。

■インターネットをご利用になれない方は、 郵便局より郵便振替にて直接ご送金いただいても結構です（送料の加算は不要! 連絡欄に希望書名・冊数を明記のこと）。 入金の通知が届き次第お送りいたします（お手元に届くまで、 だいたい 1 週間〜10 日ほどお待ち下さい）。 振込口座／00160－8－728019　加入者名／有限会社アトリエサード
■また TEL.03-6304-1638 にお電話いただければ、代金引換での発送も可能です（取扱手数料 350円が別途かかります）